Eili Goldberg

El
Diccionario
Máximo
de los
Sueños

Eili Goldberg

El
Diccionario
Máximo
de los
Sueños

Grupo Editorial Tomo, S. A. de C. V.
Nicolás San Juan 1043
03100 México, D. F.

1a. edición, septiembre 2001.
2a. edición, marzo 2004.
3a. edición, mayo 2005.
4a. edición, noviembre 2006.

The Ultimate Dictionary of Dreams
Copyright © 1999 by Eili Goldberg
Astrolog Publishing House
P.O. Box 1123, Hod Hashram 45111, Israel
Tel. 972-9-7412044
Fax. 972-9-7442714
www.astrolog.co.il

© 2006, Grupo Editorial Tomo, S.A. de C.V.
Nicolás San Juan 1043, Col. Del Valle
03100 México, D.F.
Tels. 5575-6615, 5575-8701 y 5575-0186
Fax. 5575-6695
http://www.grupotomo.com.mx
ISBN: 970-666-415-7
Miembro de la Cámara Nacional
de la Industria Editorial No 2961

Traducción: Luigi Freda Eslava
Diseño de portada: Emigdio Guevara
Formación tipográfica: Consuelo Rutiaga
Supervisor de producción: Leonardo Figueroa

Este es el diccionario más actualizado que existe
de los símbolos y la interpretación de los sueños.
Podemos emplear esta lista completa de símbolos
nuevos y antiguos que aparecen en nuestros sueños
para comprender por qué soñamos lo que soñamos
y cuál es el significado. Muchos de los símbolos
tienen connotaciones psicológicas, mientras
que es claro que otros son predicciones del futuro.
A menudo, nuestras emociones y estado de ánimo
se revelan en los símbolos de nuestros sueños.
Con las explicaciones claras de este diccionario a la
mano, ya no necesitamos preocuparnos o estar
confundidos sobre el significado de nuestros sueños.

Eili Goldberg ha publicado numerosos libros sobre
misticismo y psicología, y es una autoridad en la
interpretación de los sueños.

Introducción

Desde el inicio de la cultura humana —cuando el hombre primitivo, acuclillado en pieles de animales en su oscura cueva, producía dibujos en las paredes de una figura dormida, con enormes mamuts dentro de una nube que emerge de la cabeza de la figura— el fenómeno de los sueños ha tenido ocupados los pensamientos del hombre. ¿Existe algo más maravilloso que un sueño... una persona profundamente dormida, inconsciente de lo que la rodea, y que al mismo tiempo observa imágenes ante sus ojos, cuadros activos de su vida? He aquí la novia que perdió hace tanto tiempo, no ha envejecido nada. Y, ¿qué es esto? Está parado en un campo de maíz... Y, ¿cuál es el significado del pitón enrollado en una rama?

Aunque el hombre siempre ha estado fascinado por el fenómeno de los sueños como un todo (¿por qué soñamos?, ¿los sueños son sólo un recuerdo retenido en el subconsciente?, ¿podemos recordar los sueños cuando despertamos?, ¿podemos encauzar nuestros sueños hacia un tema específico?), también se ha preocupado por una pregunta más urgente: ¿Cuál es el significado de nuestros sueños?

Una persona sueña que se estrella el avión en que viaja, matando a todas las personas abordo. Decide cancelar el viaje de negocios que había planeado para el siguiente día y no volar. Dos días después, abre el periódico... ¡y el avión en verdad se estrelló! ¿El sueño lo estaba advirtiendo?, ¿podemos adivinar el futuro mediante nuestros sueños?

Varias semanas antes del viaje inaugural del famoso *Titanic*, un autor británico publicó un artículo describiendo su sueño... un sueño en que el barco se había hundido. El artículo fue muy criticado, todo mundo vio en él un esfuerzo barato para aprovechar la publicidad generada por el viaje inaugural del *Titanic*. Cuando se dio a conocer el hundimiento del lujoso trasatlántico, muchas personas se preguntaron: ¿Se pudo impedir el desastre si se hubiera creído en el sueño?

En las culturas antiguas, existían dos formas de hacer frente a los sueños: El primer enfoque consideraba a los sueños como un viaje del cuerpo astral, el cual es la parte de la personalidad que es la materia original, capaz de abandonar el cuerpo físico y de embarcarse en un viaje sobre la faz de la Tierra y por el espacio. Este cuerpo astral es testigo de escenas del pasado, del presente y del futuro y trae lo que ha visto a los ojos del cuerpo físico. El segundo enfoque considera los sueños como instrucciones y mensajes que envían al soñador los dioses o las personas muertas que desean comunicarse con él. Estos mensajes a menudo son declaraciones que tienen que ver con el futuro. En otras palabras, ambos enfoques recalcan un aspecto: los sueños tienen significado. Se presentan a la persona con el fin de indicarle algo, para advertirle, para informarle... Por lo tanto, la persona debe comprender el significado de sus sueños con el fin de entender el mensaje que se le está enviando desde el mundo extrasensorial.

Una persona que no comprende un idioma, no entenderá un signo en ese idioma, incluso si lo tiene frente a la cara; con el fin de saber lo que indica el signo, debe entender el idioma. También sucede con los sueños: con el propósito de interpretarlos, es necesario familiarizarse con el idioma, con el significado de cada símbolo o forma que aparezca en un sueño.

Otro punto a tener en cuenta es que no es sólo el símbolo que aparece en el sueño, en un contexto cultural apropiado, lo que tiene importancia para la correcta interpretación del sueño, también es importante el fondo o la acción que aparece en el sueño. ¿La ventana está abierta o cerrada?, ¿el ave está volando hacia a ti o se está alejando?, ¿ves a la mujer desde un punto sobre su cabeza o desde abajo? Estos detalles, como explicaremos después, nos ayudan a lograr la interpretación correcta del sueño.

En el pasado, la interpretación de los sueños era el campo de sabios, adivinos y figuras religiosas; como tal, estaba ligada no sólo a la cultura de la persona sino también a su religión. En el siglo XX, el estudio de los sueños ha pasado, en su mayor parte, a manos de los psicólogos, los cuales tienen una interpretación particular que consiste en teorías aisladas de una cultura específica.

Aunque el hombre comprende poco los sueños o el dormir, casi todas las personas entienden lo que queremos decir con un "sueño". Incluso un niño chico sabe que existe un estado de sueño que es diferente al de la realidad. Pero el extenso reconocimiento de que existen los sueños no contribuye en nada a la interpretación. Desde tiempos antiguos, los sueños han continuado siendo un misterio sin resolver. Nadie puede afirmar con precisión a qué propósito sirven los sueños y a qué nivel de conciencia tienen lugar.

La definición aceptada de sueño es: "imágenes o experiencias al dormir, que la persona dormida considera reales".

Los sueños se pueden identificar mediante diversas características: un sueño, el estado de dormir, es "realista"; está señalado por extremos, exceso, pérdida de los límites... todo es posible en un sueño; el poder de los eventos o sensaciones aumenta en el sueño; es muy difícil dirigir un sueño mientras la persona está dormida; por lo general, un sueño presenta un evento, o cadena de eventos más que una escena estática y aislada; los sueños se borran de la memoria.

El estudio de los sueños y, aún más, su interpretación, es un campo de interés amplio y fascinante. Vamos a mencionar sólo unos cuantos de los temas que se abordan en este diccionario:

1. La interpretación de los sueños.

2. La interpretación psicológica de los sueños.

3. El sueño como un puente entre mundos distantes y el individuo.

4. El estudio de los sueños con fines terapéuticos.

5. La autointerpretación de los sueños, una forma de registrar y utilizar la información obtenida de los sueños.

Para ayudar a emplear este libro, vamos a explicar brevemente cómo registrar un sueño. Primero, escribe lo que soñaste, incluso en forma de generalidades, inmediatamente después de despertar. ¡Cada minuto que pasa borra partes de tu sueño! Prepara los materiales para escribir junto a tu cama o, algo aún mejor, mantén una grabadora de cinta cerca, preparada de antemano, para que puedas registrar la historia de tu sueño.

Después de escribir el sueño, revisa tus notas y añade los diversos detalles que se te ocurran conforme lees. Esos detalles pueden "surgir" durante todo el día. Asegúrate de añadir todos los detalles al sueño original.

Además, apunta el sentimiento general al despertar (tristeza, depresión, estar lleno de energía y anticipación, etc.). También, haz una anotación de cualquier actividad especial del día precedente (asistir a una boda, ir a la oficina de hacienda, pelear con la madre, etc.), al igual que el día siguiente a tu sueño.

Uno o dos días después, combina todo el material en una forma ordenada sin agregar o borrar nada y tendrás un "sueño" listo para la interpretación.

Este libro, *El Diccionario Máximo de los Sueños*, es el diccionario más moderno y extenso de los sueños que se haya compilado alguna vez. Más de 12,000 símbolos de sueños aparecen en sus páginas. Eili Goldberg reunió el material para este libro (el diccionario de los sueños más actualizado que existe) durante el transcurso de 1999 y empleó más 270 diccionarios en diversos idiomas de todo el mundo, con el fin de preparar la lista más extensa y exacta de todos los tiempos.

Los símbolos que aparecen en el diccionario se examinaron en dos etapas: Durante la primera, se reunieron los símbolos que aparecían en al menos 20 de los diversos diccionarios. Durante la segunda etapa, se clasificaron los símbolos en grupos (por ejemplo, animales, figuras históricas, flores, vehículos, etc.) y se seleccionó el cincuenta por ciento de los símbolos que se presentaban con mayor frecuencia en otros diccionarios de interpretación de los sueños.

Este diccionario presenta los sueños en orden alfabético, por supuesto, junto con cientos de ilustraciones. Al final del libro, existe un artículo sobre los sueños del libro de Eili Goldberg, *El Diccionario de los Sueños* (Astrolog, 1998).

Abalorios: Cuando la persona que sueña **ve abalorios**, significa que personas importantes le prestarán atención. **Contar abalorios** es señal de alegría y felicidad. Si están **dispersos**, disminuirá la apreciación que las personas conocidas sienten por la persona que sueña.

Abanderado: Si la **persona que sueña es abanderada**, tendrá una ocupación agradable y multifacética. Si **otros son abanderados**, la persona que sueña envidiará a un amigo.

Abandonar: Su una joven sueña con abandonar a un amigo o su casa, significa que se desilusionará de su enamorado, el cual no satisfacerá sus expectativas.

Abandono: Si la persona que sueña es **abandonada**, significa una riña con un amigo. Si el soñador **abandona a otra persona**, significa que renovará un contacto con un amigo. Si **abandona a su novia**, no encontrará artículos valiosos que ha perdido. **Abandonar a una amante** predice riqueza repentina para la persona que sueña. **Abandonar a los hijos** significa pérdidas financieras drásticas por errores de juicio. Si la persona que sueña **abandona su hogar**, va a apostar y a perder. Si **abandona su empresa**, tendrá problemas, disputas y acusaciones.

Abanico: Un **abanico detallado** indica que la persona que sueña es arrogante y egocéntrica. Un **abanico nuevo** predice buenas noticias. Un **abanico viejo** indica que existe una razón para preocuparse de incidentes graves o noticias desagradables.

Abdomen: Ver nuestro abdomen en un sueño indica grandes esperanzas. Un **abdomen hundido** indica traición y persecución por parte de falsos amigos. Un **abdomen hinchado** es señal de privaciones que la persona que sueña superará. **Sangre que fluye** del abdomen advierte de una tragedia en la familia del soñador.

Abeja: Una o varias abejas en un sueño son señal de que pronto tendrá lugar un suceso alegre en la familia. **Ver una abeja** significa que la persona que sueña tiene buenos amigos. Si **una abeja pica a la persona que sueña**, alguien cercano le causará una lesión.

Abismo: Mirar hacia abajo, a un abismo, es señal de que la persona que sueña va a encontrarse en peligro.

Abrazo: El abrazo, en especial a un miem- bro de la familia o a alguien cercano a la persona que sueña, refleja su necesidad de darse a sí misma y a otros. Si la **persona que sueña abraza a su cónyuge con indiferen- cia**, es señal de una posible enfermedad y de  disputas y peleas domésticas. Si la **persona que sueña abraza a padres**, éstos se enfermarán y estarán infelices. **Para enamorados,** es una señal de peleas después de una infidelidad. **Abrazar a un extraño** presagia visitas indeseables.

Abrigo: Casi cualquier contexto en que **aparezca un abrigo** (usarlo, venderlo o comprarlo) indica que cierta inversión dará dividendos y la persona que sueña se beneficiará de ella. **Usar un abrigo** que pertenece a otro significa que la persona que sueña necesita ayuda de esa persona. **Perder un abrigo** en un sueño indica que la persona que sueña debe ser cauta cuando tome decisiones de negocios.

Abril: Soñar **sobre abril** es un buen sueño que significa felicidad y prosperidad. Si el **clima es malo**, significa que la mala suerte pasará pronto.

Absceso: Es una predicción de grandes problemas y dificultades para el soñador, al cual pedirán compadecerse de las de otras personas.

Absolución: Si la persona que sueña **es absuelta** de un crimen, está a punto de recibir propiedades, pero puede necesitar primero comprometerse en una batalla legal. Si **se absuelve a otros**, los amigos de la persona que sueña le traerán alegría a su vida.

Abuelos: Soñar con una conversación con los abuelos de la persona indica dificultades casi insuperables, pero al final la persona que sueña las superará al aceptar buenos consejos.

Abundancia: Es una clara indicación de que la persona que sueña tendrá una vida llena de prosperidad y riqueza.

Academia: Si **la persona que sueña visita una academia**, lamentará las oportunidades perdidas como resultado de la inercia. **Ser miembro de una academia** indica la inhabilidad para aplicar el conocimiento adquirido. **Volver a la academia** significa que se hacen exigencias irrealizables a la persona que sueña.

Acampar: Soñar con **dormir en el exterior** advierte contra la rutina e indica la necesidad de vacaciones. **Soñar con ir a un campamento del ejército** predice matrimonio en el futuro cercano.

Accidente: Un **accidente automovilístico** significa que una mala decisión conducirá a un convenio no exitoso. Si se sueña con un **accidente que sucede en un lugar desconocido**, indica una vida amorosa sin éxito. Soñar con **estar involucrado en un accidente de tren**, es una indicación de un exceso de confianza en uno mismo. Si el **soñador se encuentra en un accidente de avión** es una advertencia contra malos convenios de negocios en el futuro cercano. Si un **accidente tiene lugar con ganado**, batallará para adquirir algo sólo para ver a un amigo, que lo está ayudando.

Aceite de Ricino: La persona que sueña puede causar la caída de un amigo que en secreto ha estado tratando de llevar a cabo su avance.

Aceite: Si la **persona que sueña ve gran-des cantidades de aceite,** significa que ha exagerado sus placeres. El **sueño de una persona sobre negocios con aceite** repre- senta una advertencia contra tiempos difíciles, llenos de desilusiones y frustración. Si una **mujer sueña con aceite,** la respetarán y tendrá un matri-monio feliz. Si **le untan aceite,** se le harán proposiciones indecentes. El **aceite comestible** significa que la persona que sueña no será tratada con consideración en un asunto inquietante.

Aceptación: Si un **hombre de negocios sueña con que se acepta una proposición,** es señal de éxito después de señales de fracaso. Si **la novia del soñador lo acepta,** pronostica una vida de felicidad con ella.

Acera: Caminar por la acera significa un ascenso rápido en el mundo de los negocios, y gran estima por la persona que sueña. Sin embargo, **resbalar o caer de la acera** significa todo tipo de problemas.

Achispado: Soñar con estar achispado es señal de una disposición jovial y descuidada que puede ignorar las vicisitudes de la vida. Si **otros están achispados,** la per-sona que sueña no se interesa en la conducta de la gente a su alrededor.

Ácido: Beber ácido en un sueño es una señal de ansiedad. Los **ácidos tóxicos** indican el descubrimiento de traición contra la persona que sueña.

Acordeón: Cuando **la persona que sueña está tocando el acordeón**, es señal de que pronto se casará. Si se escucha el **sonido del acordeón** y no se ve, se puede esperar un desengaño. La **música o las notas desafinadas** indican depresión y desaliento.

Acróbata: Un **acróbata** significa que la persona que sueña tiene un peligroso enemigo del que no se ha dado cuenta. Si un **acróbata cae** en el sueño, indica que se ha frustrado un complot. Si la persona que sueña **es el acróbata**, significa que necesita refuerzos de su medio ambiente.

Actor o actriz: Un actor en el escenario indica conducta falsa de parte de uno de los amigos de la persona que sueña.

Acuerdo: Sugiere que los problemas de la persona que sueña se resolverán y desaparecerán por completo sus preocupaciones.

Acusar: Si la persona que sueña **acusa** a alguien de una acción ruin, reñirá con sus subordinados y hará el ridículo. Si **se acusa** al soñador, puede ser culpable de esparcir rumores malignos.

Adán y Eva: Un sueño de este tipo indica a una persona que está buscando el aspecto virginal o puro de la vida, o a un individuo que tiene una vida satisfactoria, en armonía consigo mismo.

Adiós: Una **despedida feliz** es una señal de vida social apropiada y feliz, mientras que **las tristes** son una predicción de pérdida y soledad.

Adivinación: Soñar con que se le diga su futuro a la persona que sueña indica que ésta está preocupada por algún asunto molesto y debería tener cuidado antes de estar de acuerdo con su solución.

Administrador o Jefe: Cualquier sueño sobre un administrador o jefe, ya sea que la persona que sueña es la administradora o es otro el jefe, indica una promoción en el trabajo, además de mejoría en el nivel social y económico.

Admirar: Si se **admira** a la persona que sueña, significa que la amarán antiguos colegas que ha superado en rango.

Adoptado: Si la persona que sueña ve a su **hijo o padre adoptivo**, experimentará grandes ganancias financieras superando las intrigas de extraños. Un sueño de **adoptar a un** niño indica que la persona que sueña cometerá un error cuando se cambie de casa.

Adorno: Usar un adorno en la ropa significa que la persona que sueña recibirá un maravilloso honor. **Recibir adornos** es señal de suerte. **Regalarlos** es señal de descuido y derroche. **Perderlos** predice la pérdida de un trabajo o de un enamorado.

Aduana: Ver una aduana es símbolo de competencia en la profesión de la persona que sueña. Si **entra en una aduana**, significa que competirá por una posición muy codiciada o ésta le será ofrecida. **Dejar una aduana** es señal de pérdida financiera, perdida de nivel social o fracaso.

Adulación: Buscar la adulación indica que se concederá a la persona que sueña una posición de honor inmerecida. **Dar adulación** significa que la persona que sueña se deshará de una posesión preciada con el fin de beneficiarse materialmente. Si alguien adula a la persona que sueña, es una señal de que están cerca enemigos que aparentan ser amigos.

Adulterio: Indica una conciencia culpable respecto a la sexualidad de la persona que sueña.

Adversario: Ver a un adversario significa que la persona que sueña se defenderá de ataques. **Vencer a un adversario** significa escapar del desastre.

Adversidad: Si la persona que sueña **es atrapada por la adversidad**, experimentará fracasos y mala suerte. **Otras personas atrapadas por la adversidad** son señal de tristeza y planes fallidos.

Afeitado: Soñar con que la afeiten significa que un timador se aprovechará de la persona que sueña. Si la **persona que sueña se rasura sola**, significa que está encargada de su negocio y de su casa, a pesar de una

esposa mandona. Si **su cara está bien afeitada**, tendrá una vida serena. Si **está áspera**, está por presentarse una disputa doméstica. Una **navaja sin filo** significa que la persona que sueña causará que sus amigos critiquen su vida personal. Si la **barba de la persona que sueña es gris**, no se mostrará justo. Si una **mujer ve afeitarse a hombres**, buscará placeres vulgares. Si **ella sueña con que la afeiten**, significa que será tan masculina que alejará a los hombres.

Aficionado: Un **actor aficionado** significa la realización de las esperanzas. Si **actúa en una tragedia**, se reducirá la felicidad de la persona que sueña.

Afilador: Las personas tratarán las posesiones de la persona que sueña con total falta de respeto.

Aflicción: Soñar una **aflicción** predice desastres inminentes. La **aflicción de otras personas** indica que la persona que sueña estará rodeada de privaciones e infortunios.

Afortunado: Soñar con ser afortunado es sólo eso, un sueño afortunado. Los deseos se harán realidad y la persona que sueña disfrutará lo que tiene que hacer. Si la **persona que sueña está desesperada**, este sueño le da esperanza de nueva felicidad y prosperidad.

Afrentas: Soñar **una afrenta** causará que se lamente la persona que sueña. Una **joven que sueña que se le**

afrenta, será explotada, se le pondrá en una posición comprometida y se pondrán en peligro sus intereses.

Ágata: La aparición de una **ágata** en un sueño significa cierto avance en los negocios.

Agenda: La persona que sueña tiene problemas que surgen de su pasado.

Agonía: Un **sueño de agonía** predice una mezcla de placer y ansiedad, en donde predomina la última. Si la persona que sueña está en **agonía por sus pérdidas financieras**, sufre de miedos imaginarios respecto a sus asuntos de negocios o por la salud de un pariente cercano.

Agonizante: Si la **persona que sueña se ve agonizante** en un sueño, indica mala conciencia o sentimientos de culpabilidad. Si **otra persona está agonizante**, significa que la persona que sueña está tratando de liberarse de sentimientos de responsabilidad hacia esa persona.

Agosto: Un **sueño sobre agosto** es señal de tratos de negocios sin éxito y malentendidos en el amor. Una **joven que sueña casarse en agosto** debe saber que la espera el pesar al principio de su vida de casada.

Agua: Soñar con agua cristalina es señal de prosperidad y alegría. El **agua lodosa** es una predicción de peligro y desdicha. **Caer en agua lodosa** predice muchos errores graves con amargas consecuencias. **Beber agua cristalina** es señal de éxito, felicidad y abun-

dancia. **Beber agua impura o lodosa** advierte de problemas de salud. **Soñar con jugar en agua** significa que la persona que sueña recibe mucho amor de quienes la rodean; también sentirá pasión. Si **le rocían agua,** su pasión será recíproca. Si el **agua se eleva en la casa de la persona que sueña,** tendrá una batalla contra el mal. Sólo si disminuye, lo resistirá. **Sacar agua,** y los pies mojados, significa desgracia, enfermedad y miseria que puede evitarse si la persona que sueña está alerta. Es lo mismo si el **agua lodosa se eleva en barcos y botes.** Las **aguas tormentosas** indican problemas en el camino a la independencia económica.

Agua Mineral: Beber agua mineral significa que la persona que sueña tendrá éxito en sus tareas y se satisfacerán sus anhelos.

Aguacate: Soñar con un **aguacate** significa éxito económico y mejoría del nivel social en el trabajo.

Aguacero: Es una predicción de tristeza y malos negocios.

Aguador: Ver aguadores en sueños significa buena suerte en el amor y los negocios. Si la **persona que sueña es aguadora,** subirá por el camino al éxito.

Aguas de Albañal: El agua de albañal en un sueño es una indicación de un matrimonio no exitoso, de enemigos ocultos o de una mala relación de negocios.

Águila: Si un **águila aparece en un sueño**, no se debe tomar a la ligera. Es muy significativa e indica un deseo extraordinario de la persona que sueña para poner en práctica su potencial. **Ver un águila volando en lo alto** significa grandes ambiciones que la persona que sueña alcanza después de una contienda. **Ver un águila posada a lo lejos** significa que la persona que sueña será favorecida con fama, riqueza y el nivel social más alto posible en su país. Las **águilas jóvenes en su nido** significan que la persona que sueña se beneficiará de su asociación con personas en posiciones elevadas y recibirá un rico legado. **Matar un águila** significa que ningún obstáculo impedirá que la persona que sueña haga realidad sus ambiciones; sus enemigos serán vencidos y se volverá extremadamente adinerada. **Comer un águila** es señal de poderosa voluntad con un solo propósito y riqueza inmediata. Un **águila muerta** significa que le quitarán despiadadamente la posición elevada y la fortuna a la persona que sueña. **Montar el dorso de un águila** significa viajes largos de exploración en países desconocidos, logrando conocimientos y riqueza.

Aguja: Encontrar una aguja en un sueño predice una sólida amistad con un nuevo conocido. **Utilizar una aguja** significa que la persona que sueña puede esperar privaciones por las que no recibirá compasión. **Buscar una aguja** indica ansiedades tontas. **Ensartar una aguja** simboliza la responsabilidad de  la persona que sueña por individuos que no pertenecen a su familia. Una **aguja rota** es señal de pobreza y soledad.

Coser significa que la persona que sueña experimenta soledad.

Ahogarse: Si la **persona que sueña se ve ahogándose**, es señal de que la cooperación con un colega profesional será lucrativa. Si la **persona que sueña ve ahogarse a otras personas,** predice malas cosas en el futuro.

Ahogo: Ve **Sofocación.**

Aire: Sueños de aire no presagian nada bueno: el **aire caliente** sugiere que el soñador hará algo malo como resultado de opresión. El **aire frío** indica irregularidades en los negocios y falta de armonía doméstica. La **humedad** indica infortunios destructivos.

Ajedrez: Si la **persona que sueña está jugando ajedrez,** puede esperar tener una disputa grave con un amigo o pariente, con resultados amargos. Un **tablero de ajedrez** significa que la persona que sueña conocerá personas nuevas como resultado de una crisis que ha superado.

Ajenjo: Si la persona que sueña se emborracha bebiendo ajenjo, significa que está actuando en forma irresponsable con personas inocentes y va a despilfarrar su herencia.

Ajo: Soñar con ajo se interpreta de acuerdo al gusto de la persona que sueña: Si a la **persona que sueña le gusta el ajo**, es un sueño positivo que predice éxito. Si la **persona que sueña siente asco por el ajo, pronostica malos tiempos.**

Alabastro: El **alabastro** predice éxito en asuntos legales y en el matrimonio. **Romper un objeto** de alabastro significa arrepentimiento y pesar.

Alambre: Soñar con alambre significa que la persona que sueña hará muchos viajes cortos que serán en su perjuicio. El **alambre viejo u oxidado** significa que la persona que sueña es malhumorada, lo que causa incomodidad en quienes la rodean. Si **ve una cerca de alambre**, significa que la defraudarán en un trato.

Álamos: Los **álamos en flor o con hojas** son una buena señal. Si una **joven** se encuentra bajo uno con su enamorado, todos sus sueños más locos se harán realidad. Si los **árboles están desnudos y secos**, experimentará desilusiones.

Alas: Soñar con tener alas indica el miedo de la persona que sueña por la seguridad de alguien que viaja a lugares lejanos. **Ver las alas de aves silvestres o de corral** indica que la persona que sueña al final superará todos sus problemas y logrará riqueza y nivel social.

Alba: Observar el alba significa éxito en proyectos, en tanto la escena no esté borrosa o sea extraña, lo cual implicaría desilusión en lugar de éxito en el amor o en los negocios.

Albañil: Observar trabajar a albañiles es señal de desilusión. Si la **persona que sueña es un albañil**, su trabajo será ingrato y sus socios insípidos.

Albañil: Soñar con un albañil indica buenas noticias para la persona que sueña, tanto en lo financiero como en lo social.

Albatros: El soñador superará obstáculos y alcanzará el objetivo que desea.

Alboroto: Un alboroto en un sueño indica desilusión en algo que anhelaba la persona que sueña.

Álbum de Recortes: Predice que la persona que sueña pronto conocerá gente desagradable.

Álbum: Soñar con un **álbum** es un buen sueño y significa éxito y amistad verdadera. Si una **joven sueña con ver fotos en un álbum**, significa que pronto tendrá un amor nuevo y encantador.

Alcachofa: Sugiere una disminución de la comunicación con un socio, además de desacuerdos y falta de habilidad para comprenderlo.

Alegre: **Estar alegre con compañía** significa que la persona que sueña será bendecida con hijos de buena conducta y éxito en los negocios. Si la **alegría se estropea de alguna forma**, tendrá preocupaciones.

Alegría: Si la persona que sueña siente alegría por algún evento, la armonía reinará entre sus amigos.

Alfarero: **Soñar con un alfarero** es señal de satisfacción con el trabajo. Si una **joven ve a un alfarero**, tendrá una buena vida social.

Alfileres: Soñar con alfileres es señal de disputas domésticas y altercados de enamorados. **Tragar un alfiler** es una advertencia de accidentes y peligros. **Perder un alfiler** significa pérdidas y discusiones menores. **Ver un alfiler doblado u oxidado** significa pérdida de respeto de los demás por los hábitos descuidados de la persona que sueña. **Ser picado con un alfiler** indica que alguien molesta a la persona que sueña.

Alfombra: Caminar en una alfombra indica un amor al lujo. **Limpiar una alfombra** significa problemas personales en la familia o en la vida romántica.

Alforja: Un sueño sobre una alforja indica felicidad que no procede de la compañía de amigos.

Algodón de Azúcar: Es una predicción de un viaje agradable en el futuro cercano.

Algodón: Es un buen sueño cuando el **algodón está creciendo;** y cuando **está listo para recogerlo**, significa riqueza y prosperidad, y también cosechas abundantes para los granjeros.

Alguacil: Muestra que la persona que sueña está luchando por avanzar, pero que le falta intelecto. Ver a un alguacil indica miedo al cambio. Si **escogen a la persona que sueña para ser alguacil**, significa que tomará parte en algo que no producirá respeto ni ganancias.

Aliento: Si la persona que sueña encuentra a una persona con **aliento fresco y grato**, entrará a tratos de negocios ventajosos y se comportará bien. El **mal aliento** indica enfermedad y problemas. **Perder el aliento** significa fracasos inesperados.

Alimañas: Ver alimañas arrastrarse es señal de enormes problemas y enfermedad. Si la **persona que sueña se puede deshacer de ellas,** disfrutará de un éxito ordinario, pero si **no puede**, la muerte la amenazará a ella o a un miembro de su familia.

Alimento: Si la persona que sueña se ve comiendo y disfrutando, anuncia buenos tiempos por venir: ¡Alcanzará sus aspiraciones!

Alma: Si la **persona que sueña ve su alma partir del cuerpo**, significa que está a punto de permitirse pasatiempos sin importancia y que desperdician tiempo, lo que desgastará su sentido moral y lo volverá materialista y tacaño. Si la **persona que sueña ve el alma de otra persona dentro de sí**, significa que un individuo aún desconocido entrará a su vida y la ayudará. **Discutir la inmortalidad del alma** significa que la persona que sueña tendrá la oportunidad de aumentar sus conocimientos y disfrutar de conversaciones eruditas con personas inteligentes.

Almacén o Tienda: Si la **persona que sueña en realidad es tendero,** indica problemas de negocios. Si la persona que sueña es dueña de una tienda y **sueña que camina entre productos en venta,** es señal de que puede esperar tiempos buenos y llenos de satisfacción. Una **tienda llena de artículos** significa buenas ganancias. Una **tienda vacía** significa pérdidas y disputas. Si la **tienda está en llamas,** la persona que sueña tendrá un súbito renacimiento en los placeres y en los negocios. Una **tienda de departamentos** es un símbolo de varias áreas lucrativas. Si la **persona que sueña ve mercancía en una tienda de departamentos,** avanzará como resultado de sus esfuerzos y los de sus amigos. Si una **mujer sueña que alguien le vende mercancía usada,** el hombre que le agrada rechazará sus insinuaciones.

Almacén: **Soñar con un almacén** simboliza negocios prósperos. Un **almacén vacío** significa que la persona que sueña será engañada y contrariada en un plan bien pensado.

Almanaque: **Ver un almanaque** significa que la suerte del soñador va a vacilar. Si **estudia los signos,** significa que lo están deteniendo detalles insignificantes.

Almejas: **Ver almejas** es símbolo de tratar con una persona obstinada pero honesta. **Comer almejas** en un sueño significa disfrutar la prosperidad de otra persona.

Almendra: Comer **almendras** predice un viaje a lugares distantes.

Almizcle: Es señal de sucesos felices no previstos, además de armonía y fidelidad entre enamorados.

Almohada: Soñar con una almohada es señal de comodidad y riqueza. **Dormir sobre una almohada** es una advertencia contra una acción inapropiada de la persona que sueña que puede causar preocupación, vergüenza y falta de confianza. Si una **joven hace una almohada,** tendrá una vida feliz.

Almohadón: Este sueño indica que la persona que sueña perderá su poder y sus posesiones ante otro.

Alocado: Soñar con correr alocadamente predice una caída o accidente para la persona que sueña. Si **otros actúan alocadamente,** reveces harán que la persona que sueña esté ansiosa y agitada.

Alondra: Las **alondras que vuelan o cantan** son señal de eventos alegres, prosperidad y de matrimonio perfecto para la persona que sueña. Si las **alondras caen y cantan,** toda la alegría será destruida por desesperación. Si la **persona que sueña ve alondras en una trampa,** significa que no tendrá problemas para sentir amor y respeto. Una **alondra lastimada o muerta** significa pesar o privaciones. **Matar una alondra** significa causar daño a víctimas inocentes. **Ver alondras que comen** es señal de cosechas abundantes.

Alquilar: Alquilar una casa predice tratos lucrativos. Si la **persona que sueña no puede alquilar una propie-**

dad, sus negocios experimentarán estancamiento. Si **paga el alquiler,** no tendrá nada de qué quejarse en sus asuntos financieros. La **inhabilidad para pagar el alquiler** significa fracaso financiero.

Alquimista: Soñar con ser un **alquimista** que se esfuerza por convertir los metales comunes en oro indica que la persona que sueña tiene buenas ideas, pero nunca puede lograr sus objetivos. Se decepcionará en los negocios y en el amor.

Altar: Si el **soñador ve a un sacerdote en el altar,** se presentarán fricciones en los negocios y en asuntos domésticos. **Soñar con un matrimonio** presagia pesar para amigos y muerte de personas de edad avanzada.

Aluminio: Soñar con **aluminio** indica satisfacción con la suerte de la persona. Los objetos de **aluminio manchado** son señal de pérdida y pesar.

Ama de Casa: Soñar con ser ama de casa significa que la persona que sueña, sin importar su sexo, es feliz con sus tareas y ocupaciones. **Emplear una** significa que la persona que sueña será acomodada.

Amalgamas: Una **amalgama** es una señal de que la persona que sueña tendrá problemas por embrollos de negocios. Una **mujer que sueña con una amalgama** experimentará dolor y pesar.

Amamantar: Una **mujer que sueña con amamantar a su bebé** disfrutará de lo que hace. Una **joven que tiene el mismo sueño** tendrá trabajos responsables y respetables. Si un **hombre sueña que su esposa está amamantando a su bebé**, todo lo que haga será satisfactorio. Ver a una madre amamantar a un bebé significa que la persona que sueña tendrá éxito y felicidad.

Amapolas: Soñar con amapolas es señal de placeres bajos y transitorios, y de éxitos en los negocios. **Inhalar el aroma de una amapola** significa que la persona que sueña caerá víctima de adulaciones maliciosas.

Amatista: Un **sueño sobre amatistas** representa tratos de negocios justos. La **pérdida de una amatista** indica un compromiso roto.

Ambulancia: Soñar con una ambulancia que suena su sirena pronostica mala suerte. Si el **soñador es el paciente**, significa que se enfermará en el futuro próximo.

Amigo: Si un **amigo aparece en un sueño**, significa que está en problemas o en peligro. **Amigos infieles** en sueños significan que tienen gran estima a la persona que sueña.

Amo: Soñar con **tener un amo** significa que la persona que sueña no es lo bastante competente para ser líder y necesita la dirección de alguien más fuerte. **Ser un amo** de muchos subordinados indica el buen juicio de la persona que sueña, su alto nivel social y su gran riqueza.

Amoníaco: Es un símbolo de disgusto de la persona que sueña por la conducta de un amigo, lo que causará la disolución de la amistad.

Amor: Amar lo que sea en un sueño significa satisfacción con la vida. Si una persona **soltera sueña con el amor**, indica matrimonio en el futuro cercano. Si la **persona que sueña está casada**, predice una disputa doméstica. Un **sueño que en general trata sobre la relación de una pareja** (una relación que se basa en puras intenciones) insinúa felicidad, alegría y éxito. Si la **relación del sueño se basa en la explotación**, simboliza desilusión en la realidad.

Amoroso: Es una advertencia contra permitirse los deseos y placeres personales, ya que esto conlleva el riesgo de escándalos. Básicamente, advierte contra la conducta inmoral.

Amputación: Si **se amputa parte de una extremidad**, es indicación de pérdidas en negocios pequeños. La **amputación de toda la extremidad** representa extraordinaria mala suerte en los negocios; es un sueño de advertencia. Una **amputación de la pierna** significa la pérdida de amigos queridos y mala vida doméstica. La **amputación de un brazo** significa separación o divorcio, y advierte de falsedad y engaño. La **pérdida de dedos** indica pérdida financiera causada por enemigos.

Anciano: Es señal de cargas tristes.

Ancla: Simboliza estabilidad, seguridad y desenvoltura. El soñador tiene los pies bien plantados en la tierra. Un buen sueño para marineros.

Andamiaje: Es señal de que un paso incorrecto de la persona que sueña puede causar una riña de enamorados e incluso un rompimiento.

Andamio: Soñar con un andamio anuncia el no poder ganar el corazón de la persona que ama la persona que sueña. Si la **persona que sueña sube al andamio,** significa que sus amigos la han juzgado injustamente por una fechoría que nunca cometió. Si **baja del andamio** es señal de culpabilidad por la que la castigarán. **Si cae del andamio** la descubrirán mientras se confabula contra otros.

Andar: Es una indicación de desilusiones de negocios.

Anécdota: Una persona que sueña en relatar anécdotas busca compañía ligera y superficial y esta tendencia se reflejará en los tratos de negocios.

Ángel: Un **ángel** es una indicación de una fuerte creencia de la persona que sueña en un poder superior; no trata de alterar su destino. **Soñar con un ángel** también significa un matrimonio con éxito.

Anguila: Es un buen sueño si la persona que sueña puede sostenerla. **Si se escabulle de sus manos,** su suerte no durará. **Ver una anguila muerta** significa que la persona que sueña vencerá a su peor enemigo. **Para amantes**, la anguila significa matrimonio.

Anillo: **Usar un anillo** es señal de éxito en nuevas labores. **Ver a otros usar anillos** simboliza un aumento de la riqueza y muchos amigos nuevos. Un **anillo roto** es señal de riñas, infelicidad conyugal y rompimientos. Si una **joven sueña con recibir un anillo**, ya no necesita preocuparse por su enamorado que empezará a ser atento con ella.

Animales de Caza: Cualquier sueño sobre cazar animales silvestres significa éxito, pero con egoísmo. Si la **persona que sueña caza y no mata ningún animal**, significa mala administración y pérdida en los negocios.

Animales Jóvenes o Cachorros: Si aparece un **animal joven con su madre** en un sueño, indica sentimientos maternales. Los **cachorros de animales silvestres** simbolizan un anhelo de felicidad. Los **animales jóvenes** domésticos son indicadores de la personalidad infantil de la persona que sueña. Un **cadáver de animal** significa una situación enfermiza, tanto en los negocios como en lo físico. Las jaulas que contienen **animales silvestres** significan que el soñador superará a sus enemigos y a las dificultades.

Animales: El significado cambia de acuerdo al tipo de animal (busca en el nombre del animal).

Aniversario: Este sueño significa que la persona que sueña participará en muchos sucesos felices.

Ansiedad: A veces, la **ansiedad en un sueño presagia algo bueno**, indicando el éxito después de situaciones negativas. Sin embargo, si la **persona que sueña experimenta ansiedad sobre algo en verdad importante**, es posible que suceda algo catastrófico.

Antena: Ver una antena es una indicación de inseguridad o curiosidad respecto a una relación. **Erigir una antena** significa que la persona de que está inseguro el soñador le dará respuestas.

Antibióticos: Advierten a la persona que sueña que va a enfermarse pronto, pero brevemente, si se cuida de inmediato.

Antílope: Si la persona que sueña ve a un antílope, significa que si hace un gran esfuerzo, logrará sus objetivos.

Antorcha: Ver antorchas es una indicación de diversión y buenos negocios. **Portar una antorcha** significa éxito en el amor e intrigas. Una **antorcha apagada** es señal de preocupaciones y fracasos.

Anuncios: Si la persona que sueña **anuncia**, significa que se le obligará a hacer trabajo físico con el fin de avanzar. **Leer anuncios** significa que la persona que sueña será vencida por sus rivales.

Anzuelo de Mosca: Si la persona que sueña recibe un anzuelo de mosca, es una advertencia de que debe encargarse de sus asuntos (tanto en los negocios como en el amor) y evitar descuidarlos.

Anzuelos de Pesca: Este sueño significa que si la persona que sueña aprovecha las oportunidades a su alcance, puede lograr la fama y la fortuna.

Año Nuevo: Soñar con el Año Nuevo es símbolo de prosperidad y alegría en el amor. Si la **persona que sueña considera al Año Nuevo una traba**, se comprometerá en empresas arriesgadas con éxito.

Añorar: Soñar con añorar a alguien significa que la persona que sueña pronto recibirá buenas noticias de amigos lejanos. Si una **joven sueña que su enamorado la está añorando**, pronto recibirá una propuesta matrimonial que ha deseado por mucho tiempo. Si **ella le dice a su enamorado que lo añora**, la abandonarán.

Apagón: Un sueño sobre un **apagón eléctrico** indica que la persona que sueña olvidará algo muy importante.

Aparador: Un **aparador lleno y limpio** significa comodidad y diversión, mientras que **uno vacío y sucio** significa pobreza y miseria.

Aparición: Este sueño advierte de catástrofes inminentes relacionadas con propiedades y personas. Se advierte a la persona que sueña que cuide especialmente a su familia.

Apetito: Un gran apetito por alimento y bebida es señal de una gran pasión sexual.

Apio: Significa que sólo cosas buenas se encuentran en el camino de la persona que sueña, trayendo abundancia, felicidad y alegría a su vida.

Apostar: Si la **persona que sueña está apostando en las carreras**, se le advierte que tenga cuidado al comprometerse en nuevas empresas arriesgadas, ya que sus enemigos están esperando para enredarla y atraparla. **Apostar en mesas de juego** significa que la persona que sueña será víctima de extorsión.

Aprender: Soñar con aprender significa que la persona que sueña disfrutará de adquirir conocimientos. Ir a **lugares de aprendizaje** significa fama y fortuna para la persona que sueña. **Soñar con personas letradas** es señal de que los amigos de la persona que sueña serán célebres e interesantes. Si una **mujer sueña con asociarse con personas letradas,** realizará sus ambiciones de nivel social y fama.

Aprendiz: Este sueño indica que la persona que sueña tendrá que luchar para alcanzar un mayor nivel social frente a sus compañeros.

Apuesta: Soñar con hacer una apuesta significa que la persona que sueña utilizará medidas deshonestas para favorecer sus planes. Si **pierde una apuesta**, la dañará la asociación con personas de menor nivel social. Si **gana una apuesta**, su fortuna se recuperará. La **inhabilidad para pagar una apuesta** significa frustración y devastación por los golpes que da el destino.

Apuros: Si la persona sueña que está en apuros, es señal de que su situación financiera mejorará bastante.

Arado: Soñar con un arado es señal de éxito sin precedentes. Si la **persona que sueña está arando**, es señal de alegría y prosperidad. **Observar arar a otras personas** significa un aumento de los conocimientos y la propiedad. Si una **joven observa arar a su enamorado**, tendrá un marido bueno y adinerado, y su vida será feliz.

Araña de Luces: Soñar con una araña de luces indica riqueza y lujo inesperados e inimaginados. Sin embargo, **si se rompe**, es señal de pérdida financiera. Si la persona que sueña ve que las **luces de la araña se apagan**, significa que el futuro que parecía prometedor estará lleno de enfermedad e infortunio.

Araña: En el **contexto de la cultura europea**, la araña simboliza una mujer. **Soñar con una araña** significa que una mujer controlará la vida de la persona (incluso si la persona que sueña es mujer). **Soñar con una araña** simboliza diligencia y frugalidad. **Soñar con una araña que teje una telaraña** indica una feliz vida doméstica. **Matar una araña** es indicación de riñas domésticas. Si la **persona que sueña es mordida por una araña**, sus enemigos sabotearán sus negocios y será víctima de traiciones. **Ver grandes cantidades de arañas y telarañas** es un símbolo de suerte, salud, felicidad y sociabilidad. **Encarar una araña grande** significa un aumento meteórico de la riqueza. Sin embargo, **escapar de una araña grande** significa que la persona que sueña sufrirá pérdidas financieras. **Ver arañas doradas** es señal de mejoría en las finanzas y la vida social.

Arañar: Si la **persona que sueña araña a otra persona**, es señal de que tiene una naturaleza muy irascible y crítica. Si **la persona que sueña se araña**, la lastimarán las acciones de una persona falsa y maquinadora. Si un **gato araña a la persona que sueña**, un enemigo le arrebatará una buena transacción a la que ha dedicado mucho tiempo.

Árbol de Navidad: Ver un árbol de Navidad es un buen sueño auspicioso. **Soñar con desmontarlo** pronostica un suceso doloroso que se presentará con fuerza poco después de las festividades.

Árbol Genealógico: Simboliza muchas preocupaciones en el área de la familia. La persona que sueña buscará sus placeres en otra parte.

Árboles: Los **árboles en floración** son señal de felicidad en un nuevo amor. Los **árboles desnudos** indican problemas maritales. Los **árboles muertos** son señal de pesar y pérdida. **Trepar un árbol** significa promoción a puestos más elevados.

Árboles de Hoja Perenne: Un **sueño sobre árboles de hoja perenne** es un sueño maravilloso para todos ya que pronostica riquezas, alegría y conocimiento. **Carámbanos en árboles de hoja perenne** son un presagio de la corrupción de un futuro prometedor.

Archivo Policiaco: Soñar con **estar en un archivo policiaco** significa que la persona que sueña no será apreciada por sus socios. Si **ve su fotografía en un archivo policiaco**, significa que sufrirá a manos de un enemigo.

Archivo: Soñar con archivos es señal de muy malas transacciones de negocios. **Ver archivos y archivar documentos** significa discusiones fuertes respecto a asuntos importantes que causarán ansiedad a la persona que sueña. No presagia algo bueno para el futuro.

Arcilla: La arcilla puede ser un símbolo de bancarrota. Este sueño es una mala señal en el amor, los negocios y las situaciones sociales. Se producirán sorpresas desagradables.

Arco: Ver un arco indica que la persona que sueña logrará el reconocimiento y la prosperidad mediante el trabajo duro. Un **arco caído** indica mala fortuna y esperanzas arruinadas.

Arco iris: Un **arco iris** siempre es una buena señal: la persona que sueña tendrá felicidad, alegría, tranquilidad y placer. Es una excelente señal para **enamorados**. Si el **arco iris aparece a baja altura sobre árboles verdes**, la persona que sueña tendrá éxito en lo que haga.

Arco y Flecha: La persona que sueña está consciente de sus talentos y tiene una gran autoestima. Sabe cómo confiar en sí misma y en su criterio.

Ardilla: Ver ardillas predice buenos tiempos acompañados por éxito en todas las áreas de la vida. Si la **persona que sueña mata a una ardilla**, será fría e impopular. **Acariciar una ardilla** significa dicha doméstica. Si un **perro persigue a una ardilla**, sucederán disputas y momentos embarazosos entre amigos.

Arena: Soñar con arena indica hambre, pérdidas, conflictos y riñas con miembros de la familia.

Arena Movediza: Si la **persona que sueña está atrapada en arena movediza**, es señal de que su posición social y económica se colapsará. Si la **persona que sueña ve a otra persona atrapada en arena movediza**, es señal de que otros se interpondrán en sus intentos por lograr sus objetivos. Si la **persona que sueña no puede salir de la arena movediza**, la devastará la mala suerte.

Arenque: Indica una situación financiera penosamente estrecha de la que la persona que sueña al final podrá librarse.

Aretes: Ver aretes significa que la persona que sueña puede esperar buenas nuevas y un trabajo interesante. Los **aretes rotos** indican murmuraciones maliciosas sobre la persona que sueña.

Arlequín: Un **sueño sobre un arlequín** significa problemas. Si la **persona que sueña está vestida como un arlequín**, cometerá errores graves que le costarán mucho, tanto en dinero como en su conciencia.

Armada: Un **sueño sobre la armada** indica que la persona que sueña tendrá que hacer frente a obstáculos extraños y graves, pero los superará y será próspera. Se predicen viajes agradables. Si la **armada está en desorden**, la persona que sueña tendrá mala suerte en el amor y en los negocios.

Armiño: Si la **persona que sueña está usando un armiño**, es señal de riqueza y alto nivel social, con inmunidad de la pobreza y la miseria. Si **ve a otra persona con un armiño**, se asociará con personas ricas y cultas. Un **enamorado que ve a su amada con armiño** puede estar seguro de su fidelidad; sin embargo, si el **armiño está dañado o sucio**, es verdad lo opuesto.

Arnés: Un arnés nuevo y brillante es una indicación de un viaje agradable.

Aro: Soñar con un aro es una indicación de que la persona que sueña intimará con personas importantes; buscarán su consejo. **Soñar con alguien que salta a través de un aro** indica problemas que al final se resolverán.

Aroma: Si una joven sueña con un **aroma dulce**, es una señal de que pronto recibirá una sorpresa o dádiva agradable.

Arpa: Escuchar el sonido de un arpa demuestra la naturaleza melancólica de la persona que sueña. Un **arpa rota** significa que la persona que sueña tiene problemas de salud. Si la **persona que sueña está tocando el**

arpa, es una advertencia de que es víctima de algún tipo de engaño respecto a su vida amorosa.

Arquitecto: Si un **arquitecto traza planos en un sueño**, significa que ocurrirán cambios en el negocio de la persona que sueña, y no necesariamente serán positivos. Un **sueño sobre un arquitecto** también puede predecir desilusión de las esperanzas de una mujer por tener un matrimonio apropiado.

Arrastrarse: A pesar de las connotaciones desagradables, se puede esperar un cambio significativo y positivo en la vida de la persona que sueña. Si la persona que sueña **se lastima la mano mientras se arrastra** en el suelo, significa que se le darán trabajos serviles y degradantes. **Arrastrarse sobre terreno escabroso** indica que no ha aprovechado las ventajas de las oportunidades que se le ofrecen. **Arrastrarse en el lodo** significa que está en peligro la credibilidad de la persona que sueña en los negocios.

Arreglar: Si la persona que sueña está arreglando a otros o viendo que los arreglen para una acción heroica, significa que será una persona eminente, pero no muy conocida.

Arrendajo: Un **sueño sobre un arrendajo** es una premonición de visitas agradables con amigos y conversaciones simpáticas. Un **arrendajo muerto** significa disputas y problemas domésticos.

Arresto: El **arresto de un extraño de apariencia respetable** en un sueño es una señal del deseo del soñador de hacer cambios, pero que tiene miedo de hacerlos. Si el **extraño se resiste al arresto**, los cambios se realizarán con éxito.

Arriba: Algo **suspendido sobre la persona que sueña** es un signo de peligro; si **cae sobre ella**, significa ruina o desilusión. Si **cae sin golpearlo**, significa un escape apurado de pérdidas financieras. Algo **suspendido firmemente** significa una mejoría después de una amenaza de pérdida.

Arroyo: **Ver un arroyo** es símbolo de viajes cortos y nuevas experiencias. Un **arroyo desbordándose** significa problemas breves pero superables. Un **arroyo seco** simboliza desilusión cuando la persona que sueña ve que algo que quería que le dieran se lo dan a otra persona.

Arroz: El **arroz en un sueño** significa que se pueden esperar buenos sucesos en la vida personal o familiar: una mejoría en la vida sexual, encontrar la pareja perfecta o la armonía doméstica. Además, **ver arroz** en un sueño indica prosperidad. **Comer arroz** significa dicha doméstica. El **arroz sucio e impuro** es señal de enfermedad y separación de los amigos. El arroz es una buena señal para una **joven**, ya que será rica y disfrutará de una vida útil.

Artista: Sueños sobre **artistas, pintores u otras personas creativas**, en realidad indica lo contrario: la persona que sueña no tiene talento artístico y haría mejor en buscar otras vías de desarrollo.

Arzobispo: Ver un **arzobispo** en un sueño indica que la persona que sueña encontrará muchos obstáculos en su camino al éxito.

Asado: Comer o ver carne asada significa infelicidad e infidelidad en la casa.

Ascender: Si la persona que sueña **tiene éxito en ascender al punto más elevado** de lo que sea que esté ascendiendo sin tropezar, sus asuntos avanzarán sin problemas. Si **falla**, tendrá que hacer frente a obstáculos.

Ascensión: Cualquier tipo de ascensión (una montaña, una escalera, etc.) significa que la persona que sueña superará todos los obstáculos que obstruyan el camino para lograr sus objetivos.

Ascetismo: Quien sueña en ascetismo, adoptará todo tipo de ideas fantásticas que los extraños encontrarán fascinantes, pero que sus allegados encontrarán repugnantes.

Asedio: Si una joven sueña con ser asediada, tendrá que superar todo tipo de obstáculos en su camino a los placeres, pero cuando lo logre, valdrá la pena.

Aserrín: Simboliza errores graves que conducirán a riñas domésticas e infelicidad.

Asesinato: Ver un asesinato en un sueño indica pesar como resultado de las acciones de otros. Los negocios tendrán problemas y se producirán más noticias de muertes violentas. Si la **persona que sueña comete un asesinato**, significa que participará en algunas empresas falsas que arruinarán su reputación. **Ser asesinado** significa que los enemigos están tratando de causar la caída de la persona que sueña.

Asesino: Si **asesinan a la persona que sueña**, significa que no superará sus dificultades. Si ve que **asesinan a alguien más**, con sangre por todas partes, predice problemas para el soñador. Cualquier **sueño en que aparece el asesino**, es una señal de que la persona que sueña puede ser dañada por enemigos secretos.

Asia: Este sueño indica cambio, pero no promete beneficios materiales.

Asiento: Si **toman el asiento de la persona que sueña**, significa que no tendrá reposo de personas que solicitan su ayuda. Si la **persona que sueña deja su asiento a una mujer**, significa que alguien se está aprovechando de ella.

Asilo: Es un sueño que indica enfermedad y mala suerte. La persona que sueña podrá superar esto sólo haciendo un enorme esfuerzo.

Asno: Ver un asno promete irritaciones y retrasos para la persona que sueña. Ser **perseguida por un asno** significa que será el objeto de ridículo y murmuraciones. **Montar un**

burro sin desearlo predice discusiones. El **rebuzno de un asno** en un sueño significa noticias malas o inoportunas.

Áspid: Es un sueño muy malo, predice pérdida de honor para las mujeres, complots de enemigos y discusiones entre enamorados.

Aspiradora: Soñar con una aspiradora significa que la persona que sueña pronto tendrá que llegar a algunas decisiones rápidas sobre compañías personales o profesionales, con el riesgo de complicaciones y embrollos.

Astilla: Si la **persona que sueña sufre por la incomodidad de tener astillas,** significa que su familia o sus competidores le causarán muchos problemas. Si la **persona que sueña se clava una astilla en el pie mientras hace una visita,** es una predicción de una visita especialmente repugnante, además de daño a los negocios porque la persona que sueña no les presta suficiente atención.

Astral: Soñar **con el plano astral** predice que los planes y esfuerzos de la persona que sueña estarán recompensados con el éxito y el reconocimiento. Sin embargo, si el **soñador ve su cuerpo astral,** es una señal de problemas extremos.

Astrónomo o Astrólogo: Muestra que la persona que sueña está encarando el futuro con esperanza y expectativas positivas.

Astucia: Un **sueño sobre la astucia** indica que la persona que sueña pondrá cara de alegría con el fin de agradar a personas ricas y festivas. Si los **socios de la persona que sueña son astutos**, significa que se están aprovechando de ella con el fin de asegurar su propio beneficio.

Asustado: Es símbolo de ansiedad transitoria.

Aterrizar (de un vuelo): Predice privaciones en el futuro cercano para la persona que sueña; sin embargo, las superará.

Ático: Soñar que se está en el ático es una señal de esperanzas que no se pueden realizar. **Soñar con dormir en un ático** es una indicación de insatisfacción con el trabajo.

Atizador (para el fuego): **Ver un atizador al rojo vivo** o **pelear con uno** significa que la persona que sueña enfrentará sus problemas con valor.

Atlas: Si la persona que sueña está consultando un **atlas**, significa que no hará cambios o saldrá en viajes sin considerar todas las implicaciones.

Aumentar de Peso: Predice malos momentos para la persona que sueña en el futuro cercano.

Aumento: Soñar con un aumento en la familia significa que la persona que sueña puede enfrentar fracasos en algunos planes y éxito en otros.

Aura: Si un **aura** envuelve a la persona que sueña, es una advertencia de una amenaza a su nivel social e imagen.

Ausencia: Si la persona que sueña está feliz por la ausencia de amigos, pronto se liberará de un enemigo.

Automóvil: Cualquier tipo de sueño sobre un automóvil significa algo bueno: se resolverán problemas, se corregirán solas complicaciones y la vida avanzará cómodamente. Soñar con un automóvil revela que la persona que sueña está intranquila, incluso cuando todo anda bien para ella, y esto puede tener  horribles consecuencias. Una **descompostura** indica no lograr el placer que el soñador había esperado. Si el **soñador escapa de ser atropellado**, significa que debe evitar a un rival.

Autor: Si el **soñador es un autor** que sueña que han rechazado su manuscrito, es una señal de que al final aceptarán su obra. Si **se sueña con un autor ansioso**, significa que uno está preocupado por su obra literaria o la de otro.

Avalancha: Si el **soñador queda atrapado en una avalancha**, significa que se acercan buenas cosas en su futuro. Si **otras personas son atrapadas en una avalancha**, es una señal de que la persona que sueña está anhelando cambiarse a un lugar distinto.

Avanzar: Si la persona que sueña **avanza**, es una señal de éxito profesional o romántico. Si sueña que **otros avanzan**, sus amigos tendrán éxito.

Avaro: **Soñar con un avaro** advierte a la persona que sueña que por su egoísmo no encontrará el verdadero amor y la felicidad. Si una **mujer sueña con ser protegida por un avaro**, recibirá amor y riqueza por su talento y tacto. Si la **persona sueña con ser avara**, significa que se comportará muy mal con otros. Si sus **amigos son avaros**, le afectarán los problemas de otras personas.

Avellana: Un **sueño sobre avellanas**, indica paz, armonía doméstica y prosperidad. **Comer avellanas** es señal de buenas amistades para gente joven.

Avena: Ver avena es un buen augurio, en especial para los granjeros. La **avena podrida** es señal de pesar, el cual reemplazará la felicidad. Un **caballo que come avena** indica que la persona que sueña tiene tareas sin terminar.

Avenida: Una **avenida de árboles** simboliza el amor ideal. Una **avenida de árboles que dejan caer las hojas** significa una vida difícil llena de obstáculos.

Aventurero: Si la persona que sueña **es víctima de un aventurero**, significa que es crédula e incapaz de manejar sus asuntos. A una **joven que sueña que es como una aventurera** la están explotando y comprometiendo.

Aves: Si un **rico sueña con aves** en vuelo, es señal de que sufrirá pérdidas financieras. Si un **pobre** o alguien con problemas financieros sueña con aves, es señal de abundancia económica. Un **ave herida** significa que un miembro de la familia de la persona que sueña le causará daño. Un **ave que vuela** es señal de gran prosperidad. Si se **dispara a un ave**, predice una mala cosecha.

Aves de Corral: Soñar con aves de corral es una advertencia para la persona que sueña contra un estilo de vida de libertinaje. Si una **joven corre las aves de corral**, significa que buscará placeres superficiales. Un sueño sobre aves de corral significa una preocupación o enfermedad pasajera.

Avestruz: Soñar con un avestruz significa que la persona que sueña se volverá rica en secreto, pero tendrá aventuras amorosas inmorales con las mujeres. Si **atrapa un avestruz**, será lo bastante rica para disfrutar una vida de conocimientos y viajes. Un **avestruz que esconde la cabeza en la arena** es señal de que la persona que sueña o un miembro de su familia tiene problemas de salud. Si una **mujer ve una pluma de avestruz**, significa que avanzará en la sociedad empleando medios muy dudosos.

Avión: Ver un avión volar encima y desaparecer indica que la persona que sueña saldrá de una situación restrictiva y negativa. Un **avión en movimiento** es una señal de un viaje próximo. Un **accidente aéreo** es una señal de desengaño y fracaso.

Avispa: Si la **persona que sueña ve una avispa**, significa que malas noticias están en camino, como enemigos rencorosos y perjudiciales. Si una **avispa pica a la persona que sueña**, simboliza envidia y odio. **Matar avispas** significa vencer a los enemigos y enfrentar resueltamente lo que sea para defender sus derechos.

Avispón: Ver un avispón significa amistades rotas y pérdida financiera. Si una **mujer es picada por uno**, significa que sus rivales quieren humillarla frente a sus admiradores.

Ayuda: Soñar en dar ayuda significa que serán recompensados los intentos de progresar del soñador. Si **se ayuda al soñador**, significa que se encontrará en una posición cómoda, con amigos buenos y afectuosos.

Ayuntamiento: Ver un ayuntamiento es símbolo de demandas legales y disputas. La conducta licenciosa de una **joven** causará que pierda a su enamorado.

Azada: Soñar con una azada simboliza fastidio y tareas tediosas que la persona que sueña debe llevar a cabo.

Azadón: Ver un azadón significa que la persona que sueña tendrá que trabajar duro para sostener a otros. **Usar un azadón** significa que la persona que sueña evitará la pobreza trabajando duro. Una **mujer que sueña en usar un azadón** será autosuficiente.

Azafrán: Ver azafrán en un sueño simboliza esperanzas infructuosas como resultado de la conspiración de enemigos serios, quienes van a sabotear los planes de la persona que sueña. **Comer o beber alimentos sazonados con azafrán** es señal de disputas familiares.

Azúcar: Soñar con azúcar simboliza un buen periodo en la vida doméstica de la persona que sueña, acompañado por una sensación de ser un todo y estar en armonía con el medio ambiente. Si la **persona que sueña come azúcar**, tendrá que hacer frente a sucesos desagradables, pero que se resolverán solos satisfactoriamente. Si la **persona que sueña pregunta el precio del azúcar**, la están amenazando sus enemigos. Si el **negocio de la persona que sueña es el azúcar** y le llevan un cargamento grande, arriesga una enorme pérdida en los negocios. Si un **saco grande de azúcar cae y se rompe**, sufrirá una pérdida menor.

Azufre: Es una advertencia para la persona que sueña de ser más cuidadosa y circunspecta en sus acciones; si no tiene cuidado, le costará sus amistades. **Azufre: Soñar con azufre** advierte contra los complots malignos de otros. **Quemar azufre** significa que la persona que sueña debe cuidar su fortuna. **Comer azufre** es señal de salud y diversión.

Backgammon: Un **sueño sobre jugar backgammon** indica que la persona que sueña será tratada mal durante una visita, pero la situación mejorará hasta que se forme una amistad. Si el sueño es sobre **perder el juego**, la persona que sueña no tendrá suerte en el amor o en asuntos financieros.

Bagre: La persona que sueña sufrirá vergüenzas a manos de sus enemigos, pero las superará como resultado de su presencia de ánimo.

Baile de Cuadrilla: Es una indicación de buena vida social.

Baile: Es señal de vitalidad, amor por la buena vida, erotismo y salud. Participar en un baile indica que la persona que sueña tendrá una vida feliz y divertida, llena de amor.

Bala de Cañón: Ver una bala de cañón es señal de que la persona que sueña tiene enemigos secretos que conspiran en su contra. Para una **joven**, significa que se enamorará de un soldado. Para un **joven**, significa que tendrá que luchar por su país.

Balanza: Usar una balanza indica afinidad por la justicia y la habilidad para juzgar en forma apropiada. En ocasiones, la **aparición de una balanza en un sueño** sugiere conflicto conyugal. Si una **joven usa una báscula para pesar a su enamorado**, descubrirá que éste es fiel.

Balcón: Un **sueño sobre enamorados que se separan tristemente en un balcón** indica una separación larga y quizá final. Un **balcón** también puede significar malas noticias de amigos lejanos.

Balde: Los **baldes llenos de leche** en un sueño indican felicidad y prosperidad. Un **balde vacío** indica hambre y fracaso en las cosechas. Si una **joven carga un balde**, será empleada en una casa.

Balidos: Escuchar los **balidos** de los animales predice que la persona que sueña pronto tendrá nuevas responsabilidades y cargos, no necesariamente negativos. Se pedirá a la persona que sueña que sea generosa.

Ballena: Ver una ballena es señal de que la persona que sueña carece de amor materno. Si la **ballena se está acercando a un barco**, la persona que sueña tendrá un conflicto de intereses con la amenaza de perder recursos. Si **matan a la ballena**, la persona que sueña podrá decidir entre lo que quiere y lo que debe hacer, y tendrá éxito. Si una **ballena pone vertical a un barco**, es una señal de catástrofes para la persona que sueña.

Ballet: Significa infidelidad, traición, envidia y pleitos.

Balsa: Soñar con una balsa significa que habrá oportunidades para hacer buenos tratos. Si la **persona que sueña está navegando en la balsa**, su viaje no es totalmente seguro. Si **arriba a salvo**, tendrá buena suerte. Si una **balsa se deshace**, se presentarán enfermedades y accidentes para la persona que sueña o sus amigos.

Bancarrota: Significa una crisis de negocios y deterioro mental. La persona que sueña debe evitar las especulaciones.

Banco: Si **la persona sueña con estar en un banco**, indica problemas de negocios. Si **la persona que sueña se encuentra con el director del banco**, sugiere una bancarrota. **Ver plata y billetes** en un sueño indica prosperidad financiera.

Banco (para sentarse): Si la **persona que sueña se sienta en un banco**, no debe creer en confidentes. Si **otras personas se sientan en el banco**, es señal de reuniones alegres y reconciliación con amigos.

Banda: Si la **persona que sueña es asaltada por una banda de extraños**, significa que sus enemigos se están uniendo contra ella. Si **está indemne**, superará cualquier obstáculo en los negocios o el amor. Soñar con una banda refleja la profunda necesidad de pertenecer y de intimidad de la persona que sueña. Una **reunión violenta con miembros de una banda** sugiere miedo a la intimidad y a las relaciones íntimas.

Bandeja: Ver una bandeja en un sueño es señal de dinero estúpidamente derrochado y sorpresas desagradables. Las **bandejas que contienen objetos valiosos** significan que la persona que sueña va a disfrutar de buenas sorpresas.

Bandera: Una **bandera flotando** en un cielo claro simboliza la victoria del país de la persona que sueña sobre sus enemigos. Una **bandera en jirones** significa la derrota y la pérdida del honor militar. Ver una bandera significa que la persona que sueña tiene un carácter agradable y tranquilo. **Ondear una bandera** en una competencia significa que la persona que sueña debe detener la competencia inexorable para progresar y descansar. Una **bandera rota** indica deshonra.

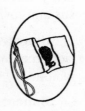

Banjo: Indica entretenimiento y diversión.

Banquete o Fiesta: Soñar en un banquete con muchos participantes predice una discusión con un socio. Si la **persona que sueña es soltera**, indica matrimonio en el futuro cercano, pero que terminará en un fracaso.

Bañera: Una **bañera llena de agua** es señal de armonía doméstica. Una **bañera vacía** significa riqueza financiera e infortunios. Una **bañera rota** es una predicción de disputas domésticas.

Baño: Soñar con darse un baño indica éxito en los negocios. Si el **agua no está limpia**, pueden presentarse problemas y dificultades en el futuro cercano.

Baño (en regadera): **Soñar con darse un baño** simboliza el deseo de sexualidad y amor. Un **sueño sobre darse un baño con una pareja** indica buena vida sexual.

Baño de Vapor: Soñar con tomar un baño de vapor significa que los amigos de la persona que sueña van a ser demandantes. **Soñar con salir de un baño de vapor** significa que sus preocupaciones se terminarán.

Baño Turco: Tomar un baño turco significa que la persona que sueña pasará tiempo alejada de sus seres queridos, pero la pasará muy bien. Si **ve a otros en un baño turco**, significa que disfrutará de compañía simpática.

Baqueta de Fusil: Una **baqueta de fusil** es señal de malos sucesos. Una **joven que ve una baqueta doblada** se desilusionará de un amigo o enamorado.

Bar: Ver un bar indica inseguridad y deseo de un mejor futuro. Un **bar con cantinero** significa que la persona que sueña anhela tener una fiesta.

Baranda: Ver una baranda es símbolo de barreras en el camino de la persona que sueña. Si **se sostiene de la baranda**, significa que se arriesgará mucho con el fin de lograr lo que desea, en el amor o en los negocios.

Barba: Una **barba en un sueño** atestigua el hecho de que la persona tiene carácter fuerte y mucha confianza en sí misma (en especial, si la **barba es blanca**).

Barbacoa: Significa que la persona que sueña está bajo presión emocional extrema y no está haciendo algo para cambiar la situación.

Barbas de Ballena: Ver o trabajar con barbas de ballena es una predicción de una alianza sólida y benéfica.

Barco: Un **sueño sobre barcos** pronostica promociones y elevación del nivel social. **Soñar con un capitán de barco** indica éxito en la mayoría de las áreas de la vida de la persona que sueña. Un **naufragio** significa desastres en los negocios, además de traición de las mujeres. Si la **persona que sueña perece en un naufragio,** significa que tendrá un escape apurado de la muerte o de la deshonra. **Ver a un barco navegar a través de una tormenta** significa fracaso en los negocios, además de conspiración para ocultar del público algún trato deshonroso, un trato que su socio amenaza con revelar. Si **otras personas naufragan,** la persona que sueña tratará de proteger a un amigo de la vergüenza y la bancarrota. **Abandonar un barco** significa fracaso en los negocios, pero desembarcar con bien significa que lo superará. Ver un barco anuncia cambios para mejorar en la vida de la persona que sueña. Un **barco sobre aguas calmadas** indica un cambio de sitio de trabajo o de domicilio. Un **bote en aguas tormentosas** es una indicación de preocupaciones y cambios para empeorar. **Remar en un bote** es señal de éxito social, además de reconocimiento de colegas profesionales. Si un **bote se voltea**, es señal de que la persona que sueña pronto recibirá noticias importantes. Un **bote varado** indica pérdidas financieras significativas. Si la **persona que sueña es arrastrada fuera de un barco durante una tormenta**, tendrá mala suerte.

Barnizar: Soñar con barnizar algo significa que la persona que sueña tratará de lograr la fama mediante métodos fraudulentos. Si **otros están barnizando**, es una advertencia para la persona que sueña que sus amigos quieren aumentar su riqueza a sus expensas.

Barómetro: Un **barómetro en un sueño** indica cambios positivos en los asuntos de negocios de la persona que sueña. Un **barómetro roto** es una indicación de incidentes indeseables e inesperados en los negocios.

Barra de Pan: Las **barras de pan** en un sueño indican economía. Las **rebanadas de pastel** significan buena suerte en el amor y los negocios. Las **barras de pan rotas** pronostican peleas de enamorados.

Barrer: Una **mujer que sueña que está barriendo** será apreciada por su familia. Si los **pisos necesitan barrerse, pero no se hace**, habrá problemas y graves desilusiones. Si **empleados sueñan con barrer**, les da causa para dudar de la sinceridad de las intenciones de otras personas.

Barricada: Predice un buen periodo en la vida. La persona que sueña puede esperar una promoción en el trabajo y tendrá éxito en alcanzar sus objetivos.

Barriga: Una **barriga prominente** significa gran riqueza, junto con falta de sutileza. Una **barriga hundida** significa privaciones y enfermedad.

Barril: Un **barril lleno** significa prosperidad y festividad. Un **barril vacío** indica una vida triste, carente de consuelo.

Barrilito: Un **sueño sobre un barrilito** simboliza la lucha de la persona que sueña por liberarse de una situación de tiranía. Si el **barrilito está roto**, es señal de separación de los seres queridos.

Barro: La piel con barros significa preocupaciones insignificantes. Que o**tras personas tengan barros** significa que a la persona que sueña sufrirá por las controversias de otros. Si **la belleza de una mujer está arruinada por barros**, sus amigos condenarán su conducta.

Basura: Las pilas de basura indican malos negocios y escándalo social. Soñar con basura simboliza la mala administración de los negocios.

Batalla: Ver una batalla indica luchar con las dificultades, y culminar en una victoria. Una **derrota en la batalla** indica que la persona que sueña sufrirá por los malos tratos de otras personas.

Batidora: Soñar con una batidora significa que la persona que sueña está a punto de disfrutar de una vida social más activa.

Batidora Eléctrica: Es una indicación de aumento de la vida social.

Baúles: Soñar con baúles es una predicción de viajes y mala suerte. **Llenar un baúl** simboliza un viaje agradable. Si el **contenido de un baúl está regado**, significa que se presentarán discusiones y un viaje insatisfactorio al que se comprometerá apresuradamente. Los **baúles vacíos** indican desilusión en el amor y el matrimonio. Una **joven que intenta abrir su baúl sin éxito** significa que no podrá ganar el amor de un hombre rico. Si **no puede cerrar el candado de su baúl**, no podrá ir a un viaje que ha deseado mucho.

Bautismo: Un **sueño sobre el bautismo** indica que la persona que sueña necesita suavizar sus burlas con sus amigos y fortalecer su carácter. **Ser bautizada** significa que la persona que sueña se humilla para lograr la aclamación pública.

Bayas de Saúco: Los arbustos frondosos y con frutas de saúco indican un hogar feliz en el campo y suficiente dinero para actividades agradables, como los viajes.

Bayoneta: La persona que sueña será retenida por sus enemigos, a menos que tenga la bayoneta en el sueño.

Bazar: Ve **Feria**.

Bazo: Soñar con el bazo pronostica un desacuerdo con alguien que causará daño a la persona que sueña.

Bebé: Soñar con un bebé especialmente contento indica que la persona que sueña disfrutará del amor verdadero. **Soñar con un bebé hermoso** predice amistad verdadera. **Soñar con un bebé enfermo** es señal de que la persona que sueña, tiene enemigos traicioneros. **Soñar con un bebé calvo** significa un hogar alegre y armonioso.

Beber: Beber bebidas alcohólicas indica pérdida financiera. Si la **persona que sueña se ve borracho bebiendo vino**, puede esperar un gran éxito. Sin embargo, **beber agua** predice que alguien íntimo va a defraudar a la persona.

Bebés: Ver un bebé recién nacido en un sueño predice buenas cosas para la persona que sueña. Si el **bebé nada**, significa que la persona que sueña se liberará de algún enredo.

Bebidas Alcohólicas: Si la persona que sueña está **ingiriendo bebidas alcohólicas**, significa que debe cuidarse de que se le engañe.

Beisbol: Jugar beisbol indica que la persona que sueña se satisface con facilidad y que es popular entre sus compañeros. Si una **joven juega beisbol**, tendrá mucha diversión pero no seguridad ni provecho.

Belladona: Soñar con belladona es una predicción de éxito comercial después de movimientos estratégicos. Las

mujeres experimentarán competencia cuando se decidan en un hombre. **Soñar con tomar belladona** indica no poder cumplir con nuestros deberes, y miseria.

Belleza: Cualquier forma de belleza es una buena señal. Una **mujer hermosa** en un sueño indica alegría y provecho. Un **niño hermoso** significa una relación feliz.

Bellotas: Soñar con **bellotas** simboliza el éxito en el amor y los negocios, y sucesos agradables. **Bellotas en descomposición o rotas** indican privaciones y desengaños.

Beso: Si la **persona sueña que está besando a un extraño**, es señal de que no se da cuenta bien de lo que sucede a su alrededor y esto le hará mucho daño. **Besar a su madre** significa éxito y estima. **Besar a un hermano** significa llevarse bien con él. **Besar a su enamorado en la oscuridad** significa conducta ilícita, mientras que **hacerlo en la luz** significa intenciones honorables. **Besar a una extraña** significa promiscuidad. Los **besos ilícitos** significan conducta inmoral que causará pesar en un hogar. Un **rival que besa la novia de la persona que sueña** significa que caerá en su estimación. La **gente casada que se besa** significa un hogar feliz. **Besar en el cuello** significa sucumbir a pasiones ruines. **Besar una novia** significa amigos que se reconcilian después de un pleito. Si una **novia besa a la persona que sueña**, predice salud y prosperidad.

Betabel: Cuando los **betabeles crecen en abundancia** en un sueño, habrá paz en el país. Cuando se **comen betabeles en compañía de otras personas**, éstas son portadoras de buenas noticias.

Bhagavad Gita: Predice descanso y reclusión para la persona que sueña. Amigos arreglan un viaje agradable, pero con poco beneficio material.

Biblia: Un **sueño sobre la Biblia** pronostica placeres inocentes para la persona que sueña. Si el **soñador denigra la Biblia**, significa que está a punto de caer víctima de tentaciones inmorales que le ofrece una amistad.

Biblioteca: Un **sueño sobre recibir una biblioteca** significa que la persona que sueña se aburrirá de su ocupación y buscará el conocimiento. Si la persona que sueña está **en una biblioteca pero no con el fin de obtener conocimientos**, está tratando de engañar a sus amigos.

Bicicleta: Soñar con una bicicleta indica un estilo de vida frenético y la necesidad de aflojar el paso. **Conducirla cuesta abajo** advierte de peligro en el futuro cercano; **conducirla cuesta arriba** significa un futuro prometedor.

Bienestar económico: Soñar en **bienestar económico** indica éxito en los negocios y buenos contactos con personas adineradas.

Bienvenida: Soñar con recibir una cálida bienvenida en cualquier sociedad significa que la persona que sueña adquirirá distinción y los extraños le tendrán deferencia. Su fortuna aumentará a las dimensiones deseadas. Si **otros son bienvenidos,** significa que el carácter cálido y alegre de la persona que sueña será la clave para su éxito y satisfacción en la vida.

Bigamia: Soñar sobre la bigamia es una indicación de pérdida de virilidad y poder mental en un hombre. Una **mujer** no puede sufrir el deshonor a menos que actúe con la máxima discreción.

Bigote: Tener bigote es señal de impertinencia y egoísmo, lo que costará a la persona que sueña una herencia; tratará a las mujeres muy mal. Si un **hombre sueña con cortarse el bigote,** indica que está tratando de reformarse y volver al camino de la decencia. Si una **mujer sueña con admirar un bigote,** está en peligro su reputación moral.

Billar: Una **mesa de billar con personas alrededor** indica problemas inesperados. Una **mesa de pool aislada** indica que la persona que sueña debe cuidarse de quienes conspiran en su contra.

Billetera: Si la **persona que sueña encuentra una billetera,** indica prosperidad y éxito financiero. La **pérdida de una billetera** predice desilusión y frustración. **Ver billeteras** es una predicción de deberes de naturaleza agradable que esperan a la persona que sueña. Una **billetera vieja y sucia** significa trabajo duro que culmina en resultados deficientes.

Binoculares: Ve **Lentes**.

Birimbao: Soñar con un birimbao indica una ligera mejoría en los asuntos de la persona que sueña. Si **toca un birimbao** se enamorará de un extraño.

Bizcochos o Galletas: Indica que la persona que sueña tiende a culpar a otros por sus errores y acciones.

Blanco: Ve las entradas individuales.

Blanco de Plomo: Soñar con blanco de plomo advierte a la persona que sueña que miembros de su familia están en peligro por su descuido. Además, la prosperidad es vacilante por el momento.

Blasfemia: Advierte a la persona que sueña de falsos amigos que pueden hacer un gran daño. Soñar con blasfemias simboliza la conducta grosera y sin tacto de la persona que sueña. Si sueña que **otros blasfeman**, pronto la ofenderán.

Boa Constrictora: Un **sueño sobre una boa constrictora** es una indicación de problemas e infortunios. **Soñar con matar una boa constrictora** es buena señal.

Boca: Una boca grande significa gran riqueza futura. Una boca pequeña indica problemas financieros.

Boda: Por lo general, **soñar con una boda** expresa el deseo de la persona que sueña. Cuando un **soltero sueña con su propia boda,** significa que están en camino noticias desagradables. Si un **soltero sueña con la boda de otra**

persona, significa que le espera un periodo de felicidad. Si una **persona casada sueña con la boda de un extraño**, significa que está celosa de su pareja. **Asistir a una boda** predice un suceso que causará amargura a la persona que sueña y un aplazamiento del éxito. Si una **joven sueña que su boda es un secreto,** pronostica que caerá en desgracia. Si **su unión es aprobada,** ganará el respeto de quienes la rodean y se harán realidad sus esperanzas. Si sus **padres la desaprueban,** su matrimonio inminente causará disentimientos en su familia. Si **sueña que su enamorado se casa con otra,** significa que ella se está preocupando innecesariamente de la fidelidad de su enamorado. Si **sueña que una persona vestida de luto** asiste a su boda, tendrá un matrimonio infeliz. Si el **enlutado asiste a la boda de otros,** ella se trastornará por las desgracias de un pariente y la pueden amenazar la mala salud y sucesos desagradables.

Bodega de Vino: Soñar con una bodega de vino predice tiempos maravillosos que esperan a la persona que sueña.

Boletos: Comprar, recibir o entregar a alguien un boleto indica que un problema que ha estado molestando a la persona que sueña últimamente pronto se resolverá.

Boliche: Un **sueño sobre boliche** predice un escándalo que será dañino para la reputación, las finanzas y las amistades de la persona que sueña. **Ver a otros jugando boliche** significa que la preferencia de la persona que sueña por personas superficiales causará que pierda su trabajo.

Bolos: Un sueño sobre bolos es totalmente negativo. Advierte a la persona que sueña que está desperdiciando su tiempo y energía. Debe ser más discriminadora en su elección de amigos.

Bolsa o Bolsa de Mano: Predice la llegada de buenas nuevas y noticias significativas respecto al futuro del soñador.

Bolsillo: Un **bolsillo** simboliza el útero. El sueño se interpreta de acuerdo al contexto en que apareció el bolsillo. Podría indicar el deseo de la persona que sueña de volver al útero, o, por otro lado, su deseo de volver por la fuerza a la vida. **Soñar con un bolsillo** también indica planes malignos contra la persona que sueña.

Bomba (de agua): Si aparece una **bomba** en un sueño, es señal de prosperidad después de trabajo duro. También es señal de buena salud. Una **bomba descompuesta** significa que la persona que sueña no tiene oportunidad de prosperar por sus preocupaciones familiares. **Encender una bomba** significa buena vida.

Bomba Atómica: La **nube con forma de hongo** creada por una bomba atómica es una señal de que el soñador experimentará pronto un evento catastrófico en su vida y en la de sus seres queridos. **Soñar con una guerra nuclear** significa que la persona que sueña alberga mucho enojo, que puede salir en forma destructiva.

Bomba de Incendios: Ver una bomba de incendios es señal de preocupaciones que se resolverán agradablemente. Si una **bomba de incendios se descompone** en un sueño, es señal de pérdida o desgracias.

Bombero: Es un símbolo de amigos leales.

Bordado: Si la **persona que sueña está bordando**, indica que quiere saber qué le espera en el futuro. Recibirá respuestas a muchas preguntas; sus rivales ya no podrán molestarla y a su familia le encantará que esté cerca. **Practicar bordado de muchos colores** es una indicación de vida social alegre. **Ver un diseño de bordado monocromo** es una advertencia para no dejar que el temor a lo 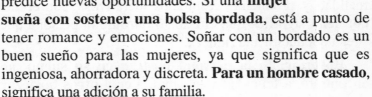 desconocido le impida lograr sus ambiciones. **Encontrar un cojín con trabajo de bordado** predice nuevas oportunidades. Si una **mujer sueña con sostener una bolsa bordada**, está a punto de tener romance y emociones. Soñar con un bordado es un buen sueño para las mujeres, ya que significa que es ingeniosa, ahorradora y discreta. **Para un hombre casado**, significa una adición a su familia.

Borlas: **Ver borlas** significa que se harán realidad las más elevadas aspiraciones de la persona que sueña. **Perder borlas** advierte de un trauma inminente.

Borrachera: Es básicamente un sueño negativo, ya que **estar bebido** indica una naturaleza disipada. La persona que sueña enfrentará la desgracia cuando recurra al robo. Sin embargo, la **borrachera inducida por vino**

pronostica suerte en los negocios y el amo:, además de experiencias literarias y estéticas elevadas. Si la **persona que sueña ve borrachos a otros**, predice infelicidad.

Bosque: Entrar a un bosque denso sugiere problemas en el futuro cercano, en especial en el área financiera. Un **bosque** también indica peleas domésticas.

Bosquecillo: Un **sueño sobre un bosquecillo**, significa que la vida cambiará para mejorar. Un **bosquecillo moribundo** (como resultado de fuego o enfermedad) significa que la persona que sueña debe ahorrar para la vejez.

Bosques: Soñar con bosques es la señal de cambios en los asuntos de la persona que sueña. Si los **bosques son verdes**, el cambio será positivo. Si los **bosques están secos y dorados**, el cambio será desastroso. Si los **bosques están en llamas**, los planes de la persona que sueña se harán realidad y producirán resultados lucrativos. **Comerciar con leña** significa que el trabajo duro de la persona que sueña conducirá a la riqueza.

Bostezar: Si la **persona bosteza en su sueño**, no encontrará la felicidad y la salud. **Ver a otros bostezar** significa que los amigos de la persona que sueña serán desgraciados y estarán enfermos, incapaces de trabajar.

Botas: Si la **persona que sueña ve a alguien usando botas**, significa que le quitarán la persona que ama. Las **botas nuevas** son señal de una mejor situación financiera. Las **botas viejas y gastadas** indican enfermedad y problemas.

Bote de Recreo: Indica que la persona que sueña anhela salir de vacaciones y liberarse.

Bote de Remos: Si la **persona que sueña está en un bote de remos con otra gente**, tendrá una vida social vivaz y alegre. Si el **bote se voltea**, experimentará reveces financieros. Si **gana una carrera de remo**, tendrá suerte en el amor y en los negocios. Si **pierde**, su rival ganará a su ser amado.

Bote Salvavidas: Estar en un bote salvavidas significa un escape de algo malo. Un **bote salvavidas que se hunde** significa que los amigos de la persona que sueña la ayudarán en sus problemas. Estar **perdida en un bote salvavidas** significa que la persona que sueña se abrumará por las vicisitudes. Si **la salvan**, se salvará del desastre.

Botellas: Ver una botella llena de líquido transparente es una buena señal, ya que pronostica éxito en el amor. Las **botellas vacías** significan enredos siniestros de los que la persona que sueña sólo se podrá liberar mediante su ingenio. Las **botellas rotas de vino** indican pasión sexual excesiva. Las **botellas de whisky** indican administración cuidadosa de los recursos financieros.

Botines: Es una predicción de rivalidades amigables y placeres.

Botones: Los **botones de madera** predicen éxitos después de considerable esfuerzo. Los **botones nacarados**

predicen un viaje en el futuro cercano. Los **botones de tela** indican que la salud de la persona que sueña se está deteriorando y debe cuidar de sí mismo. **Perder botones** en un sueño significa problemas familiares como resultado de pérdidas financieras. **Encontrar un botón** en un sueño significa una promo-  ción en el trabajo y prosperidad en los negocios. **Coser botones brillantes en un uniforme** significa una exitosa carrera militar para un joven, y un buen matrimonio con un hombre bien parecido y rico para una joven.

Botones (oficio): Si un **soñador** ve a un **botones**, significa que tendrá buena fortuna, y las disputas se arre- glarán amigablemente. Si el **botones se ve triste**, tendrá lugar algún suceso triste. Ver un botones significa que la persona que sueña se casará con una persona inapropiada con demasiada rapidez. Si una **joven sueña con ser boto- nes**, va a meter la pata en algún negocio dudoso.

Bóveda: Soñar con una bóveda es señal de infortunio y muerte. **Ver una bóveda para objetos valiosos** significa que a pesar del modesto estilo de vida de la persona que sueña, la gente se sorprenderá por su valor real. Si las **puertas de una bóveda están abiertas**, personas de con- fianza la traicionarán y abandonarán.

Box Profesional: Ver una pelea profesional en un sueño simboliza dificultades para manejar los asuntos de uno.

Boxeador Profesional: Si una mujer sueña con un boxeador profesional, significa que tendrá una vida desenfrenada.

Braguero: Es señal de mala suerte y mala salud.

Bramante: Soñar con bramante es una advertencia de que los negocios de la persona se están enredando con problemas que serán difíciles de solucionar.

Brandy: Soñar con brandy significa que a pesar de que la persona que sueña logre posición y fortuna, su falta de refinamiento evitará que haga amistad con las personas que desea ganar.

Brazalete: Usar un brazalete en la muñeca predice matrimonio en el futuro cercano. **Perder un brazalete** es señal de problemas y pérdidas molestas. **Encontrar uno** significa que la persona que sueña recibirá posesiones.

Brazo: Un **brazo fuerte** significa éxito inesperado. Un **brazo débil** significa una gran desilusión en la vida del soñador.

Brea: Brea en un camino significa buena salud. La **brea en la suela de los zapatos o flotando en el agua** significa que la persona que sueña pronto se embarcará en un viaje. La **brea hirviendo** significa problemas personales. La **brea en las manos o en la ropa** es señal de tristeza y enfermedad. **Ver brea** es una advertencia contra las trampas que preparan enemigos peligrosos.

Brezo: Ser **atrapado con brezos** significa que los enemigos han atrapado y embrollado a la persona que sueña. Sin embargo, si **se libera de los brezos**, recibirá la ayuda de buenos amigos. **Caminar sobre brezos** es señal de problemas de negocios y falta de comunicación.

Bribón: Si la **persona que sueña se ve como una bribona,** puede enfermarse o puede actuar en una forma que cause vergüenza e infelicidad a sus amigos. Si una **mujer sueña que su marido o enamorado es un bribón**, es señal de que un amigo cercano la lastimará bastante.

Brida: **Ver una brida** significa que la persona que sueña está comprometida en un proyecto difícil que terminará en éxito, provecho y placer. Si la **brida es vieja y está gastada,** es señal de dificultades que vencerán a la persona que sueña.

Brincar: Si una joven sueña con brincar sobre un obstáculo, significa que sus deseos se harán realidad después de muchas molestias.

Brindis: Es una señal de vida familiar exitosa y agradable.

Broche de Camafeo: Pronostica un evento triste.

Bromista: Implica un descuido de asuntos importantes por seguir asuntos triviales.

Bronce: El **metal, bronce, indica** falta de certeza y satisfacción con el destino que se tiene. Una **mujer que**

sueña con una estatua de bronce no se casará con el hombre que ha decidido. Una **estatua de bronce** que se mueve, indica una aventura amorosa, pero no matrimonio. Soñar con **insectos o serpientes de bronce** significa que la envidia y la ruina rondarán a la persona que sueña.

Bronquitis: Los planes de la persona que sueña serán desorganizados por enfermedad en el hogar. Enfrentará el no alcanzar sus objetivos.

Bruja: Hablando en general, un **sueño sobre una bruja** significa que se pueden anticipar malas noticias. **Soñar con brujas** significa que la persona que sueña y sus camaradas se embarcarán en aventuras alegres y ruidosas, que al final fallarán humillantemente. Si las **brujas se acercan a la persona que sueña**, sufrirá reveces en los negocios y tendrá discusiones en el hogar.

Brusquedad: Si la persona que sueña o uno de sus amigos aparece como una persona brusca, significa que la persona que sueña hará avances en la mayoría de las áreas de su vida.

Brutalidad o Violencia: Si la persona que sueña participa en un evento violento o turbulento que le causa pánico, predice dificultades financieras en el futuro cercano.

Bucear: Bucear en agua cristalina significa que va a llegar a su fin una situación vergonzosa. **Bucear en agua lodosa** pronostica preocupaciones en los asuntos de la persona que sueña. **Ver a otras personas bucear** significa compañía afín.

Budín: Soñar con budines simboliza ganancias en extremo pequeñas. **Comer budín** indica desilusiones. **Hacer un budín** significa mala suerte en el amor.

Buey: Es señal de que buenos amigos rodearán a la persona que sueña en momentos de problemas. También significa buena salud.

Bueyes: Ver un buey gordo indica que el individuo que sueña llegará a ser líder y logrará la admiración de las mujeres. **Ver bueyes gordos que pastan** predice avances y riquezas increíbles. Los **bueyes flacos** indican que disminuirán los bienes de la persona que sueña y que perderá a sus amigos. Un **buey muerto** es señal de desamparo. Si los **bueyes están bebiendo de un estanque o arroyo de agua limpia,** la persona que sueña por fin obtendrá algo que ha deseado por largo tiempo... quizá una mujer encantadora. Si la **persona que sueña es mujer**, tendrá el afecto de su enamorado. Los **bueyes con yugo y bien emparejados** simbolizan un matrimonio feliz y adinerado.

Búfalo: Ver búfalos es señal de enemigos poderosos pero estúpidos que la persona que sueña puede burlar y tener a raya. Si una **mujer mata a los búfalos** en su sueño, significa que un proyecto difícil que se propuso hacer tendrá éxito y le ganará la estima de los hombres.

Bufanda: **Soñar con una bufanda** no es una buena señal. Si la **persona que sueña se ve con una bufanda puesta**, significa que es propensa a la depresión. Si una **mujer sueña con una bufanda que la molesta al usarla**, significa que pronto se revelará un secreto íntimo respecto a su vida.

Buhardilla: **Trepar a una buhardilla** significa que la persona que sueña se concentra en teorías y deja a otros luchar con las amargas realidades de la vida. Si una **persona pobre sueña esto**, significa que mejorará su situación.

Búho: **Escuchar el grito triste de un búho** simboliza sucesos tristes: muerte, dolor, pérdida, melancolía, etc. Un **búho muerto** significa que la persona que sueña o alguien más escapará apenas de una enfermedad grave o de la muerte. **Ver un búho** es una advertencia de que la persona que sueña estará en peligro debido a sus enemigos.

Buitre: Un **buitre posado en las vías del tren** significa un accidente o pérdida inminente. Si un **buitre vuela alejándose** al acercarse la persona que sueña, significa que menguará un escándalo respecto a la persona que sueña o a sus amigos. **Buitres en los sueños** son señal de rumores o escándalos maliciosos en que participa la persona que sueña.

Buldog: Ser **atacado por un buldog** en un lugar extraño significa que la persona que sueña se enredará con las autoridades por fraude. Un **buldog amistoso** significa éxito a pesar de obstáculos y enemigos.

Buque de Guerra: Soñar con este barco significa largos viajes y separaciones. Existe peligro de inquietud política. Si el **barco está navegando en aguas agitadas**, competencia con otros poderes puede influir en los negocios personales de la persona que sueña.

Burdel: Es una advertencia de que la persona que sueña enfrentará desgracias por su libertinaje en asuntos materiales.

Burro: El **rebuzno de un burro** significa que la persona que sueña está en un proceso de sobreponerse a una relación familiar dolorosa. **Dirigir a un burro con una cuerda** demuestra la fuerza del poder de voluntad y la habilidad para influir en la gente de la persona que sueña, en especial para influir en las mujeres. Si la **persona que sueña es un niño**, significa que necesita amigos. **Ver burros que transportan cargas** significa que la persona que sueña tendrá éxito en sus viajes o en el amor, después de una larga batalla. Si la **persona que sueña monta un burro**, viajará a lugares exóticos e inaccesibles. **Conducir un burro** significa que la persona que sueña necesita todo su ingenio para vencer a un enemigo desesperado. Si la **persona que sueña es pateada por un burro**, significa que participa en relaciones ilícitas y está aterrada de que la

descubran. **Caer de un burro** significa mala suerte en los negocios y el amor. **Soñar con un burro blanco** significa una fortuna segura y durable para que la persona que sueña la gaste en lo que desee. Para una **mujer, ver un burro blanco**, significa que al final entrará al círculo social que ha anhelado. Si la **persona que sueña ve a un burro extraño entre su ganado**, va a heredar.

Búsqueda: Buscar algo anuncia que la persona que sueña está actuando en forma precipitada, sin prestar atención a detalles importantes y significativos. La búsqueda de una persona indica miedo a las pérdidas.

Buzón de Correo: Ver un buzón de correo en un sueño significa que la persona que sueña está a punto de involucrarse en tratos que van a acusar de ser ilegales. Si la **persona que sueña pone una carta en un buzón de correo**, la harán responsable de las transgresiones de otro.

Caballería: Es una señal de distinción y avance.

Caballero: Soñar con un caballero indica que a la persona que sueña la molestan problemas de nivel social y jerarquía, y su relación entre el que manda y los que ella manda.

Caballo: Soñar con un caballo simboliza pasión o lujuria. **Montar un caballo blanco** indica éxito en los negocios y en lo social. **Montar un caballo negro** significa fracaso. Un **caballo fugitivo** es señal de pérdidas financieras. **Caer de un caballo** indica un matrimonio precipitado. **Montar un caballo silvestre** refleja una fuerte pasión sexual. Los **caballos de carreras** significan una predilección por la vida desenfrenada. **Montar a pelo** es señal de socios fieles y éxito. Si la **persona sueña que monta a pelo con una mujer,** tendrá deseos lascivos, y éstos le impedirán tener verdadero éxito. Un **caballo muerto** significa desilusión. **Matar un caballo** significa lastimar amigos como resultado del egoísmo. **Ver caballos pintos** es señal de tratos lucrativos. Si el **caballo vadea una corriente,** es señal de buena suerte y gran diversión. Una **corriente lodosa** significará que disminuirán los placeres. **Al nadar en el lomo de un caballo a través de una**

corriente límpida, las fantasías de éxtasis de la persona que sueña se harán verdad. Es un buen sueño para un **empresario. Hacer que hierren a un caballo** es señal de buena suerte; y para una mujer, de un marido fiel. Si la **persona que sueña hierra al caballo**, es probable que tenga éxito en un trato falso.

Cabaña: No es un buen sueño, indica un proceso legal sin éxito.

Cabello: El **cabello grueso y sano** significa que la persona que sueña pronto participará en proyectos exitosos. Si un **hombre sueña con cabello que se enrarece**, significa que su exceso de generosidad lo llevará a la pobreza. El **cabello bien peinado** es señal de buena suerte. Un **sueño sobre cabello de color artificial** indica ansiedad, duda y sospecha. Si el **cabello de la persona se vuelve blanco en una noche**, pronostica una tragedia repentina.

Cabestro: Poner un cabestro a un caballo joven predice éxito en los negocios y el amor. **Conducir un burro por el cabestro** significa que la persona que sueña tendrá influencia en personas de ambos sexos.

Cabeza: /**Ver una cabeza de buena forma en un sueño** significa que la persona que sueña conocerá gente poderosa que la ayudará en empresas importantes. **Soñar con la propia cabeza** es una advertencia de problemas en esa parte del cuerpo. **Ver una cabeza ensangrentada y cortada** es señal de amargos desengaños y esperanzas arruinadas. **Soñar con tener dolor**

de cabeza es señal de preocupación. Una **cabeza hinchada** significa que la vida de la persona que sueña será básicamente positiva. **Soñar con la cabeza de un niño** es señal de diversión y prosperidad. **Ver la cabeza de un animal** es señal de deseos ruines y placeres totalmente materiales. Si la **persona que sueña se lava la cabeza**, personas importantes buscarán sus consejos y juicio. Si la **persona que sueña se ve herida en la cabeza**, es señal de que tiene enemigos ocultos. **Tener dos o más cabezas** indica una subida meteórica en la vida, pero que no durará.

Cable (cablegrama): **Ver un cable** predice que la persona que sueña llevará a cabo algo en extremo peligroso que le proporcionará honor y riqueza si lo termina con éxito. **Soñar con recibir un cable** significa que están a punto de arribar noticias importantes y causar comentarios desagradables.

Cabra: Simboliza virilidad. A veces, pronostica una recompensa sustancial para el trabajo duro.

Cacahuates: Indican que la persona que sueña es sociable y tendrá muchos amigos.

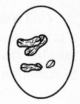

Cacao: Este sueño significa que la persona que sueña deliberadamente favorece a personas indeseables con el fin de sobresalir.

Cacareo: Representa la conmoción causada por una muerte repentina en el entorno de la persona que sueña. También significa enfermedad.

Cachorros: Soñar con cachorros y su inocencia indica una vida buena y amena. Si los **cachorros son fuertes y sanos**, la persona que sueña disfrutará de prosperidad y amistades estrechas. Lo opuesto es cierto si **son débiles y enfermizos**. Ve **Animales Jóvenes**.

Cadáver: Ver un cadáver indica que la persona que sueña tiene relación con la muerte, lo oculto o el infinito. Si un **comerciante sueña con un cadáver**, significa que su reputación se arruinará, fallará en los negocios o que irá a la quiebra. Si un **hombre joven sueña con un cadáver**, sugiere amor no correspondido.

Cadena: Una buena señal. **Usar una cadena de oro o plata** predice que la persona que sueña recibirá un regalo de un admirador o enamorado. **Soñar con el broche de una cadena** indica que pronto se resolverán los problemas de la persona que sueña.

Caderas: Admirar caderas curvilíneas significa que a la persona que sueña le gritará su esposa. Si una **mujer admira sus propias caderas**, se desilusionará en el amor. Si **sueña que sus caderas son estrechas**, predice enfermedad y desilusión.

Caer: Si la **persona que sueña se cae de cualquier lugar**, es señal de que no es tan cuidadosa como debiera y tiene que ser más meticulosa en el negocio. Si la **persona**

que sueña ve caer a otras personas, se beneficiará de que éstas sean descuidadas.

Café (establecimiento): Predice que la persona que sueña caerá en manos de supuestos amigos que en realidad son enemigos planeando su caída. Las mujeres pueden tratar de corromper la moralidad de la persona que sueña y robar sus posesiones.

Café: Soñar con café significa que la persona que sueña está bajo presión emocional y sufre por tensiones en su vida diaria. **Beber café** advierte de disputas domésticas y pérdidas financieras para una persona casada, mientras que implica la desaprobación de los amigos de una persona soltera a sus planes matrimoniales. **Comerciar con café** simboliza reveses de negocios. **Vender café** indica pérdidas, pero **comprarlo** significa finanzas estables. Una **joven que ve o maneja café** debe actuar con discreción para evitar un escándalo. El **café molido** significa que se superarán los enemigos y los reveses. El **café tostado** advierte a la persona que sueña para que tenga cuidado de los extraños. El **café verde** significa enemigos implacables.

Caída: Si la **persona que sueña cae y se asusta**, significa que tendrá éxito después de una batalla larga y cuesta arriba. Si **se lesiona en una caída**, perderá a sus amigos y enfrentará problemas.

Caja de Dinero: Soñar con una caja de dinero pronostica oportunidades positivas. Una **caja de dinero vacía** significa remuneración muy limitada.

Caja de Seguridad: Soñar con una caja de seguridad simboliza el matrimonio. **Robar una caja de seguridad** predice que la persona que sueña se casará con alguien que aún no conoce. Una **caja de seguridad vacía** significa un matrimonio pronto. Una **caja de seguridad llena** indica un matrimonio tardío. Si la **persona que sueña está tratando de abrir una caja de seguridad**, estará ansiosa respecto a que fracasen sus planes.

Caja o Cofre: Una **caja cerrada** significa problemas financieros. Una caja abierta significa que un secreto, que la persona que sueña ha protegido celosamente hasta ahora, está a punto de revelarse. Una **caja que se ha violado** indica libertinaje. Una **caja sellada** es señal de moralidad. Una **caja vacía** es señal de desilusiones.

Cajero: Significa que otras personas van a reclamar las posesiones de la persona que sueña.

Calabozo: Ver un calabozo significa que la prudencia de la persona que sueña le permitirá salir victoriosa de las vicisitudes de la vida. Una **mujer que sueña en un calabozo** se atraerá el ostracismo por sus indiscreciones.

Caldo: Ver caldo es señal de amigos leales y preocupados por uno que ayudarán en lo que sea, incluyendo en lo financiero. El **caldo** es señal de amor permanente. Si la **persona que sueña prepara caldo**, será responsable por el destino de otros.

Caleidoscopio: Es un símbolo de cambios rápidos que no serán de gran valor.

Calendario: Advierte a la persona que sueña que no está dando el valor adecuado a asuntos importantes y que desprecia a otras personas, y es probable que esto tenga el efecto de un bumerang.

Caléndula: Indica a la persona que sueña que se las arregle con una vida sencilla.

Calentador: Un **calentador que no funciona** significa mala administración y desilusiones. **Revisar un calentador** es una señal de enfermedad y pérdidas.

Calesa: Viajar en una calesa significa que la persona que sueña tendrá que abandonar un viaje agradable por un huésped inoportuno. También predice enfermedad.

Caligrafía: Soñar con identificar la letra propia significa que los enemigos de la persona que sueña emplearán sus opiniones para frustrar sus aspiraciones a una posición determinada.

Cáliz: La **aparición de un cáliz en un sueño** significa que el placer que experimenta la persona que sueña será proporcionado por otros de mala gana. Un **cáliz roto** indica que la persona que sueña no podrá dominar a una persona.

Calle: Si la **persona que sueña pasea por una calle bien iluminada**, experimentará una alegría insatisfactoria y de corta duración. Si **se encuentra en una calle familiar en un pueblo lejano**, significa que pronto partirá en un viaje que no será agradable ni valdrá la pena, como lo pensaba antes. **Caminar en**  una calle pronostica preocupaciones, mala suerte y fracasos al tratar de alcanzar sus ambiciones. Si la **persona que sueña está en una calle y tiene miedo de que la asalten**, significa que está arriesgándose peligrosamente en los negocios o la vida social. **Ver a una muchedumbre en una calle** es señal de excelentes negocios y ventas.

Callejón: La suerte de la persona que sueña disminuirá si **ve un callejón en un sueño**; tendrá más preocupaciones. Una **joven que sueña estar en un callejón oscuro** significa una advertencia de malas compañías y de la ruina de su reputación.

Callos: Si la **persona que sueña tiene callos dolorosos**, significa que enemigos están conspirando para dañarla, por lo que le causan angustia. Si **puede deshacerse de los callos**, recibirá una gran herencia. Una **mujer con callos** tendrá muchos problemas, en especial, con las mujeres.

Calma: Si la **persona que sueña siente calma** y felicidad, significa que su vida es larga y valiosa. Un **mar en calma** significa que el éxito sigue a algo que era muy inseguro. Un **océano en calma**, presagia algo bueno.

una **joven,** este sueño indica que tendrá un buen marido o buenos amigos. Si la **persona que sueña está calmando el enojo de otros,** significa que trabajará para lograr el progreso de otras personas. Si un **enamorado está calmando los celos de su novia,** es señal de que está enamorado de la persona equivocada.

Calumnia: Si la **persona que sueña es víctima de calumnias,** se está aprovechando de la ignorancia de la gente con el fin de defraudarlas. Si **calumnia a otro,** su egoísmo hará que pierda a sus amigos. Soñar con calumnia es una advertencia de que chismes maliciosos van a dañar a la persona que sueña.

Calvicie: Si una **mujer sueña que se le está cayendo el cabello** hasta el punto de quedar calva, significa que tendrá que mantenerse sola. Si en un sueño aparece un **hombre calvo,** advierte a la persona que sueña que tenga cuidado con los estafadores. Que aparezca una **mujer calva** en los sueños de un  hombre significa que éste tendrá una esposa regañona. Si **una mujer sueña con un hombre calvo,** no debe aceptar la siguiente propuesta de matrimonio.

Cama: Casi cualquier situación en que **se ve una cama en un sueño** predice cosas buenas. **Tender la cama de la persona que sueña** indica matrimonio en el futuro cercano. **Tender la cama de un extraño** simboliza un nuevo y sorprendente punto de cambio en la vida. Una **cama sin tender** indica que la persona que sueña tiene problemas con la sexualidad y el matrimonio.

Camaleón: Es un símbolo de engaño, capricho y avance a expensas de los demás.

Cámara: Ver una cámara en un sueño significa que la persona que sueña irá a lugares desagradables. Una **mujer que sueña con tomar fotografías con una cámara** está a punto de tener desilusiones en relación con un amigo, además de que le esperan cosas desagradables en el futuro.

Cámara de Video: Utilizar una **cámara de video** indica que algo significativo y emocionante está a punto de suceder en la vida de la persona que sueña.

Camarera: Ver a una camarera es señal de mala suerte y de necesidad de cambios. Si un **hombre enamora a una camarera** en un sueño, significa que él va a ser objeto de burlas como resultado de su conducta indiscreta.

Camarero: Soñar con un camarero significa que un amigo entretendrá agradablemente a la persona que sueña. **Ver un camarero** muestra que la persona que sueña tiene una personalidad ambiciosa, y lucha por mejorar su situación financiera. Si un **camarero actúa en forma inapropiada**, personas desagradables se aprovecharán de la hospitalidad de la persona que sueña.

Camello: Pronostica un buen futuro. La persona que sueña superará obstáculos con la ayuda de buenos amigos.

Caminar: **Caminar por un sendero largo y continuo** indica que la persona que sueña debe hacer frente a problemas en su vida. Un **paseo rápido y constante** significa que superará todos los obstáculos en su camino. **Caminar en lugares agradables** es señal de buena suerte. **Caminar por senderos escabrosos y con espinas** simboliza embrollos de negocios y malentendidos que conducirán al rechazo de la persona que sueña. **Caminar de noche** significa mala suerte y la vana batalla por la felicidad. Una **joven que camina rápidamente** heredará una propiedad y logrará el objetivo de sus sueños.

Camino: **Soñar con un camino difícil**, con muchas curvas y lleno de hoyos, es señal de éxito en los campos personal y de negocios. Viajar en un **camino escabroso y extraño** significa nuevos proyectos que desperdiciarán el tiempo y la energía de la persona que sueña. **Confundir el camino** significa que la persona que sueña sufrirá pérdidas financieras por errores de juicio. Un **camino parejo y recto** indica pleitos familiares. Un **camino rodeado por árboles y flores** es señal de buena suerte impredecible en los asuntos financieros, además de felicidad con el cónyuge y los hijos.

Camión: Un **sueño sobre un camión** es una indicación de avance lento en el camino a las metas de la persona que sueña. Un **camión atestado** en que se encuentra la persona que sueña indica mucha competencia. **Viajar en el camión equivocado** significa que la persona ha escogido el camino incorrecto en la vida y debería reevaluar sus metas.

Camisa: Si la **persona que sueña se pone la camisa**, perderá a su enamorado por su infidelidad. Una **camisa rota** significa mala suerte y condiciones lastimosas. Una **camisa sucia** es una advertencia de enfermedades contagiosas. **Perder la camisa** significa humillación en el amor o los negocios.

Camiseta: Si una mujer sueña con una camiseta, significa que escuchará chismes maliciosos sobre ella.

Camisón: Soñar con usar camisón es señal de una enfermedad menor. **Ver a otros vestidos en camisones** indica malas noticias y problemas de negocios. Si un **enamorado ve a su novia en camisón**, ésta lo abandonará.

Campana de Alarma: Si la persona que sueña escucha una campana, significa que tendrá razones para estar ansioso. Soñar con el sonido de una campana de alarma indica una batalla que la persona que sueña ganará. **Para una mujer, escuchar una campana de alarma** es señal de disolución con su marido o enamorado.

Campana: El tañer de una campana en un sueño pronostica malas noticias con relación a un conocido distante, como una muerte.

Campanario: **Ver un campanario de iglesia** pronostica mala salud e infortunios. Un **campanario derruido** es señal de muerte entre el grupo de amigos de la persona que sueña. Si la **persona que sueña trepa a un campanario**, significa que superará dificultades. Si **cae de un campanario**, sufrirá por enfermedades y pérdidas en los negocios.

Campaña: Un **sueño sobre una campaña política** muestra que la persona que sueña quiere hacer cambios en procedimientos de negocios aceptados, para gran desaliento de sus enemigos; tendrá éxito. Una **campaña religiosa** contra el pecado significa que la persona que sueña será llamada para contribuir con dinero.

Campeón o Campeonato: Indica que la persona que sueña es ambiciosa y competitiva y hará todo para lograr su meta.

Campo: Soñar con un campo frondoso, fértil y bien regado significa que la persona que sueña no podría esperar mejores tiempos que los actuales. Adquirirá una riqueza interminable y podrá vivir dondequiera que lo desee. Un **campo árido y yermo** es un pronóstico de penalidades, hambre y enfermedad.

Campos de Cebada: Los **campos de cebada** predicen gran éxito y la realización de los deseos de la persona que sueña. Sin embargo, la **cebada podrida** indica pérdida.

Canal: Soñar con un canal de agua oscura es una indicación de problemas y preocupaciones. El **agua limpia**

en un canal indica que pronto se resolverán problemas. **Malezas creciendo en un canal** advierten de enredos financieros. **Caer en un canal** indica una disminución del nivel social. **Saltar sobre un canal** significa que la persona que sueña mantendrá el respeto a sí misma.

Canal de desagüe (de una calle): Ver un **canal de desagüe en un sueño** es señal de disipación. La persona que sueña causará desgracias a otros. Si **encuentra algo valioso en un canal de desagüe**, se pondrá en duda su derecho a una propiedad.

Canalón (del techo): El **canalón en cualquiera de sus formas** significa que la persona que sueña puede esperar una vida larga y libre de preocupaciones. **Trepar por un canalón** indica que la persona que sueña desea evitar resolver sus problemas.

Canario: Es señal de placeres inesperados, como la feliz culminación del amor o éxito en el mundo de la literatura.

Canasta (tejida): Una **canasta de paja tejida llena** es una señal de éxito social y financiero. Sin embargo, una **canasta vacía** simboliza desengaños, tristeza y depresión.

Cáncer: Curar el cáncer en un sueño indica una mejoría repentina y drástica en la posición mundanal de la persona que sueña. **Soñar con cáncer** es señal de enfermedad en alguien cercano a la persona que sueña, y pleitos con seres amados. Los negocios pueden tener problemas después de este sueño. **Soñar con cáncer** es un sueño negativo que indica la pérdida del amor y tratos de negocios triviales.

Canciones Cómicas: Escuchar canciones cómicas significa que la persona que sueña desperdiciará una oportunidad para promover sus asuntos de negocios a favor de la búsqueda de placer. **Cantar estas canciones** pronostica un largo periodo de placer seguido por problemas.

Candado: Un **sueño sobre un candado** es señal de confusión. Si la **persona que sueña puede abrir el candado**, significa que alguien quiere dañarla. **En el amor**, significa que la persona que sueña neutralizará a un rival. **Ver un candado**, también simboliza una jornada exitosa. **Un candado que no se abre** significa falta de éxito en el amor y jornadas triviales y peligrosas. Si la **persona que sueña coloca un candado alrededor del cuello de su enamorada**, significa que duda de su fidelidad.

Candelero: Un **candelero** con una vela entera es una buena señal: cambios para mejorar en la vida, salud, felicidad, amor; participación en ocasiones felices y éxito financiero.

Cangrejo de Río: Cuando un cangrejo de río aparece en un sueño, significa tribulaciones de amor.

Cangrejos: Un **sueño sobre cangrejos** significa que la persona que sueña tendrá que tratar asuntos complejos sobre los que tendrá que ejercer el máximo juicio. Para **enamorados**, pronostica un cortejo largo e inestable.

Canguro: Un **sueño sobre un canguro** significa que la persona que sueña no está satisfecha con un socio. **Ver un canguro** indica que la persona que sueña burlará a un enemigo astuto. La **piel de un canguro** es símbolo de éxito. Si un **canguro ataca a la persona que sueña**, su reputación está en peligro.

Caníbal: Es una indicación de presión, ansiedad o miedos que infestan los sueños de la persona que sueña. También es posible que la persona que sueña no tenga salud física.

Canibalismo: Indica una tendencia hacia la autodestrucción y la pérdida del autocontrol.

Canoa: **Remar una canoa en una corriente tranquila** significa que la persona que sueña es perfectamente capaz de manejar su negocio con éxito. Sin embargo, si el **agua está lodosa**, tendrá desilusiones en los negocios. Si **está en el bote el ser amado** de la persona que sueña, señala un matrimonio sólido. Si el **agua es turbulenta**, la persona que sueña tendrá que domar a la persona que ama.

Cantar: Si la **persona que sueña está cantando en un entorno alegre,** es una predicción de celos que arruinarán la alegría. Si la **canción es triste**, se presentarán obstáculos y problemas en los negocios. Si la **persona que sueña escucha cantar**, es señal de alegría y amigos divertidos, así como de noticias de amigos lejanos. Las **canciones obscenas** son señal de despilfarro.

Cántaro: Soñar con un cántaro es un símbolo de buena suerte. Si el **cántaro está lleno**, es señal de extrema buena suerte, además de verdaderos amigos que quieren fomentar el bienestar de la persona que sueña. Un **cántaro roto** es una indicación de enfermedad y reveces en el trabajo. **Beber vino en un cántaro** significa excelente salud, optimismo y alegría de vivir. Si la **persona que sueña bebe una bebida de sabor desagradable de un cántaro**, significa que la anticipación de eventos felices se convertirá en desilusión y repulsión.

Cantera: Si la **persona que sueña está en una cantera**, observando el trabajo duro de la gente, significa que la promoverán gracias a su trabajo duro. Una **cantera fuera de operaciones** es señal de mala suerte, fracaso e incluso muerte.

Caña: Cañas que crecen son señal de avance y prosperidad, mientras la **caña cortada** indica un desastre.

Cáñamo: Significa éxito en todas las empresas arriesgadas.

Cañón: Predice una guerra, conflicto o discusiones.

Capa Corta: Si la **persona que sueña utiliza una capa corta**, es señal de que inspira una sensación de confianza en sus amigos. Si **otra persona utiliza la capa corta**, es señal de que la persona que sueña la considera muy confiable.

Capilla: **Ver una capilla** indica disentimiento en círculos sociales y negocios incompletos, además de desilusiones. Las **personas jóvenes que sueñan con capillas** pueden terminar cometiendo errores en el amor.

Capitán: Soñar con un **capitán** (de un barco o avión) demuestra la naturaleza ambiciosa de la persona que sueña y su deseo de dominar y dirigir a otros.

Capucha: Una joven que usa capucha en un sueño pronto tratará de seducir a un hombre decente.

Cara: Ver su cara en un espejo indica que la persona que sueña en el futuro cercano sabrá secretos que influirán en su vida de manera significativa. **Las caras felices** en un sueño son una buena señal, mientras que las **caras horribles o ceñudas** son una mala señal.

Caracol: Ver caracoles significa un entorno desagradable. **Pisar caracoles** advierte de hacer tratos con individuos desagradables.

Carámbanos: La **caída de carámbanos de los árboles** significa la desaparición de las preocupaciones. Si **se encuentran en los aleros de las casas**, es una indicación de pobreza, carencias y enfermedad. Si **se ven en una cerca, en árboles de hoja caediza o perenne**, es una predicción de malas cosas y un futuro infeliz.

Caramelo o Dulces: Una **caja llena de dulces** predice que está a punto de mejorar la condición económica de la persona que sueña. Si una mujer sueña que **recibe una caja de dulces**, es señal de que tiene un admirador secreto. Si la **persona que sueña envía una caja de dulces** a otra persona, predice una desilusión.

Caravana: Indica que la persona que sueña se embarcará en un viaje en el futuro cercano, y que debe tener cuidado de daños físicos.

Carbón de Madera: El **carbón sin encender** es señal de miseria e infelicidad. El **carbón ardiente** pronostica grandes aumentos de la fortuna y mucha alegría.

Carbón de Piedra: El **carbón resplandeciente** predice alegría y cambios positivos. Si la persona que sueña los tiene en sus manos, la alegría es ilimitada. Los **carbones ya apagados** son una indicación de injusticias y desilusiones.

Cárcel: Ver a otros en la cárcel significa que la persona que sueña será obligada a dar privilegios a personas que no lo merecen.

Carcelero: Un **carcelero en un sueño** significa que los intereses de la persona que sueña serán amenazados por traiciones. La fascinarán las malas mujeres. Si **ve que una cárcel es invadida por una muchedumbre pendenciera**, estará en peligro extremo de que le arranquen su dinero.

Cardenal: Ver un cardenal es un mal sueño, ya que predice ruina hasta el punto de tener que mudarse a otro país. La **aparición de un cardenal** podría indicar la caída moral de una mujer. **Reunirse con un sacerdote** en un sueño podría ser una advertencia contra males inminentes.

Carga: Las **cargas** son indicación de preocupaciones e injusticias graves causadas por una conspiración de las autoridades y los enemigos de la persona que sueña. Sin embargo, la persona que sueña prevalecerá y alcanzará el pináculo del éxito.

Cargador: Ver un cargador es señal de mala suerte y eventos tumultuosos. Si la **persona que sueña se ve como cargadora**, es señal de una reducción de su nivel social. **Contratar un cargador** significa éxito y las alegrías que lo acompañan. Si la **persona que sueña rechaza un cargador**, harán cargos contra ella.

Caridad: Recibir caridad es señal de que el estado financiero de la persona que sueña se deteriorará un poco, pero no en forma significativa. **Dar caridad** en un sueño es señal de mejoría en la situación financiera.

Carnaval: Ver un carnaval es señal de placeres venideros. **Máscaras en un carnaval** indican pleitos domésticos y problemas de negocios.

Carne: Si la **persona que sueña cocina carne**, significa buenas noticias. Si la **persona que sueña come carne preparada por otros**, puede esperar malos tiempos. Un **sueño sobre carne cruda** significa que la persona que sueña no recibirá aliento para lograr sus metas. La **carne cocinada** significa que otros  lograrán su objetivo. La **carne asada** es señal de infelicidad doméstica y conspiraciones. **Salar la carne** es señal de deudas molestas. Si **la persona que sueña ve carne cruda y sangrienta**, es una indicación de tumores malignos y cancerosos. Advierte al soñador que debe tener cuidado con cualquier mancha o lesión. **Ver o comer carne cocinada** predice sufrimiento insoportable y muerte sangrienta. Sin embargo, la **carne bien cocinada y servida** es señal armonía en el amor y los negocios.

Carnero: Si un **carnero persigue a la persona que sueña**, es señal de mala suerte. Si la **persona que sueña ve a un carnero pastando tranquilamente**, gozará de la ayuda de amigos poderosos en su favor.

Carnicero: Ver un carnicero matando ganado en un sueño, con mucha sangre, significa enfermedad prolongada y grave en la familia de la persona que sueña. Si un **carnicero está rebanando la carne**, significa que el carácter de la persona está siendo investigado en su perjuicio. Debe evitar escribir cartas o documentos.

Carpeta: Significa que la persona que sueña necesita consultar con amigos o recibir su ayuda.

Carpintería: Significa que la persona que sueña está aburrida de su profesión u ocupación y necesita variedad.

Carpintero: La persona que sueña aumentará su fortuna haciendo un trabajo honesto y privándose de placeres superficiales.

Carrera de Caballos: Si la **persona que sueña es una mujer**, indica que pronto tendrá problemas maritales. Si la **persona que sueña es un hombre**, advierte peligro de una fuente inesperada. La persona que sueña debe tener cuidado. (Ve también **Caballo**.)

Carrera: Soñar con estar en una carrera significa que la persona que sueña tiene rivales para lo que desea. Sin embargo, si **gana la carrera**, vencerá a sus rivales.

Carreta: Ver una carreta significa malas noticias de la familia o de amigos. **Soñar con conducir una carreta** significa que la persona que sueña tendrá éxito en los negocios y en otras esferas. Si una **pareja de enamorados conduce una carreta**, serán fieles entre sí sin importar lo que sus enemigos maquinen.

Carrete: Indica que la persona que sueña será responsable de hacer algún trabajo importante, con consecuencias horribles si el trabajo no se hace.

Carretes de Hilo: Soñar con carretes de hilo indica sentimientos de infelicidad que se producen por la incapacidad de la persona que sueña para hacer frente a tareas tediosas que debe realizar. Los **carretes vacíos** simbolizan desilusiones.

Carretón (tirado por caballos)**: Soñar con un carretón** significa un matrimonio infeliz y preocupaciones que harán que la persona que sueña sea vieja antes de tiempo. **Conducir un carretón colina abajo** es una indicación de sucesos que causarán ansiedad y pérdida. **Conducir un carretón colina arriba** indica una mejoría en los negocios. **Conducir un carretón muy cargado** significa que el sentido del deber de la persona que sueña la mantendrá controlada, aunque desea deshacerse de él. **Conducir un carretón hacia aguas lodosas** es una terrible predicción de preocupaciones e infelicidad. Un **carretón cubierto** implica traición sutil que saboteará el progreso de la persona que sueña. Si una **joven conduce un carretón peligrosamente cerca del borde de un terraplén**, la obligarán a un enredo ilícito, y estará petrificada por el miedo de que la descubran. Si **conduce un carretón a través de agua limpia**, tendrá un amorío agradable, y no reprensible. Un **carretón desgastado** es un símbolo de fracaso y problemas.

Carriola de Bebé: Es una señal de buenas amistades que hacen cosas para sorprenderte agradablemente.

Carro de Alquiler: Si la **persona que sueña llama a un taxi que pasa junto a ella sin detenerse**, es una advertencia de no ser ingenua. Si la

persona que sueña llama a un taxi sin problemas, puede esperar una carta con buenas noticias en el futuro cercano.

Carroza: Viajar en carroza es señal de pérdidas financieras. **Conducir una carroza** significa un traslado o cambios en los asuntos de negocios de la persona que sueña.

Carroza Fúnebre: Ver una carroza fúnebre es señal de disputas domésticas y problemas en los negocios. También indica la enfermedad o muerte de alguien cercano a la persona que sueña. Si una **carroza fúnebre cruza el camino de la persona que sueña,** tendrá que enfrentar a un enemigo jurado.

Carruaje: Conducir un carruaje significa una enfermedad de la que pronto se recuperará la persona que sueña. **Tratar de comprar un carruaje** significa que la persona que sueña tiene trabajo duro, pero que será competente en su empleo.

Carrusel: Subirse a un carrusel indica un periodo de estancamiento en la vida de la persona que sueña. Si **otros se suben al carrusel,** es una referencia de deseos y esperanzas insatisfechos de la persona que sueña. Un **carrusel a mitad de la nada** predice fatalidades y tristeza.

Carta: Soñar con una carta registrada significa una disputa respecto a dinero con una persona cercana. Para una **joven, recibir una carta** es señal de las intenciones deshonrosas de otras personas hacia ella. Para **un enamo-**

rado, significa que su amor está buscando a otro. Recibir **una carta anónima** significa un golpe inesperado. **Escribir una carta** significa rivalidad; también significa que la persona que sueña juzga a alguien demasiado rápido, y esto causa arrepentimientos. **Recibir cartas que contienen malas noticias** es señal de problemas y enfermedad. Si las **noticias son buenas,** la persona que sueña experimentará cosas buenas. **No leer una carta** significa pérdidas de negocios o sociales. **Esconder una carta** de una mujer cercana significa que la persona que sueña no tiene buenas intenciones. Una **carta de borde negro** es una señal de muerte. Un **sueño recurrente de recibir una carta de un amigo** significa que pronto aparecerá. Una **carta rasgada** significa que los errores de la persona que sueña arruinarán su reputación.

Cartas: Ganar un juego de cartas es una predicción de matrimonio en el futuro cercano. **Perder un juego de cartas** indica que la persona que sueña pronto se verá obligada a arriesgarse.

Cartera: Encontrar una cartera llena de dinero indica buena suerte. Si está vacía, la persona que sueña sufrirá una gran desilusión. **Perder la cartera** indica que la persona que sueña va a reñir con un buen amigo, en su perjuicio.

Carterista: Soñar con un carterista significa que un enemigo causará daño a la persona que sueña. Si una **joven es víctima de un carterista**, significa que es el blanco de los celos y la malicia de alguien. Si **roba la cartera de alguien**, las personas a su alrededor van a hacerle un vacío por su conducta ruda.

Cartero: Es señal de que la persona que sueña está preocupada por dificultades financieras, de negocios o sociales. Si un **cartero entrega cartas a la persona que sueña**, significa que están a punto de arribar noticias sobre una persona de mal gusto. Si el **cartero no trae cartas**, predice tristeza y desilusión. Si la **persona que sueña da cartas al cartero**, el resultado será sufrimiento por celos. **Hablar con un cartero** es indicación de un futuro escándalo.

Cartucho: Ver un cartucho predice pleitos y disputas; se ven amenazas en el horizonte. Los **cartuchos vacíos** indican falta de consistencia en las relaciones de la persona que sueña.

Casa: Soñar con construir una casa sig-  nifica que la persona que sueña hará buenos cambios en sus asuntos de negocios. **Poseer una casa agradable** significa que la persona que sueña pronto se cambiará a una mejor. Las **casas viejas y derruidas** son una indicación de mala suerte en toda empresa arriesgada.

Casa de Cristal: Un **sueño sobre una casa de cristal** simboliza el daño que ocurrirá como resultado de la adulación. Una **joven que sueña con vivir en una casa**

de cristal es una advertencia de problemas y de perder su reputación.

Casa de Fieras: Es una señal de todo tipo de problemas.

Casa de Huéspedes: Es una indicación de complicaciones y problemas en los negocios, además de un cambio de morada.

Casa Rodante: Soñar con viajar en una casa rodante es predicción de un viaje que causa ansiedad a la persona que sueña. **Vivir en una casa rodante** significa mala suerte.

Cascada: Ver una cascada significa que el sueño más loco de la persona se hará realidad, y tendrá mucha suerte. **Nadar bajo una cascada** significa que los grandes esfuerzos que la persona que sueña ha realizado no producirán frutos. Si **otro individuo está nadando bajo la cascada**, significa que la persona está en peligro.

Casco: Significa que la tristeza y la pérdida se pueden prevenir si la persona que sueña actúa sabiamente.

Castaños: Aunque se predicen pérdidas financieras por **soñar sobre castaños**, será buena la vida amorosa de la persona que sueña. Un **sueño sobre comer castañas** indica pesar temporal pero felicidad al final.

Castillo: Un **sueño sobre un castillo** es una indicación de que la persona que sueña adquirirá gran riqueza y viajará extensamente. Si el **castillo es viejo y está cubierto de enredaderas**, es posible que la persona que sueña se vuelva romántica y debe tener cuidado de no cometer errores al escoger un cónyuge. Un **sueño sobre dejar un castillo** indica que la persona que sueña está a punto de que le roben sus posesiones o de que la muerte le prive de su amor.

Castor: **Ver un castor** significa que si la persona que sueña trabaja en forma continua y paciente, alcanzará un estado de comodidad. **Matar a un castor por su piel** indica conducta fraudulenta e inapropiada hacia los inocentes.

Casucha: **Soñar con una casucha** significa que la persona que sueña abandonará su hogar con el fin de mejorar su estado de salud. **Ver una casucha** es una advertencia de pérdidas financieras.

Catafalco: Un **sueño sobre un catafalco** es una indicación de pérdidas devastadoras y del deterioro de un pariente con el que tiene relaciones estrechas. Si el **catafalco está cubierto de flores** en una iglesia, es señal de un mal matrimonio.

Catalejo: Si la **persona que sueña observa a través de un catalejo**, se presentarán alteraciones en su estilo de vida que le serán perjudiciales. Un **catalejo roto o que no sirve** es una señal de riñas y separación de amigos.

Catecismo: Predice la oferta de una posición bien remunerada, pero la persona que sueña dudará en aceptarla por las estipulaciones ligadas a ella.

Catedral: Ver una catedral es una indicación de la naturaleza envidiosa y codiciosa de la persona que sueña, tanto en asuntos materiales como espirituales. Si la **persona que sueña entra a la catedral**, mejorará su posición social.

Catre: Ver un catre pronostica contratiempos, enfermedades y accidentes. Una **hilera de catres** indica que la persona que sueña no estará sola en sus problemas.

Caucho: Usar ropa de caucho significa que honrarán a la persona que sueña por su personalidad moral. Si las **ropas están rotas o gastadas**, debe tener cuidado, ya que su reputación está en peligro. Si los **miembros de la persona que sueña son flexibles como caucho**, está en peligro de enfermarse. También puede ser deshonesta en sus prácticas de negocios.

Cavar: Cavar indica una batalla por la supervivencia. Si la **persona que sueña cava un agujero y encuentra algo brillante allí**, mejorará su suerte. Si **sólo encuentra humedad**, su vida estará acosada por mala suerte y miseria. Si el **hoyo se llena de agua**, significa que nada sucede como lo desea la persona que sueña, a pesar de todos sus esfuerzos.

Cayado: Ver un cayado significa que la persona que sueña realizará tratos sin dedicarles el estudio necesario lo que causará discusiones. Si **usa un cayado** al caminar, significa que dependerá de los consejos de otras personas. Si la **persona que sueña admira cayados hermosos**, confiará sus asuntos de negocios a otros y le serán leales.

Cazar: La persona que sueña lucha por cosas imposibles. Si **caza animales con éxito**, logrará sus objetivos a pesar de los obstáculos en el camino. **Cazar venados** indica fracasos en los negocios o la agricultura.

Cazo: Ver un cazo significa suerte con un compañero y con los hijos. Un **cazo sucio o roto** es una predicción de una terrible pérdida.

Cebolla: Ver grandes cantidades de cebollas es una indicación de dificultades, preocupaciones económicas y miedo de pérdidas. **Pelar cebollas** simboliza los esfuerzos renovados para lograr un objetivo anhelado. **Comer cebollas** significa que la persona que sueña va a vencer toda resistencia. **Verlas crecer** significa que los asuntos de la persona que sueña van a estar sazonados con un poco de rivalidad. Las **cebollas cocinadas** son señal de tranquilidad y ganancias menores. Si **la persona que sueña corta cebollas** y le arden los ojos, sufrirá una derrota a manos de sus competidores.

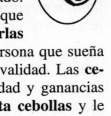

Cebra: Soñar con una cebra significa que la persona que sueña se interesará en ideas transitorias. **Ver una cebra**

indica que la persona que sueña sufrirá por una enfermedad grave o un accidente fatal en el futuro.

Ceder: Si la **persona que sueña cede ante la voluntad de otro**, es señal de que desperdiciará una maravillosa oportunidad de progresar por débiles vacilaciones. Si **otros ceden ante la persona que sueña**, se le otorgarán privilegios únicos y se le promoverá por encima de todos sus colegas. Si el **trabajo duro de la persona que sueña produce poco**, le esperan preocupaciones y ansiedad.

Cedros: Los **cedros verdes y creciendo** indican éxito en un proyecto. Los **cedros muertos y secos** son una indicación de desesperación.

Céfiro: Soñar con céfiros significa que la persona que sueña sacrificará riqueza por amor y que éste será recíproco. Si una **joven escucha al gentil céfiro y se siente triste**, extrañará a su enamorado, el cual viajará lejos de ella.

Ceguera: Si la **persona que sueña aparece ciega** en un sueño, no está totalmente satisfecha con su elección de cónyuge. Si una persona sueña en **guiar a alguien con ceguera**, es señal de que depende demasiado de alguien que en realidad no merece su confianza.

Cejas: Es una indicación de obstáculos atemorizantes en el camino de la persona que sueña.

Celebración o Fiesta: Un **sueño sobre una celebración o fiesta** que disfruta la persona que sueña, es señal de buenas cosas por llegar. Un **sueño sobre una fiesta formal** (sin baile o calidez) es señal de que la persona que sueña ha cometido gran cantidad de errores por lo que ahora debe pagar.

Celos: Tener celos de la esposa muestra que la persona que sueña ha caído bajo la influencia de sus enemigos y de personas de mentalidad ruin. Una **mujer celosa de su marido** recibirá muchos sobresaltos que la harán salir de su complacencia. Si las **personas están celosas por cosas comunes,** las atormentarán muchas ansiedades en el negocio cotidiano.

Cementerio: Ver un cementerio indica que buenas nuevas están en camino o que un amigo enfermo se está recuperando. Un **sueño sobre la muerte de un miembro de la familia** predice un periodo de tensión y problemas.

Cemento: Cualquier forma de cemento en un sueño significa un cambio para mejorar o avance en el nivel financiero de la persona que sueña.

Cena: Soñar con cenar solo significa que la persona que sueña tiene razones para explayarse sobre las necesidades de la vida. Si la **persona que sueña es huésped en una cena con fiesta,** significa que pronto se le invitará a compartir la hospitalidad grata de personas que pueden permitírselo.

Cenit: Soñar con un cenit significa prosperidad y la elección apropiada de pareja.

Cenizas: Es un sueño muy malo, que sólo significa problemas, infelicidad y fracaso.

Centavo: Soñar con centavos significa que la persona que sueña está desperdiciando el tiempo, dañando a su negocio y a sus amistades. **Perder centavos** significa fracasos. **Encontrarlos** significa buenas perspectivas de progreso. **Contarlos** implica una sensación de economía.

Centeno: Ver centeno es señal de prosperidad y un buen futuro. Si el **ganado entra a un campo de centeno,** también es señal de riqueza.

Centinela: Ver un centinela es señal de protectores benévolos y vida pacífica.

Cenzontle: Ver o escuchar a un cenzontle significa que la persona que sueña será invitada por unos amigos para tener una visita agradable. Los asuntos de negocios marcharán bien. Si una **mujer ve un cenzontle muerto o herido,** pronto peleará con su enamorado.

Cepillar un Caballo: Soñar con cepillar un caballo indica que la persona que sueña tendrá que trabajar muy duro, tanto en lo mental como en lo físico, con el fin de alcanzar sus ambiciones. Si **cepilla bien al caballo,** logrará todo lo que desee.

Cepillo de Carpintero: Ver un cepillo de carpintero es señal de amabilidad y éxito. La persona que sueña no es engañada por un amor falso. **Ver carpinteros que em-**

plean esta herramienta es señal de la ejecución sin problemas de los planes.

Cepillo para el Cabello: Ver un cepillo para el cabello es señal de mala administración de los asuntos de la persona que sueña. Una **cepillo para el cabello viejo** significa enfermedad.

Cepillo: Ver diversos cepillos en un sueño significa que la persona que sueña gana dinero de diversas formas, de manera más bien lucrativa y agradable. **Soñar con usar un cepillo para el cabello** significa mala administración que produce pérdidas financieras. Un **cepillo para ropa** indica trabajo duro en el futuro, el cual será lucrativo.

Cera: Advierte contra el despilfarro y la extravagancia.

Cerca: La **destrucción de una cerca** en un sueño es señal de que los problemas se resolverán en el futuro cercano. Si una **joven sueña con una cerca**, indica que desea casarse y tener hijos. Una **cerca verde** indica verdadero amor.

Cerdo: En la **cultura occidental**, un cerdo simboliza una personalidad difícil, que no se lleva bien con los demás. En el **Lejano Oriente**, es señal de abundancia económica. Los **cerdos que se revuelcan en el lodo** indican socios de negocios inapropiados y empresas arriesgadas y dudosas. Una **joven** que sueña con un puerco revolcándose tendrá un amigo celoso y posesivo.

Cereal o Gachas: Advierte de enemigos peligrosos que pueden envolver a la persona que sueña.

Cerebro: Ver nuestro cerebro en un sueño indica que la persona que sueña será antipática como resultado de lo que la rodea. Los **cerebros de animales** son señal de enfermedad mental. **Comer sesos** es señal de provecho y conocimiento.

Cerezas: Ver cerezas significa afabilidad y lealtad, y predice buenas cosas. **Comer cerezas** es señal de que tus deseos están a punto de hacerse realidad.

Cerillos: Soñar con cerillos predice cambios y riqueza. **Encender un cerillo en la oscuridad** pronostica noticias repentinas y cambios en la suerte.

Cerradura: Si la **persona que sueña espía a otros a través de una cerradura,** significa que causará perjuicios al divulgar los secretos de otro. Si **otros la espían a través de una cerradura,** significa que otros están espiando sus asuntos para su beneficio. La **inhabilidad para encontrar una cerradura** significa daño involuntario a un amigo.

Cerrojo: Ver cerrojos es señal de enormes obstáculos en el camino para progresar de la persona que sueña. **Cerrojos viejos o rotos** significan que el fracaso espera al soñador.

Cervatillo: Ver un cervatillo en un sueño es una indicación de amigos verdaderos y fieles, y de fidelidad en el amor.

Cerveza: Un **sueño sobre cerveza** es señal de decepción. **Ver personas bebiendo cerveza** en un bar significa que algunas de ellas están planeando destruir las esperanzas de la persona que sueña.

Cetro: Si la **persona que sueña sostiene un cetro**, significa que será elegida para una posición importante y de responsabilidad como resultado de sus habilidades y no hará quedar mal a nadie. Si **otros sostienen un cetro**, significa que la persona que sueña siempre será empleada en lugar de trabajar por su cuenta.

Chabacano: Soñar con **chabacanos** o en comerlos indica un buen futuro y éxito en la mayoría de las áreas de la vida, con la excepción del romance.

Chal: **Soñar con un chal** indica que se adula y admira a la persona. **Perder un chal** predice tristeza y situaciones desagradables. Una **joven** que sueña esto puede ser abandonada por un hombre bien parecido.

Chapulín: Una amenaza está pendiente sobre la cabeza de la persona que sueña.

Charco: Si la **persona que sueña pisa un charco de agua limpia**, tendrá una controversia menor que desaparecerá después. Si el **charco está lodoso**, la controversia no desaparecerá tan pronto. Si los **pies de la persona que sueña se mojan por pararse en un charco**, significa que la buena suerte cambiará.

Cheques: Si la **persona que sueña trata de pagar con cheques falsos** a sus amigos, significa que recurrirá a cualquier tipo de engaño y trampa con el fin de llevar a cabo sus planes. Si **recibe cheques**, significa que podrá pagar sus deudas; también heredará dinero. Un **sueño sobre pagar cheques** significa pérdida financiera.

Chícharos: Comer chícharos anuncia un buen periodo que traerá prosperidad y crecimiento económico. **Ver crecer los chícharos** significa éxito en los negocios. **Plantarlos** causará prosperidad. **Recolectarlos** significa que se tendrá éxito al poner en práctica los planes. Los **chícharos enlatados** significan que las esperanzas de la persona que sueña están estancadas por el momento, pero que al final se harán realidad. Los **chícharos secos** significan descuido de la salud. **Comer chícharos secos** indica una ligera disminución de los placeres y la riqueza.

Chicharra: Estos insectos verdes, grandes y semejantes a los chapulines no presagian nada bueno, ya que son señal de mala suerte y de dependencia de la persona que sueña en otros.

Chile: Refleja sentimientos de orgullo que produce el éxito de alguien cercano a la persona que sueña.

Chimenea: Es una indicación de un próximo periodo de prosperidad, crecimiento y estabilidad económica para la persona que sueña. Un **sueño sobre una chimenea** predice éxito. Una **chimenea con humo** anuncia buenas noticias para la persona que sueña. Una **chimenea rota** es una premonición de preocupaciones y problemas.

Chinches: Indican enfermedades y complicaciones. **Muchas chinches** indican muerte. **Todo lo relacionado con chinches** tiene que ver con enfermedad, y a menudo, con muerte.

Chocolate: Un **sueño sobre chocolate** indica que la persona que sueña provee bien a quienes dependen de ella. Significa que serán agradables sus amigos y su trabajo. **Beber chocolate** significa que a un buen periodo le seguirá un breve periodo de adversidad.

Choza: Soñar con dormir en una choza predice enfermedad y disgusto. Una **choza en pastos verdes** significa prosperidad, pero no felicidad constante.

Chubasco: Soñar con estar en un chubasco significa que la persona que sueña disfrutará enormemente planeando y dedicándose a placeres hedonistas.

Cicatriz: Indica la inhabilidad de la persona que sueña para romper con su pasado.

Ciclamino: Para los hombres, un sueño con esta flor simboliza impotencia. **Para mujeres**, significa la inhabilidad para formar relaciones sanas con los hombres.

Ciego: Un **sueño sobre estar ciego** indica una transición pronunciada de afluencia a pobreza. Si la **persona que sueña ve a los demás como ciegos**, significa que se le pedirá que auxilie a alguien que merece su ayuda.

Cielo: **Subir al cielo** significa que la persona que sueña no recibirá estima, y la felicidad se volverá tristeza. **Estar en el cielo y encontrarse con Cristo** significa que la persona que sueña sufrirá muchas pérdidas. **Subir al cielo por una escalera** significa una elevación sin precedentes en el nivel social sin mucha alegría. Un cielo claro es una indicación de altos honores, además de viajes fascinantes con personas conocedoras. Si el **cielo no está claro**, ocurrirán problemas en el amor y se truncarán sus esperanzas. Si el **cielo está rojo**, es señal de inquietud y violencia civil.

Ciénaga: **Estar en una ciénaga** es señal de que la persona que sueña es incapaz de cumplir con sus obligaciones. Si **ve a otros en una ciénaga**, significa que sufrirá por sus fracasos.

Ciervo: Ver ciervos en un sueño significa que los amigos de la persona que sueña son fieles y honrados, y pasará buenos momentos con ellos.

Cifras: Muestran que la persona que sueña está interesada en temas literarios y clásicos, y mediante el estudio estará bien instruida en ellos.

Cigarrillos: **Si alguien enciende un cigarrillo para la persona que sueña**, significa que ésta última pronto necesitará ayuda de otra persona. Si aparece una **colilla** en un cenicero, es una indicación de la incapacidad para satisfacer esperanzas y deseos.

Cigüeña: Simboliza la renovación y el cambio para mejorar en la vida de la persona que sueña.

Címbalo: Si la persona que sueña escucha el sonido de los címbalos en un sueño, significa que una amistad muy vieja está a punto de morir.

Cinta: Soñar con cinta es un símbolo de un trabajo que en realidad es pesado y mal pagado. Si una **mujer compra cinta**, será víctima de la mala suerte.

Cintura: Soñar con una cintura redonda y bien torneada significa que la persona que sueña recibirá una buena cantidad de dinero. Una **cintura pequeña y distorsionada** significa fracaso y pleitos de acusaciones.

Cinturón: La persona que sueña pronto recibirá una gran suma de dinero sin esperarlo.

Círculo: Ver un círculo advierte sobre estar equivocado en el cálculo de los beneficios de un negocio. También advierte a una **joven** contra una aventura indiscreta que no puede conducir al matrimonio.

Ciruela Damacena: Si la **persona que sueña ve el árbol cargado de frutas de color púrpura**, es una excelente señal de prosperidad. Sin embargo, **comer la fruta** es predicción de pesar.

Ciruela: Las **ciruelas verdes** son una señal clara de que la persona que sueña tiene enemigos de los que no se ha dado cuenta, y la dañarán. Las **ciruelas maduras** indican sucesos felices pero breves. Comer ciruelas es señal de coquetería. **Recolectar ciruelas** significa realización de los deseos... pero no por mucho tiempo. Si entre las **ciruelas recolectadas se encuentran algunas podridas**, es un recordatorio para la persona que sueña que la vida no es un lecho de rosas.

Cirujano: **Soñar con un cirujano** indica peligrosos enemigos de negocios. Una **joven que sueña con un cirujano** contraerá una enfermedad peligrosa.

Cisne: **Ver cisnes blancos nadando en aguas tranquilas** es señal de prosperidad y placer. Un **cisne negro** simboliza un cónyuge bueno y generoso; un **cisne blanco** indica un feliz matrimonio y descendencia exitosa. Un **cisne muerto** indica un sentimiento de exceso e insatisfacción. Los **cisnes volando** significan que algo que se ha esperado por largo tiempo se hará realidad.

Cisterna: En un **sueño sobre una cisterna**, existe un riesgo que la persona que sueña arriesgará los derechos y placeres de sus amigos. Si la **persona que sueña extrae agua de una cisterna**, significa que empezará un pasatiempo que no es aceptable para la sociedad. Una **cisterna vacía** simboliza un cambio drástico de la alegría al pesar.

Ciudad: Si la persona que sueña se encuentra en una **ciudad extraña**, significa que las circunstancias han determinado que cambie su lugar de residencia o reduzca su nivel de vida.

Clarete: Beber clarete en un sueño significa que la persona que sueña tendrá la influencia de personas excelentes. Si hay **botellas rotas de clarete,** la persona que sueña caerá bajo la influencia maligna de personas inmorales.

Clarín: Soñar con un clarín es buena señal. **Escuchar las notas alegres de un clarín** significa gran felicidad y armonía. **Sonar un clarín** significa éxito en los negocios.

Clarinete: Ver un clarinete significa que la persona que sueña actuará en forma frívola, al contrario de su comportamiento digno normal. Un **clarinete roto** indica que la persona que sueña ofenderá a un amigo cercano.

Clarividencia: Si la **persona que sueña se ve** en el futuro, significa cambios en su profesión además de disputas con gente mal intencionada. Soñar en una **visita al clarividente** significa mala suerte en los negocios y el amor.

Claustro: Si la **persona que sueña ve un claustro,** pronto experimentará un deseo de cambiar su entorno. Para una **mujer**, este sueño significa que la dura mano del pesar ha hecho que su vida sea menos egocéntrica.

Clavos: Los **clavos** simbolizan trabajo duro y pequeñas ganancias. **Comerciar con clavos** indica que la persona que sueña tendrá un trabajo respetable, incluso si no es prestigioso. Los **clavos oxidados o rotos** indican enfermedad y fracaso en los negocios.

Clima: Soñar con el clima simboliza cambios de suerte, el avance es remplazado de repente por reveces. **Escuchar o leer el informe del clima** significa cambiarse de casa después de deliberarlo mucho, pero será para beneficio de la persona que sueña.

Cobertor: Un **cobertor limpio** es una señal muy buena, indica profesiones satisfactorias para las mujeres. Un **cobertor sucio** pronostica situaciones problemáticas y enfermedad.

Cobra: Es señal de graves problemas sexuales (en especial, en el caso de los hombres).

Cobre: Es señal de que los superiores de la persona que sueña van a oprimirla.

Cocina: Un **sueño sobre una cocina** indica que la persona que sueña tendrá que hacer frente a una emergencia inesperada y deprimente. En un **sueño de mujer**, demuestra satisfacción con la vida familiar y amigos leales.

Cocinar: Por lo general, los **sueños sobre cocinar** están relacionados con la sexualidad. Las **diferentes etapas de la cocina** (antes, durante y después) están relacionadas con el pasado, el presente y el futuro en la vida de la persona que sueña. **Soñar con cocinar** también advierte de problemas de salud.

Cocinero: Ve **Panadero**.

Coco: Es un sueño de advertencia que indica a la persona que sueña que sus supuestos amigos en realidad son sus enemigos y quieren arruinar todas sus esperanzas y destruir sus expectativas. Si la persona que sueña **ve árboles muertos de coco**, predice tristeza y desesperación.

Cocodrilo: Es un sueño de advertencia que sólo presagia males, a menos que el soñador mate al cocodrilo. Un sueño sobre un cocodrilo indica que alguien íntimo de la persona que sueña está actuando en una forma excepcionalmente amistosa: sin embargo, bajo este amistoso exterior, está planeando dañarla.

Coctel: Soñar con beber un coctel significa que la persona que sueña aparenta ser una persona seria ante sus amigos mientras que prefiere la compañía de personas superficiales que sólo quieren diversión. Para una **mujer**, este sueño significa un estilo de vida promiscuo y libertino.

Codo: Indica que la persona que sueña participa en acciones que no hacen justicia a sus habilidades.

Codorniz: Las **codornices vivas** en un sueño son una excelente señal. Las **muertas** pronostican mala suerte. **Disparar a codornices** significa que sus amigos estarán enojados con la persona que sueña. **Comer codorniz** es una indicación de un estilo de vida derrochador.

Cohete: Soñar con un cohete es señal de insatisfacción con un socio, además del deseo de cambiar o moverse en la relación. **Ver lanzar un cohete** significa que los problemas se resolverán. **Observar un cohete ascender** significa promoción, ganar una novia y un matrimonio sólido. **Ver un cohete desplomarse** significa un mal matrimonio. Si la **persona que sueña vuela un cohete**, puede superar sus problemas.

Cojear: Si la **persona que sueña está cojeando**, es señal de que siempre tendrá amigos a su alrededor. Si **otra persona está cojeando**, es señal de que la persona que sueña está a punto de desilusionarse amargamente.

Cojín: Recostarse en **cojines de seda** significa que la persona que sueña disfrutará de una vida de comodidad gracias a otros. Si la **persona que sueña ve cojines**, le irá bien en el amor y en los negocios.

Cojo: Si una mujer ve a alguien cojo en un sueño, presagia desilusiones y amargura.

Col: Demuestra la naturaleza holgazana de la persona que sueña, característica que influye en forma significativa en los logros de su vida.

Cola: Si la persona que sueña se ve parada en una cola, indica que se renovará una relación con un viejo amigo, que se había roto por una discusión. Si la **persona que sueña tiene una cola de animal**, sufrirá por extraños sucesos y problemas que son resultado de su propia maldad. Si **corta una cola de animal**,  significa que su propia falta de cuidado le causará pérdidas. **Ver sólo la cola de un animal** es señal de exasperación en un momento en que se esperaba felicidad. **Recortar la cola de un caballo** significa éxito en los negocios o la agricultura.

Colcha Eléctrica: Este sueño predice que la persona que sueña pronto necesitará de apoyo y bienestar.

Colchón: Soñar con un colchón es señal de nuevas obligaciones en el futuro cercano. **Dormir en un colchón nuevo** significa satisfacción con la vida de la persona. **Soñar con una fábrica de colchones** significa socios de negocios mañosos y riqueza.

Cólera: Soñar que se está enfermo de cólera significa que la persona que sueña se va a enfermar. Si el **sueño aborda una epidemia** en todo el país, significa que una enfermedad mortal va a extenderse y muchas desilusiones le seguirán.

Colgar: Si la **persona que sueña ve que la cuelgan,** indica una carrera prometedora. Si **cuelgan a otra persona,** significa que una de las amistades de la persona que sueña se hará famosa.

Coliflor: La persona que sueña puede esperar tiempos tranquilos y un periodo de calma en su vida, después de un periodo de pérdida.

Colinas: Alcanzar la cima de las colinas es bueno, pero si la persona que sueña no llega allí, tendrá que combatir la envidia y los reveces. Una **colina sin árboles** es señal de hambre y sufrimiento.

Colisión: Ver una colisión predice un accidente grave o un revés en los negocios. Para una **mujer,** significa que no podrá escoger entre enamorados y será el centro de un pleito.

Colmena: Indica boda, nacimiento o compromiso matrimonial en el futuro cercano.

Colores: Todos los colores del espectro, excepto el negro, son una buena señal. Los **colores brillantes** simbolizan la seguridad y la tranquilidad. El **blanco** significa inocencia y pureza. El **azul** significa superar problemas con la ayuda de los amigos. El **amarillo** simboliza grandes esperanzas. El **anaranjado** o el **gris** indican que se debe tener paciencia. El **rojo** predice eventos sociales. El **verde** significa envidia. El **café** anuncia buenas noticias. El **rosa**

predice una sorpresa. El **negro** indica mal estado de ánimo y depresión.

Colorete: Soñar con usar colorete significa engañar a otro con el fin de obtener algo. Si **otros tienen colorete en su cara**, la persona que sueña es víctima de fraude. Si **hay colorete en las manos o ropa de la persona que sueña**, quedará atrapada en algo de mal gusto. Si el **colorete se cae de la cara de la persona que sueña**, se avergonzará frente a un rival y perderá a su enamorado.

Comadreja: Si la **persona que sueña ve a una comadreja cazando**, debe tener cuidado de hacer amistad con antiguos enemigos, ya que están esperando la oportunidad para destruirla. **Matar comadrejas** es señal de derrotar a los enemigos.

Combate: Si la **persona sueña que está en combate con alguien**, significa que está tratando de robar el amor de otro, estará en peligro su reputación de negocios. Un **sueño sobre combate** simboliza la batalla para mantener la situación estable.

Combustible o Gasolina: Es una advertencia: Indica que la persona que sueña debe distanciarse de cualquier situación que pueda conducirla a una confrontación con los individuos cercanos a ella.

Comedia: Asistir a una comedia es símbolo de los placeres frívolos y superficiales en que participará la persona que sueña. **Soñar con una comedia** simboliza placeres y tareas agradables.

Comer: Comer solo es señal de pérdida y depresión. **Comer junto a otras personas** indica amistad duradera, ganancia personal, entorno festivo y prosperidad.

Comerciante de Caballos: Un **sueño con un comerciante de caballos** significa que las empresas arriesgadas serán en extremo lucrativas. Si un **comerciante de caballos engaña a la persona que sueña**, significa que tendrá mala suerte en el amor o los negocios. Si el **caballo que se recibe en el trato es mejor que el que tenía antes la persona que sueña**, es señal de aumento de la riqueza.

Comerciar: Soñar con comerciar es señal de éxito razonable. **No poder comerciar** significa controversias y ansiedades.

Comercio: Un **sueño sobre tratos comerciales** significa que la persona que sueña explota las oportunidades con inteligencia. **Soñar sobre aspectos y resultados negativos del comercio** presagia problemas graves y pérdida financiera. Si el **comercio mejora en un sueño**, significa que la persona que sueña superará sus problemas.

Comestibles: Los comestibles frescos y envueltos higiénicamente significan una vida agradable sin penurias.

Cometa: Soñar con cometas significa que la persona que sueña experimentará problemas inesperados, pero los superará y se volverá famosa. En el **sueño de una joven**, los cometas son una predicción de muerte de un ser amado y de pesar.

Comezón: Un **sueño sobre comezón** significa trabajos desagradables. Si la **persona que sueña tiene comezón**, se le acusará maliciosamente y se defenderá acusando a otros.

Comida Campestre: Asistir a una comida campestre en un sueño pronostica éxito y placer. Si la **comida campestre se arruina por una tormenta u otra interrupción**, se producirán reveces temporales en los negocios y el amor.

Comidas: La persona que sueña descuida asuntos importantes por otros triviales.

Comité: Indica que la persona que sueña quedará atrapada en hacer una tarea desagradable, o que otros decidirán darle a hacer un trabajo trivial.

Compañero: Soñar con nuestro cónyuge pronostica preocupaciones menores y quizá enfermedad. **Soñar con compañeros sociales** indica que pasatiempos frívolos y superficiales están distrayendo a la persona que sueña de asuntos más importantes. **Soñar con nuestro cónyuge como enamorado** es señal de un hogar cálido y feliz con hijos amorosos.

Compañero de cama: Soñar que no nos agrada nuestro compañero de cama significa que alguien está tratando de hacer miserable la vida de la persona que sueña. Un **compañero de cama desconocido** hará que la persona que sueña moleste a quienes la rodean por 'su propia infelicidad.

Compás: Simboliza la lealtad: la persona que sueña tiene amigos leales que vendrán en su ayuda en tiempos difíciles.

Compensación: Un sueño sobre **compensación** pronostica algo bueno: la persona que sueña tendrá excelentes relaciones con sus amigos, los enamorados tendrán éxito con sus parejas, los negocios prosperarán. Si **otros están compensando** la mala conducta del soñador es señal de que éste o sus amigos serán humillados.

Competencia: Ver **Concurso**.

Compras: Una señal de prosperidad y éxito en la profesión.

Comprobante: Soñar con comprobantes significa que el trabajo duro y constante evitará que le arrebaten el éxito a la persona que sueña. **Firmar un comprobante** significa que quienes rodean a la persona que sueña confían en ella a pesar de los esfuerzos de sus enemigos para impedirlo. **Perder un comprobante** significa que la persona que sueña tendrá que pelear por sus derechos con sus parientes.

Compromiso Matrimonial: Pronostica desacuerdos temporales con un socio, los cuales se resolverán.

Compromiso: Si la persona que sueña se **compromete** en cualquier situación, la trastornarán las quejas de otros. Si **otros se comprometen con ella**, se ganará la estima de amigos y familiares.

Computadora: Soñar en trabajar con una computadora significa que se dará a la persona que sueña mayores responsabilidades en el trabajo. Si la **persona que sueña no sabe usar una computadora**, significa que pronto le darán una tarea que considera abrumadora.

Concejo municipal: Pronostica fricción con grupos públicos, y no habrá mucha esperanza de un buen resultado para la persona que sueña.

Conchas: Ver conchas significa que están por suceder eventos buenos y positivos: felicidad, alegría, éxito financiero y de negocios. **Caminar entre conchas y recolectarlas** indica despilfarro. El resultado del placer serán recuerdos frustrantes.

Conchas de Ostra: Verlas indica que la persona que sueña no podrá poner sus manos en los bienes de otra persona.

Conciencia: Si la **conciencia de la persona que sueña la molesta** en un sueño, es señal de que estará tentada a hacer algo malo, y tiene que prevenirse para no hacerlo. Si sueña sobre **tener la conciencia limpia**, significa que tiene buena reputación.

Concierto: Soñar con un concierto para intelectuales, es señal de placeres elevados por venir. Para un **empresario**, significa ganancia financiera. Para los **jóvenes**, es señal de amor perfecto. Un **concierto más popular** es símbolo del tipo equivocado de compañeros y de pérdidas en el negocio.

Concubina: Si un **hombre sueña con tener una concubina**, significa que está tratando de ocultar al mundo su verdadera naturaleza y la de sus negocios y que arriesga la vergüenza pública. Soñar que **su amante es infiel** significa que tendrá una confrontación con sus antiguos enemigos, causando dificultades. Si una **mujer sueña con ser una concubina**, significa que su conducta inmoral causará su caída.

Concurso o Competencia: Significa que la persona que sueña debe resistir fuertes tentaciones

Cóndor: Soñar con un cóndor (o cualquier ave de presa) es señal de que un enemigo frío y cruel amenaza a la persona que sueña. Si el **cóndor está lesionado o muerto**, el enemigo tendrá éxito. Si una **mujer sueña con un cóndor**, la arruinarán las calumnias maliciosas e inmorales.

Conducir: Si la **persona que sueña es el conductor**, significa que siente la necesidad de actuar en forma independiente en la vida. Si **conduce otra persona**, es señal de que la persona que sueña confía en ella. Un **sueño sobre**

acelerar sugiere que la persona que sueña sufre por problemas emocionales.

Conductor de Carreta: Pronostica un viaje extraño que la persona que sueña llevará a cabo en busca de riqueza y felicidad.

Conejo: Soñar con conejos es señal de mejoría en la vida. Si el **conejo es blanco,** significa que la persona que sueña no se ha realizado sexualmente y está insatisfecha con su vida sexual. **Soñar con conejos que corren felizmente por todos lados** significa alegría por un hijo.

Conferencia (negocios): Significa que mejorará la situación financiera de la persona que sueña.

Conferencia: Si la persona que sueña está dando una conferencia frente a un público, indica que disfrutará de gran éxito profesional.

Confeti: Si la persona que sueña difícilmente puede ver los festejos de la boda por todo el confeti del aire, significa que desperdicia demasiado tiempo en trivialidades en lugar de concentrarse en asuntos importantes.

Confitería: La confitería rancia es una señal de que uno de los enemigos de la persona que sueña, que pretende ser su amiga, revelará sus secretos a sus rivales.

Conflagración: Si no hay pérdida de vida, simboliza cambios benéficos en la vida de la persona que sueña, los cuales le proporcionarán prosperidad y felicidad.

Confusión: El caos y el desorden en un sueño advierten de accidentes y obstáculos; la persona que sueña debe estar más alerta.

Congelador: Significa que se resolverá una situación que ha causado ansiedad a la persona que sueña.

Congoja: Si una joven tiene congoja, significa que sufrirá por el tratamiento ruin que recibe de manos de su enamorado.

Conocido: Una **conversación agradable con un conocido** es señal de tratos de negocios y vida doméstica sin problemas. La **conducta belicosa o vociferante por parte de un conocido** significa que la persona que sueña será humillada o avergonzada. **Vergüenza al encontrarse con un conocido** significa que la persona que sueña está ocultando algo ilícito que pronto se revelará. Una **joven que sueña con tener numerosos conocidos** es muy solicitada. También es cierto lo **opuesto**.

Consejero: Soñar con un consejero significa que la persona que sueña tiene esta habilidad en cierto grado; prefiere su propio juicio al de los demás. Debe tener cuidado cuando actúa de acuerdo a sus instintos de lo "correcto".

Consejos: Recibir consejos indica una elevación de la integridad moral. **Buscar consejos legales** sugiere algo sospechoso en las transacciones de la persona que sueña.

Conserje: Este sueño significa mala administración, hijos mal educados y empleados que no cooperan.

Consorcios: Un **sueño sobre consorcios** es señal de éxito mediocre en la profesión legal o en los negocios. Si la **persona que sueña es miembro de un consorcio**, experimentará éxito fenomenal en una empresa.

Conspiración: Soñar con ser la víctima de una conspiración indica que la persona que sueña va a cometer un error al manejar sus asuntos.

Construcción: El significado del sueño depende de la altura de la construcción. Una **altura promedio** indica cambios en el futuro cercano. Una **construcción más alta al promedio** pronostica un brillante éxito en el futuro cercano.

Contador: Soñar con un **contador** está relacionado con problemas financieros de la persona que sueña. Una **conversación con un contador** significa que la persona que sueña, tiene un fuerte deseo de elevar su nivel de vida.

Contar: Si la **persona que sueña cuenta sus hijos felices y dulces**, significa que no le causarán problema alguno y les irá bien. Si **cuenta dinero**, significa que siempre podrá cumplir con sus deudas. Si **lo cuenta para otra persona**, es señal de pérdida y mala suerte.

Contraseña: Significa que la persona que sueña recibirá ayuda durante algún problema inminente.

Control Remoto: Soñar con usar un control remoto predice que la persona que sueña participará en una relación manipuladora.

Convención: Encontrarse en una convención indica progreso positivo en los negocios y el amor. Una **convención insatisfactoria** predice desengaños para la persona que sueña.

Convento: Entrar a un convento es señal de que la persona que sueña no tendrá más preocupaciones o enemigos. Sin embargo, si **se encuentra con el sacerdote**, indica que constantemente buscará una cura para preocupaciones y tensiones mundanales. Si una **joven sueña con un convento**, es cuestionable su conducta moral.

Conversación: Una conversación entre la persona que sueña y otra persona indica que pueden surgir dificultades en el trabajo o negocio, como robo, daño, etc.

Convictos: Ver convictos en un sueño es una predicción de malas noticias y catástrofes. **Soñar con ser un convicto** significa que la persona que sueña está preocupada por un asunto que pronto se aclarará. Si una **mujer ve a su enamorado vestido como convicto**, pronto tendrá dudas sobre su amor.

Convulsiones: Si la **persona que sueña tiene convulsiones**, significa que se enfermará y perderá el trabajo. Si **ve que otros tienen convulsiones**, significa que habrá disputas en su grupo.

Copa (de Vino)**:** Soñar con una copa indica que una desilusión va a afectar profundamente a la persona que sueña.

Copa: Beber de una copa dorada predice malos resultados en los negocios. Las **copas elegantes** significan que la persona que sueña recibirá favores y buenas cosas de extraños.

Coral: Ver coral advierte contra dar un paso específico en cualquier área de la vida. **Soñar con coral colorido** es señal de amistad duradera que siempre está ahí en tiempos de necesidad. El **coral blanco** predice infidelidad y problemas en el amor.

Corazón: Un **dolor de corazón** es señal de problemas en la empresa de la persona que sueña. Si la **persona que sueña ve su propio corazón**, se debilitará y enfermará. El **corazón de un animal** significa victoria sobre enemigos y ganar el respeto de otras personas.

Corcho: Un **sueño sobre extraer corchos** en un banquete significa que la persona que sueña pronto disfrutará de la prosperidad que le permitirá elevar el estándar de vida y mejorar su calidad. Una **joven que sueña con corchos de champaña** tendrá un enamorado bien parecido y enérgico que la consentirá. Debería prestar atención al consejo de sus padres después de este sueño.

Cordero: Los **corderos juguetones** son señal de amistad y felicidad. Significan prosperidad para el **granjero**. Un **cordero muerto** simboliza pesar y muerte. El **balido de los corderos** inspirará el lado generoso de la persona que sueña. **Sacrificar corderos** significa riqueza a expensas de su paz mental. **Comer chuletas de cordero** significa preocupaciones por los hijos. **Lobos o perros que despedazan corderos** significan personas que sufren por ladrones sin escrúpulos. **Poseer corderos** es señal de prosperidad y comodidad. **Trasquilar corderos** es señal de una naturaleza desapasionada y codiciosa. **Transportar corderos** significa que la persona que sueña llevará las cargas de sus seres queridos felizmente. **Ver pieles de cordero** significa que han despojado a otros de alegría y comodidad.

Corno (de bronce): **Escuchar las notas de un corno** pronostica excelentes noticias. Un **cuerno roto** es señal de muerte o desgracias. **Ver niños que tocan un corno** significa armonía doméstica. Una **mujer que suena un corno** significa que quiere el matrimonio más que su enamorado.

Coro: Ver un coro predice que la tristeza y el sufrimiento serán remplazados por alegría y ánimo. Si una **joven** sueña con cantar en un coro, significa que sufrirá por la infidelidad de su enamorado.

Corona: Ver una corona es una indicación de un cambio en la forma de vida de la persona que sueña. Pronostica viajes largos y nuevas relaciones. Predice enfermedades graves. Si la **persona que sueña tiene corona,**

sufrirá pérdidas de sus propiedades personales. Si **pone la corona a otra persona,** se muestra su buen carácter.

Coronación: Este sueño es señal de la asociación íntima de la persona que sueña con celebridades y personas muy importantes.

Coronel: Soñar con ver o ser un coronel significa que las aspiraciones de la persona que sueña de alcanzar una distinción social o profesional no se realizarán. Si un **coronel sueña esto,** significa que está tratando de emplear su rango para someter a los que lo rodean.

Corpulencia: Si la persona sueña con ser corpulenta, significa que será adinerada y vivirá bien.

Corredor: Si un corredor desconocido aparece en un sueño, es señal de que la persona que sueña debe tomar una decisión importante en la que no influyen factores externos.

Correr: Verse corriendo significa que durante un viaje próximo, la persona que sueña conocerá a alguien que tendrá una profunda influencia en su vida. **Correr con otras personas** significa que la persona que sueña se está aproximando a una celebración y que sus negocios están prosperando. Si **tropieza o cae,** sufrirá pérdidas financieras y daño a su reputación. Si **corre sola,** ayudará a sus amigos a subir en nivel social y éxitos.

Corsé: Significa que la persona que sueña está insegura sobre lo que motiva a la gente a prestarle atención.

Cortadora de césped: Es un símbolo de un aburrido deber social que la persona que sueña deberá llevar a cabo.

Cortadura: Una cortadura es señal de enfermedad o frustración causada por la deslealtad de un amigo.

Cortar: Soñar con cortar indica una conexión malsana con alguien íntimo de la persona que sueña. **Cortarse uno mismo** indica problemas familiares.

Cortejo: Es muy malo que una **mujer sueñe que se le corteja,** ya que invariablemente terminará en desilusiones después de breves placeres y esperanzas. Un **hombre que sueña con cortejar** no merece encontrar una compañera.

Cortina: Cerrar una cortina en un sueño significa que la gente cercana a la persona que sueña está tramando contra ella y engañándola. Es un símbolo de huéspedes indeseables que sólo causarán problemas y ansiedad. Las **cortinas sucias o rasgadas** son señal de disputas escandalosas y culpa.

Cosecha: Una de las mejores imágenes que se pueden soñar. Predice éxito económico, familiar y social.

Cosquillas: Soñar con que se le hacen cosquillas significa ansiedades y enfermedades. Si la **persona que sueña hace cosquillas a otros,** sacrificará la felicidad y la diversión por su propia estupidez y debilidad.

Costa: Ve **Playa**.

Costilla: Es señal de pobreza e infelicidad.

Costurera: Ver a una costurera indica un cambio exterior que causará un cambio en la vida de la persona que sueña y predice armonía en casa. **Ver trabajar a una costurera** es un pronóstico positivo. Si **solicita trabajo**, la persona que sueña debe hacer activamente un cambio antes de que suceda por sí mismo. Si la **costurera vino a recibir su pago por sus servicios**, la persona que sueña debe tener cuidado cuando se levante. Ver una costurera significa que la persona que sueña no hará algo que desea por circunstancias imprevistas.

Cráneo: Soñar con cráneos de mirada burlona es símbolo de problemas domésticos. Si la persona que sueña toca cráneos, sus negocios sufrirán. **Ver el cráneo de un amigo** significa que un amigo estará celoso porque la persona que sueña tuvo éxito donde él no y la lastimará. Si la **persona que sueña ve su propio cráneo**, tiene remordimientos.

Crema: Ver crema es una buena señal, significa prosperidad para todos, y para los granjeros indica una buena cosecha y vida familiar armoniosa. Si la **persona que sueña bebe crema**, disfrutará una buena fortuna de inmediato.

Cremación: Ver cuerpos cremados significa que la influencia de la persona que sueña en el campo de los negocios se reducirá debido a sus enemigos. La **cremación de la persona que sueña** significa el fracaso total en los negocios si permite que lo influya el juicio de alguien que no sea ella misma.

Crepúsculo: Es un sueño triste, ya que pronostica envejecimiento prematuro y esperanzas sin cumplir. Después de este sueño, la ocupación y los negocios parecen estar estáticos por mucho tiempo.

Criado: Si la **persona que sueña tiene un criado en el sueño**, significa que aumentará su estándar de vida y tendrá éxito en lo financiero. Si **despide un criado**, tendrá remordimientos y pérdidas. **Soñar con discutir con un criado** predice disputas con alguien por no llevar a cabo su trabajo. Si un **criado roba**, significa que a alguien cercano a la persona que sueña no le interesan las reglas de posesión.

Crías: Soñar con una gallina y sus crías significa muchos hijos difíciles. Un **sueño de crías** también significa riqueza.

Crimen: Un **encuentro con un criminal** en un sueño advierte de individuos cuestionables. Si la **persona que sueña aparece como criminal,** es señal de que no se da cuenta clara de las penalidades de los demás.

Criminal: **Soñar la asociación con un criminal** es señal de que la persona que sueña será atacada por personas inmorales. Si **ve a un criminal que huye**, está en peligro de enterarse de los secretos delicados de otras personas, lo que causará que se encierre en sí misma para impedirse divulgarlos.

Crisantemo: Un **sueño sobre crisantemos** a menudo simboliza el amor o un fuerte afecto. **Soñar con crisantemos blancos** es señal de pérdida y confusión, mientras que los **crisantemos de color** significan la cancelación de sucesos agradables. Caminar por una avenida de **crisantemos blancos mezclados con algunos amarillos** predice una sensación de tristeza. Los **ramos de crisantemos** significan que la persona que sueña omite el amor por una tonta ambición.

Cristal: No es un buen sueño, ya que pronostica deterioro de los asuntos de negocios o de las relaciones personales. Este sueño a menudo precede a violentas tormentas eléctricas.

Cristo: Un **sueño sobre el Cristo niño** siendo adorado pronostica paz, alegría y conocimiento. Si **se le ve en el Calvario**, la persona que sueña estará llena de nostalgia y deseando cambios. Si **se le ve arrojando a los mercaderes del templo**, significa que se dominará el mal y triunfará la honestidad.

Crucifijo: **Soñar con un crucifijo** es una advertencia de problemas que se acercan a la persona que sueña y a otros. Si la **persona que sueña besa un crucifijo**, significa que está resignada con sus problemas. Se sabe que una **joven que lleva un crucifijo** es modesta y amable, logrando así el amor de otros y, en consecuencia, su beneficio personal.

Crucifixión: Este sueño privará a la persona que sueña de esperanzas y expectativas, dejándole sólo frustración.

Crueldad: Si **alguien es cruel con la persona que sueña**, significa que tendrá desilusiones y problemas en algún asunto. Si la **crueldad se dirige a otro,** la persona que sueña recibirá una tarea desagradable que le causará pérdidas.

Cruz: Ver una cruz indica problemas que esperan a la persona que sueña, la cual debe actuar de acuerdo a esto. **Ver una persona que carga una cruz** significa que solicitarán que la persona que sueña dé caridad.

Cuadra: Soñar con una cuadra es una indicación de las esperanzas irreales de la persona que sueña en una situación particular.

Cuadriga: Ver una cuadriga significa que la persona que sueña está a punto de que se le ofrezcan buenas oportunidades lucrativas. Si se **ve a sí mismo o a otros caer de una cuadriga,** significa degradación de una posición elevada.

Cuadro: Estar rodeado por obras maestras muestra un fuerte deseo de tener éxito y evitar el fracaso. **Ver cuadros** es un augurio de envidia y engaño de parte de otros. **Pintar un cuadro** significa que la persona que sueña participará en un proyecto mal pagado. **Comprar cuadros** advierte de malas empresas arriesgadas.

Cuáquero: Soñar con cuáqueros indica amigos verdaderos y tratos de negocios honestos. Si la **persona que sueña es cuáquera**, tratará decentemente a sus enemigos. Si una **joven está presente en un reunión de cuáqueros**, indica que tendrá un marido bueno y fiel.

Cuarentena: Soñar con estar en cuarentena significa que los enemigos de la persona que sueña la pondrán en una posición insoportable mediante sus intrigas.

Cuarteto: Participar en un cuarteto indica tiempos felices, prosperidad y buenos amigos. **Escuchar un cuarteto** significa nuevas y elevadas aspiraciones.

Cuarto de Baño: Los sueños sobre cuartos de baño significan una tendencia a la frivolidad y los placeres superficiales.

Cubierta: Estar en la cubierta de un barco durante una tormenta es señal de catástrofe para la persona que sueña. Si el **mar está en calma**, tendrá éxito.

Cuchara o Cucharita: Soñar con una cuchara demuestra una vida familiar feliz. **Perder una cuchara o una**

cucharita representa los sentimientos de la persona que sueña que otros sospechan de ella aunque no les ha hecho ningún mal. Si la **persona que sueña roba una cuchara**, la van a reprender fuertemente por su tacañería en el hogar. Las **cucharas dobladas o sucias** son señal de controversias y pérdidas.

Cuchillo: Por lo general, **soñar con un cuchillo** es una advertencia. **Cualquier tipo de cuchillo** sólo puede significar malos tiempos: pérdidas en los negocios, disputas familiares, falta de comprensión, arranques violentos y miedos. Un **cuchillo oxidado** significa pleitos domésticos y altercados entre enamorados. **Un cuchillo filoso** indica preocupaciones y enemigos. Los **cuchillos rotos** son un símbolo de fracaso en todo. Una **herida de cuchillo** significa problemas con los hijos. Si la **persona que sueña apuñala a alguien con un cuchillo**, significa que no es particularmente notable y debe tratar de mejorar.

Cuco: Ver un cuco significa que la caída repentina de la gracia de un amigo reducirá la felicidad de la persona que sueña en la vida. **Escuchar un cuco** es verdaderamente malo, ya que pronostica una enfermedad grave, la muerte de un amigo lejano o un accidente en la familia de la persona que sueña.

Cuello: Si el cuello de la camisa está estrecho alrededor del cuello de la persona que sueña, significa que teme a una persona fuerte que la intimida. Si la **persona que sueña**

recibe un cumplido respecto a su cuello, indica que tendrá una vida amorosa completa. **Admirar el cuello de otra persona** predice rupturas domésticas. Si **ve su propio cuello**, su vida se trastornará por disputas domésticas. Si una **mujer sueña que su cuello es grueso**, le advierte que se volverá regañona si no se cuida.

Cuentas: Si la **persona que sueña está pagando cuentas**, es señal de que sus problemas financieros desaparecerán poco después sin dejar rastro. Preocuparse por **no haber pagado las cuentas** significa que los enemigos de la persona que sueña están esparciendo chismes maliciosos sobre ella. Soñar con **cuentas** por pagar es señal de una situación peligrosa. **Pagarlas** significa que se resolverá una discusión.

Cuerno (de animal): Soñar con el cuerno de un animal indica problemas sexuales. La interpretación del sueño depende del contexto en que aparece el cuerno.

Cuero: El **cuero** es señal de éxito en los negocios y con las mujeres. Si la **persona que sueña está vestida con cuero**, tendrá suerte en una empresa arriesgada determinada. Los **adornos de cuero** indican fidelidad. Las **pilas de cuero** son señal de riqueza y alegría. **Soñar con ser un comerciante de cuero** significa que se deben hacer cambios en los tratos de negocios de la persona que sueña si es que va a tener éxito.

Cuervo: Soñar con un cuervo es símbolo de pesar y mala suerte. **Escuchar el graznido de un cuervo** significa que otras personas influirán en ti para que regales tus propiedades en forma ilógica. Un **hombre joven que sueña con un cuervo** será seducido por las estratagemas de las mujeres. Ver un cuervo en un sueño indica creencias místicas o magia negra. **Soñar con un cuervo** significa mala suerte. Para una **joven**, es señal de infidelidad de su enamorado.

Cuestionar: Si la **persona que sueña cuestiona el valor de algo,** significa que sospecha la infidelidad de un ser amado. **Hacer una pregunta** significa un búsqueda seria de la verdad, además de éxito. Si se **cuestiona a la persona que sueña,** no la tratarán con justicia.

Cueva: Si la persona que sueña está oculta en una **cueva,** es señal de que cierta persona está esparciendo falsos rumores sobre ella y desea causarle daño.

Culebra: Soñar con una culebra es una advertencia contra todas las formas de mal y falsedad. Una **masa contorsionante de culebras** predice luchar con los remordimientos. Un **sueño sobre una mordedura de serpiente** significa que alguien cercano a ella le está mintiendo y engañando, y los enemigos le están causando daño. **Matar una culebra** en un sueño indica triunfo sobre los enemigos. **Pisar serpientes** significa miedo a las enfermedades y rivalidad por el afecto de la enamorada de la persona que sueña. Si una **culebra se enrosca alrededor de la persona**

que sueña, estará a la merced de sus enemigos, y sucumbirá a la mala salud. Si las **culebras se levantan detrás de un amigo de la
persona que sueña,** significa que existe una
conspiración contra ella y el amigo. Si el
amigo controla las culebras, alguien en una
posición elevada proporcionará protección a
la persona que sueña. **Manejar culebras** significa superar
la oposición. Si la **persona que sueña pisa una culebra
mientras se baña,** se presentará un problema inesperado
en lugar de diversión pura. Si las **culebras muerden a
otras personas,** la persona que sueña va a lastimar o
criticar a un amigo. Las **culebras pequeñas** significan que
la persona con que es amistosa la persona que sueña la
engañará y saboteará. **Ver niños jugando con culebras**
significa que la persona que sueña no podrá distinguir entre
amigos y enemigos. Si un **niño pone una culebra que si-
sea en la cabeza de una mujer,** la engañarán para que
entregue algo de valor. Si una **mujer hipnotiza a una
culebra,** los derechos de la persona que sueña estarán en
peligro, pero amigos poderosos y la ley estarán de su lado.
Las **culebras iluminadas** significan que la persona que
sueña será perseguida implacable y cruelmente por sus
enemigos.

Culpabilidad: Si se **culpa a la persona que sueña** por
algo, sugiere que tomará parte en una disputa futura. Si la
persona que sueña culpa a alguien más, significa que
tendrá un pleito con sus asociados.

Cumpleaños: Si una **persona joven sueña con un cumpleaños,** es señal de deshonestidad y pobreza. Para una **persona anciana,** significa problemas y soledad.

Cuna: Una **cuna con un bebé hermoso en ella** significa prosperidad y el amor de hijos queridos. Una **cuna vacía** habla de falta de confianza o problemas de salud. **Mecer a un bebé en una cuna** indica problemas maritales y enfermedad en la familia.

Cuña: Soñar con una cuña significa que tendrá lugar una disputa de negocios que causará un rompimiento de relaciones con parientes, o incluso entre enamorados.

Cura: Si la **persona que sueña ha solicitado un cura** para dar una oración de alabanza en un funeral, significa que está luchando en vano contra una enfermedad y malas influencias. Una **joven que sueña en casarse con un cura** sufrirá angustia psicológica y todo tipo de privaciones.

Curandero (médico ficticio): Pronostica el tratamiento incorrecto de una enfermedad.

Curtiduría: Soñar con una curtiduría indica enfermedades contagiosas y pérdidas financieras. Si la **persona que sueña es curtidora,** tendrá que hacer un trabajo desagradable por culpa de sus dependientes. Si la **persona que sueña compra cuero de un curtidor,** su situación financiera será buena, pero no su vida social.

Cutis: Soñar con tener un cutis hermoso es un buen sueño que trae sucesos felices. Un **cutis malo y con manchas** es señal de desilusión y enfermedad.

Dados: Los **dados** simbolizan el juego por dinero. Si la **situación financiera de la persona que sueña es buena,** significa que se beneficiará bastante del juego y viceversa.

Daga: **Ver una daga en un sueño** es señal de enemigos amenazadores. Si la **persona que sueña tiene éxito en quitar la daga de la mano de otra persona,** vencerá a sus enemigos y los problemas.

Dalia: Las dalias nuevas y de colores vivos son señal de buena suerte.

Damas: Un sueño sobre el **juego de damas** significa que la persona que sueña se enredará en dificultades y que entrarán a su vida personas con malas intenciones.

Dátiles: Predicen el matrimonio de la persona que sueña o de uno de sus amigos íntimos en el futuro cercano.

Debilidad: Soñar con estar débil significa que la persona que sueña no está en una ocupación de beneficencia, y es acosado por las preocupaciones. Se le aconseja llevar a cabo un cambio en la vida.

Decapitación: Un **sueño de ser decapitado** presagia derrota o fracaso en alguna empresa arriesgada, en el futuro cercano. Si **se decapita a otros**, con sangre abundante, es señal de violencia, muerte y exilio.

Declamación: Aprender de memoria un texto es señal de problemas que la persona que sueña tendrá que enfrentar y que vencerá. Este sueño es señal del extraordinario éxito que la persona que sueña tendrá en cualquier camino que escoja.

Decorar: Si la persona sueña que decora una habitación con flores, es señal de que los negocios van a mejorar.

Dedal: Soñar con un dedal simboliza ambiciones irreales e irrealizables. **Usar un dedal** significa ser responsable ante muchas otras personas. Si una **mujer usa un dedal**, tendrá que mantenerse sola. **Comprar o recibir un dedal nuevo** significa relaciones nuevas y agradables. **Perder un dedal** predice dolor y pobreza. **Ver un dedal viejo y estropeado** advierte de una decisión imprudente en un asunto importante.

Dedo: Un **dedo lesionado** indica una autoestima herida. El **dedo lesionado de otra persona** indica estímulo, rumores malignos o calumnias, todo dirigido contra la persona que sueña.

Dedos: Si los **dedos de la persona que sueña están sucios, lesionados y con sangre,** son señal de privaciones y sufrimientos futuros. No tendrá esperanza de progreso en la vida. Las **manos bien cuidadas y con dedos blancos y tersos** son una indicación de amor feliz y altruismo. Soñar con **dedos amputados** es señal de pérdida financiera por maquinaciones malignas de enemigos.

Defender: Ser defensor de una causa, significa que la persona que sueña es leal y honesta en sus asuntos personales y públicos.

Delantal: Este sueño tiene implicaciones morales, en especial, para mujeres jóvenes.

Deleite: Sentir deleite sobre cualquier suceso es señal positiva en todos los asuntos. Cuando la **persona que sueña ve un paisaje exquisito y siente deleite**, tendrá mucho éxito en lo social y en los negocios.

Delfín: En un **sueño sobre delfines**, la persona que sueña está buscando soluciones a problemas en el reino de lo mágico y del misticismo. **Ver delfines** también sugiere que la persona que sueña está separada de la realidad.

Demacrado: Ver una cara demacrada significa mala suerte en el amor. Si la **cara de la persona que sueña está demacrada e infeliz**, significa que las mujeres están haciendo que le sea imposible tratar sus asuntos de negocios como debiera.

Demencia: Ser demente es una predicción terrible si ocurre al principio de un proyecto. Puede involucrar la mala salud de la persona que sueña. Si **otros están demen-**

tes en el sueño, significa que la persona que sueña tendrá un contacto molesto con personas pobres e infortunadas. Debe ejercer una gran precaución después de este sueño.

Demonio: Encontrar un demonio en un sueño indica promiscuidad, inmoralidad y mala reputación. **Soñar con un demonio** es una advertencia de falsos amigos. **Vencer a un demonio** significa superar tretas dañinas contra la persona que sueña.

Dentista: Si un dentista está trabajando en los dientes de la persona que sueña, es señal de que alguien con quien está en contacto le ha dado razones para dudar de su sinceridad e intención.

Depósito de Cadáveres: Si la **persona que sueña visita un depósito de cadáveres**, recibirá terribles noticias sobre la muerte de alguien cercano. Si **ve muchos cuerpos en el depósito de cadáveres**, se presentará mucho pesar y problemas.

Depresión: Soñar con depresión indica lo opuesto: la persona que sueña tendrá una oportunidad única de liberarse de su situación actual y mejorar su vida de forma irreconocible.

Derrota: La **derrota en una pelea** indica que la persona que sueña perderá su derecho a una propiedad. La **derrota en la batalla** significa que las perspectivas de la persona que sueña se arruinarán por culpa de transacciones infructuosas de otros.

Desacato: Un sueño de cometer desacato al tribunal significa que la persona que sueña es culpable de cometer innecesariamente un *faux pas* social o de negocios.

Desafío: Aceptar cualquier desafío indica que la persona que sueña está preparada para sufrir con el fin de proteger a otros.

Desafortunado: Soñar con ser desafortunado es señal de mala suerte y problemas para la persona que sueña y para otros.

Desastre: Es una indicación de enemigos que traman contra la persona que sueña, en especial en el trabajo, y le advierte que debe buscar protección contra ellos.

Descalzo: Si la persona que sueña está **descalza**, es una señal de que su camino estará lleno de obstáculos, pero los superará todos.

Descendencia: Ver nuestra propia descendencia es señal de felicidad y alegría. **Ver la descendencia de animales domésticos** significa aumento de la prosperidad.

Desconocido: Reunirse con personas desconocidas es señal de buena suerte si las personas son bien parecidas, o de mala suerte si son feas o están desfiguradas. Si la **persona que sueña siente que es una desconocida**, tendrá mala suerte como resultado de sucesos extraños.

Descortesía: Si la persona que sueña es descortés con alguien en un sueño, esto muestra que el sueño se refiere a su relación con su pareja.

Desdentado: Un **sueño sobre estar desdentado** significa que la persona que sueña es incapaz de avanzar y que la amenaza enfermedad. Si **otros están desdentados**, significa que los enemigos están intentando calumniar a la persona que sueña sin éxito.

Desembarcadero: Un **sueño sobre un desembarcadero** predice un largo viaje. Si la **persona que sueña ve barcos** mientras está en el desembarcadero, es señal de que todo se resolverá.

Desesperación: Si la **persona que sueña experimenta desesperación** en el sueño, significa que tendrá gran cantidad de tribulaciones y vejaciones en su profesión. Si **otros están desesperados**, es señal de que alguien cercano tiene desgracias.

Desfile: Ve **Procesión**.

Desgarradura: Soñar con sufrir una desgarradura física significa que la persona que sueña se enfermará o tendrá riñas. Si **otros tienen desgarraduras físicas**, la persona que sueña corre el riesgo de tener una disputa amarga. Una desgarradura indica cambios emocionales extremos.

Desgracia: Si la **persona que sueña se preocupa por la conducta de padre o de niños,** significa que la ansiedad la va atormentar. Si **ella misma está en desgracia,** significa que ha reducido su nivel moral y está a punto de perder su reputación. Además, le están siguiendo la pista sus enemigos.

Desheredado: Ser desheredado es una advertencia para la persona que sueña, que debe examinar su conducta personal y de negocios. Si un **hombre joven sueña con ser desheredado** por insubordinación, puede rectificar la situación casándose bien. Una **mujer** debe considerar este sueño como una advertencia respecto a la desgracia que produce una conducta inapropiada.

Deshielo: Ver que el suelo se deshiele después de un largo periodo en que estuvo helado predice prosperidad. Si la **persona que sueña ve derretirse hielo,** un problema que la molestaba en gran medida se resolverá de manera satisfactoria y lucrativa.

Desierto: Si la **persona que sueña está caminando en el desierto,** predice un viaje. Si **se desata una tormenta** durante el sueño, significa que el viaje no será satisfactorio. Si la **persona que sueña está en el desierto y sufre hambre y sed,** significa que necesita fortalecer su vida.

Desmayarse: Este sueño pronostica enfermedad en la familia y malas noticias de personas lejanas.

Desnudo: Soñar con estar desnudo es una predicción de escándalo. **Ver a otros desnudos** significa que la persona que sueña sucumbirá a las malas tentaciones. Si la **persona que sueña descubre que está desnuda y trata de taparse**, significa que desea regresar al buen camino, renunciando a sus placeres dudosos. **Caminar o nadar desnudo y solo** significa que el cónyuge es muy fiel. **Caminar desnudo entre personas vestidas** también pronostica un periodo cercano de escándalo.

Despedida: Si la **persona sueña con despedirse**, significa que escuchará malas noticias sobre amigos lejanos. Si una **joven se despide de su enamorado**, significa que no está interesado en ella.

Despensa: Una **despensa ordenada** es señal de prosperidad económica, placeres y abundancia. Una **despensa vacía** es una advertencia contra decisiones incorrectas, en especial en el campo monetario.

Desperdicio: Soñar con vagar por un baldío es señal de fracaso e indecisión en lugar de éxito seguro. Si la **persona que sueña desperdicia su fortuna**, significa que estará agobiada con responsabilidades domésticas contra su voluntad.

Desperdicios: Pronostican una empresa trivial y ansiedad respecto a la enfermedad.

Despertar: Si la persona sueña que la despiertan del sueño, una persona cercana y querida está a punto de aparecer y traerle mucha alegría.

Despierto: Soñar que se está **despierto** significa que la persona que sueña está a punto de tener experiencias extrañas que harán que se sienta mal.

Desprecio: Si la **persona que sueña desprecia a alguien,** no encontrará satisfacción y su naturaleza se volverá irascible y odiosa. Si la **persona que sueña es despreciada,** sus quejas estarán justificadas.

Destierro: Soñar con que se le destierre significa que la persona que sueña es perseguida por el mal y que morirá a temprana edad. **Soñar con desterrar a un niño** es un sueño de fatalidad y de aliados de negocios traicioneros.

Destrozos: Ver los destrozos de un accidente en un sueño significa que la persona que sueña estará atormentada por preocupaciones sobre pobreza y fracaso en los negocios. **Soñar con los destrozos de un descarrilamiento** en que la persona que sueña no está involucrada, significa que alguien cercano a ella estará en un accidente o tendrá problemas en los negocios.

Desvestirse: Soñar con desvestirse presagia que la persona que sueña se comprometerá en un escándalo. Si una **mujer sueña con el gobernante de su país desvestido,** experimentará tristeza por la amenaza de mal hacia las personas cercanas a ella. **Ver a otros desvestirse** es señal de placeres inmorales que pronto darán lugar a dolor.

Desyerbar: Soñar con desyerbar significa que la persona que sueña tendrá problemas con un proyecto que se supone le debe proporcionar honor. **Ver a otros desyerbando** significa que la persona que sueña tiene miedo que sus enemigos arruinarán sus planes.

Detective: Si la **persona que sueña es seguida por un detective** y es inocente, significa que la fama y la fortuna se acercan rápidamente. Si la **persona que sueña no es inocente**, se arruinará su reputación y sus amigos la abandonarán.

Detector de Mentiras: Si la persona que sueña es obligada a hacerse una prueba ante el detector de mentiras, pronto será el centro de algún escándalo.

Deuda: Soñar con una deuda pronostica problemas en el amor y los negocios, pero si la **persona que sueña puede pagar sus deudas**, todo mejorará.

Devoción: Un **granjero devoto** cultivará abundantes cosechas y tendrá paz con sus vecinos. Para **personas de negocios**, es una advertencia contra engaños.

Día: Un **día agradable** pronostica una mejoría en la vida y mejores relaciones, mientras que un **día triste** es señal de pérdida y fracaso.

Día de Fiesta: Es señal de que extraños interesantes gozarán de la hospitalidad de la persona que sueña.

Día del Juicio Final: Si la **persona que sueña es optimista respecto a no ser castigada el día del juicio final**, culminará un trabajo complicado. Si **no está optimista**, fracasará. Si la **persona que sueña tiene esperanzas de vivir hasta el día del juicio final**, será mejor que cuide todas sus propiedades y asuntos, ya que amigos arteros están más que listos para huir con ellos y dejarla pobre. Una **joven** que tiene este sueño debería deshacerse de hombres llamativos pero inapropiados y casarse con el hombre honesto y amoroso que está cerca de ella.

Diablillos: Soñar con diablillos es una predicción de problemas que se producen por una diversión casual. Si la **persona que sueña es un diablillo**, su propia estupidez la llevará a la pobreza.

Diablo: A veces pronostica un futuro más fácil y mejor, aunque en la mayoría de los casos, el diablo es símbolo de tentación y seducción, y como tal, es negativo.

Diadema: Pronto ofrecerán a la persona que sueña algún gran honor.

Diamante: Un **sueño sobre poseer diamantes** es un buen sueño, que conduce a honor y estima de las más altas autoridades. **Perder diamantes** indica deshonra, pleitos domésticos y desorden en la vida familiar de la persona que sueña.

Diamantes de Imitación: Soñar con diamantes de imitación significa placeres de corta duración. **Soñar que un diamante de imitación en realidad resultó ser un diamante** significa que una acción aparentemente sin importancia la condujo a tener buena suerte.

Diana: Soñar con una diana indica que la persona que sueña tendrá que hacer frente a un asunto desagradable en lugar de divertirse. Si una **joven se considera una diana**, es posible que hablen pestes de ella.

Diario: Simboliza excesivo deseo adquisitivo o celos patológicos a alguien íntimo de la persona que sueña.

Diarrea: Soñar con tener diarrea o creer que la tiene es señal de que la persona que sueña o alguien de su familia sufrirá una enfermedad fatal. Si **otros tienen diarrea** significa que la persona que sueña experimentará fracasos en algún asunto por la falta de cooperación de otros.

Diccionario: Si la persona que sueña emplea un diccionario, significa que confía demasiado en las opiniones y consejos de otros para administrar sus propios asuntos, algo que podría hacer él mismo con total competencia.

Diciembre: Es una señal de obtención de riqueza, pero también de pérdida de amistad. Desconocidos tomarán el lugar de la persona que sueña en el corazón de sus amigos.

Diente de León: Los dientes de león frescos son señal de amor feliz y prosperidad.

Dientes: Soñar con dientes o con un dentista advierte de problemas de salud; la persona que sueña deberá cuidarse en el futuro cercano. Los **dientes flojos** simbolizan falta de éxito y malas noticias. **Hacer que le saquen un diente** significa una enfermedad grave pero no fatal. **Que le hagan dientes postizos** significa luchar con problemas. **Perder dientes** simboliza problemas devastadores: Si **un diente se cae**, significa malas noticias; **dos dientes** significan enormes problemas que la persona que sueña no se causó; **tres dientes** implican graves enfermedades y accidentes. Si **se caen todos los dientes**, aunque sea por caries, es señal de catástrofe y muerte. **Que le tapen un diente** significa encontrar objetos de valor perdidos después de muchos problemas. **Cepillarse los dientes** indica una batalla para mantener el nivel financiero. **Soñar con dientes imperfectos** es un sueño terrible, advierte de accidentes, pérdidas, fracasos para llevar a cabo planes, enfermedad y depresión. Sin embargo, los **dientes blancos y hermosos** son señal de felicidad y deseos que se hacen realidad. Si **se cae sarro o placa de los dientes**, dejándolos blancos y limpios, significa que se superarán los problemas. Si el **dentista limpia los dientes de la persona que sueña**, pero al día siguiente están manchados de nuevo, significa que la traicionarán y se burlarán de ella.

Dificultad: Soñar con dificultades es un símbolo de vergüenza pasajera para todos los empresarios, pero si **se las arreglan para salir de sus dificultades**, experimentarán prosperidad.

Difteria: Aunque un sueño sobre un niño que tiene difteria puede indicar enfermedad leve, hablando en general, significa armonía y buena salud en la familia.

Digestión: Soñar con el sistema digestivo, o con uno de sus componentes o las sensaciones relacionadas con él, indica problemas de salud. Ve **Sistema Digestivo**.

Dígitos: Es señal de inestabilidad en los negocios, lo que causa ansiedad y descontento a la persona que sueña.

Diligencia: Un sueño sobre ser diligente significa que la persona que sueña pasará mucho tiempo y esfuerzo formando planes e ideas para progresar y le dará resultado.

Diluvio o Lluvia Fuerte: Ver un diluvio simboliza privaciones y la incapacidad para llegar a comprender el medio ambiente de la persona. **Soñar con un diluvio destructivo** que cubre la región con escombros y cieno es señal de enfermedad, pérdidas en los negocios y miseria conyugal.

Dimisión: Si la **persona que sueña dimite**, significa que será desafortunada en cualquier labor nueva que inicie. Si **otros dimiten**, pronostica malas noticias.

Dinamita: Ver dinamita es señal de que se aproxima el cambio, que la persona que sueña está a punto de aumentar sus negocios. **Si tiene miedo,** significa que un enemigo desconocido lo está debilitando, y si **no es cauto,** ese enemigo lo va a emboscar en un momento vulnerable.

Dínamo: Ver una dínamo significa que si es meticulosa la persona que sueña en sus prácticas de negocios, tendrá éxito. Una **dínamo descompuesta** indica que se está acercando a enemigos que tratan de meterla en problemas.

Dinero: Encontrar dinero es señal de preocupaciones menores pero gran alegría. **Perder dinero** predice infelicidad doméstica y mala suerte para los negocios. **Contar dinero** y que falte significa que la persona que sueña tendrá problemas para pagar sus deudas. **Ganar dinero** significa que la persona que sueña debe considerar sus acciones con cuidado. **Ahorrar dinero** significa riqueza futura. **Pagar** significa mala suerte. **Recibir dinero** significa riqueza y placer. **Robar dinero** indica miedo a perder la autoridad. Las **cajas de dinero** llenas indican el fin de las preocupaciones de dinero y una jubilación cómoda.

Dinero Falsificado: Este sueño predice problemas con alguna persona indigna y difícil. Siempre presagia algo malo, sin importar si la persona que sueña paga o recibe el dinero falsificado.

Dios: Un sueño sobre Dios como abstracción, como objeto concreto (por ejemplo, una escultura religiosa) o como imagen de la deidad, o si **se sueña cualquier tipo de ritual**, refleja la conexión de la persona que sueña con la religión. Un **sueño sobre Dios** anuncia calma, estabilidad y seguridad. **Adorar a Dios** significa que la persona que sueña sentirá remordimientos por un error del que es el único responsable.

Dique: Soñar con conducir a lo largo de un dique predice problemas y congoja para la persona que sueña. Si **se las arregla para continuar conduciendo sin que suceda nada**, significa que podrá usar la predicción en su beneficio.

Disco Compacto: Soñar con un disco compacto indica que la persona que sueña pronto se involucrará en una nueva relación romántica que funcionará muy bien.

Discoteca: Es una señal de que la persona que sueña pronto se encontrará en un estado de confusión, obsesión y distracción respecto a una nueva relación.

Disimular: Si la persona que sueña está disimulando algo, significa que engañará a sus amigos como algo normal. Sus asuntos de negocios serán de naturaleza dudosa.

Disparar: Escuchar o ver que disparen significa que las parejas son infelices por egoísmos insuperables. Los negocios no serán muy buenos por falta de atención. Si **alguien dispara a la persona que sueña**, significa que teme pérdidas significativas en el futuro.

Dispensario: Soñar con dejar un dispensario simboliza escapar de enemigos que causan muchas preocupaciones a la persona que sueña.

Disputa: Si la **disputa es sobre algo trivial**, el sueño es una indicación de enfermedad y decisiones injustas. Si la **persona que sueña disputa con personas conocedoras**, significa que tiene potencial, pero que no lo ha explotado al máximo.

Distancia: Por lo general, significa viajes largos. **Soñar con estar lejos de casa** significa que la persona que sueña pronto saldrá a un viaje en el que extraños arruinarán su vida. **Ver amigos a distancia** es señal de desilusión.

Disturbio o Tumulto: Las **exhibiciones de violencia, ira o conducta desordenada** indican que la conciencia de la persona que sueña no está limpia y que se le aconseja reevaluar sus acciones con cuidado. **Ver disturbios** es señal de desilusiones de negocios. Si la **persona que sueña ve que matan a un amigo en un disturbio,** es señal de mala suerte, enfermedad o muerte.

Diversión: Un sueño sobre una alegría muy grande, risas y diversión advierte de malos tiempos más adelante.

Dividendos: Un **sueño sobre dividendos** pronostica aumento de ganancias o cosechas. Si la **persona que sueña no pudo obtener los codiciados dividendos,** significa mala administración y fracasos en el amor.

Divorcio: Algunas personas afirman que **soñar con divorcio indica problemas sexuales**. Si la **persona que sueña está casada**, significa que está felizmente casada. Si una **persona soltera que tiene un socio sueña con el divorcio**, significa que se siente insegura respecto a esta relación.

Dolencia: Una **dolencia** es una señal negativa, significa mala suerte en los negocios, la salud y el amor; no se debe subestimar a los enemigos. Si **otras personas tienen dolencias**, significa que la persona que sueña no tendrá éxito y se desilusionará en los negocios.

Dolor: Un **sueño sobre el dolor** muestra que la persona que sueña está rodeada por un medio ambiente favorable y afectuoso. Entre **más fuerte es el dolor**, más significativa es la persona que sueña para quienes la rodean. Si la **persona que sueña tiene dolor**, tendrá que enfrentar infelicidad y remordimientos. **Ver a otros con dolor** advierte de los errores de los demás. El **dolor de pies** predice disputas familiares. El **dolor de corazón** indica problemas de negocios y pérdidas por un error cometido por la persona que sueña.

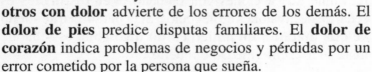

Dolor de Cabeza: Indica que uno de los amigos de la persona que sueña necesita su ayuda.

Dolores: Soñar sobre **dolores** indica que al vacilar en un negocio, otras personas se están beneficiando de las ideas de la persona que sueña. Un **dolor del corazón** es una predicción de pena causada por la conducta indiferente de un ser amado. Un **dolor de espalda** significa enfermedad. Un **dolor de cabeza** es señal de pena causada por deshacerse de un rival o por grandes preocupaciones. El **dolor de la boca** indica problemas de salud y financieros causados por enfermedad.

Dominó: Ganar un juego de dominó indica que la persona que sueña disfruta que la aprecien personas de reputación deshonrosa y recibir felicitaciones de ellas; esto la satisface pero causa angustia a sus padres. **Perder un juego de dominó** significa que los problemas de la persona que sueña también perturban a otros.

Domo: Soñar con ver un paisaje desconocido desde un domo significa que la persona que sueña está a punto de tener un cambio positivo. Disfrutará de la estima de extraños. **Ver un domo desde lejos** significa que la persona que sueña nunca se dará cuenta de sus ambiciones, y no corresponderán su amor.

Dormitorio: Por lo general, está conectado al erotismo y al sexo. En ocasiones, señala un punto de cambio positivo en la vida.

Dosel: Si la persona que sueña ve un dosel o se encuentra bajo uno, significa que amigos dudosos están tratando de influir negativamente en ella. Debe cuidar de sus seres queridos.

Dragón: Ver un dragón simboliza que en tiempos de infortunio, la persona que sueña se dirige a un poder superior en busca de ayuda y no hace ningún esfuerzo propio por mejorar la situación. Si la **persona que sueña es joven**, un dragón es señal de boda inminente.

Drama: Ver un drama en escena significa reuniones alegres con amigos lejanos. Si la **persona que sueña se encuentra aburrida mientras ve el drama**, significa que le dejarán un compañero pesado en algún evento. Si **escribe uno**, significa que de repente experimentará problemas y deudas, pero, sorprendentemente, saldrá indemne.

Dromedario (camello)**:** La persona que sueña está a punto de recibir una cantidad generosa de riquezas y honores, que sobrellevará con dignidad. Será magnánimo y caritativo.

Duelo: Un sueño sobre la muerte de un niño significa que los planes de la persona que sueña fracasarán rápidamente y enfrentará fracasos en lugar de éxitos.

Dueto: Un **dueto en un sueño** es un símbolo de coexistencia pacífica y armoniosa entre enamorados. Es señal de competencia ocasional entre **empresarios**. Sin embargo, los **músicos** ven esto como rivalidad obvia y lucha por la posición más importante. Un **dueto de canto** predice la llegada de noticias desagradables, pero pronto se eclipsarán por cosas agradables.

Durazno: Si los **duraznos están crecien-do en árboles con hojas,** se pueden esperar experiencias agradables y avances en el futuro. **Ver o comer duraznos** indica hijos enfermos, viajes cancelados y reveces en los negocios. Los **duraznos deshidrata-dos** significan que los enemigos van a asaltar a la persona que sueña. Si una **joven sueña con recolectar duraznos maduros y jugosos,** se casará con un hombre rico, inteligente y que ha viajado bastante. Si los **duraznos están duros y verdes,** sus parientes la tratarán mal, se enfermará y perderá su belleza.

Dulzura: Un sueño sobre algo dulce significa que la persona que sueña posee un alto nivel de conciencia de sí misma y autocontrol.

Ébano: Cualquier sueño relacionado con un artículo hecho de ébano pronostica disputas y desacuerdos en la casa de la persona que sueña.

Eclipse: Un **sueño sobre un eclipse** significa reveces temporales en los negocios, además de inquietud familiar. Un **eclipse de sol** es un augurio de un periodo turbulento y peligroso, pero que al final terminará. Un **eclipse de la luna** indica enfermedad contagiosa y muerte.

Eco: **Escuchar un eco** significa que los malos tiempos están causando muchos problemas a la persona que sueña. Si **está enferma**, puede perder su trabajo y sus amigos no estarán ahí para ayudarla.

Edad: Si el **soñador mismo u otras personas** cercanas a él **aparecen de más edad** de la que tiene en realidad, o si en el sueño la persona que sueña está **preocupada por su edad,** significa que se enfermará en el futuro cercano. Si **el soñador u otras personas cercanas a él parecen más jóvenes** que en la realidad, significa que es aconsejable que el soñador evite tener conflictos con las personas a su alrededor.

Edificio: Si la **persona que sueña está parada junto a un edificio lujoso**, predice momentos buenos y agradables. Si la **persona que sueña entra al edificio**, significa pérdida del control, además de nerviosismo e impaciencia. Los **edificios viejos y en mal estado** son señal de enfermedad y pérdidas en el amor y los negocios.

Editor: Si la **persona que sueña ve a un editor**, significa que tiene aspiraciones literarias. Si una **mujer sueña que su marido es editor**, estará celosa de sus amistades femeninas. Si un **editor rechaza el manuscrito de la persona que sueña**, es inminente una desilusión. Si el **editor acepta el manuscrito**, se harán realidad las esperanzas de la persona que sueña. Si el **editor pierde el manuscrito**, la persona que sueña será lastimada por personas desconocidas.

Edredones: Soñar con edredones es señal de buena suerte. Para una **joven**, significa que su naturaleza práctica e inteligente atraerá a un hombre que querrá casarse con ella. Si el **edredón está limpio pero tiene agujeros**, tendrá un marido que la valore, pero no se sentirá atraída hacia él. Si el **edredón está sucio**, será un reflejo de su conducta, y no se casará con un buen hombre.

Efectivo: Soñar que se tiene mucho efectivo, pero que es prestado, significa que la persona que sueña da la impresión de ser una persona honesta pero que se revelará que es fría y avariciosa.

Ejecución: Ver una ejecución significa que la persona que sueña sufrirá por el descuido de otros. Si **está a punto de ser ejecutada,** pero su ejecución es diferida milagrosamente, significa que vencerá a sus enemigos y se volverá rica.

Elección: Si la persona que sueña está en una elección, significa que estará involucrada en algún asunto controvertido que no le hará bien en lo financiero ni en lo social.

Electricidad: Soñar con electricidad indica cambios inesperados en la persona que sueña, no siempre en su beneficio. Si la **persona que sueña reacciona mal,** está en grave peligro. Un **cable con electricidad** significa que los enemigos debilitan los planes cuidadosamente preparados de la persona que sueña.

Elefante: Predice que la persona que sueña conocerá personas que se convertirán en sus amigas.

Elegancia: Si la **persona que sueña se ve elegante,** significa que es excelente para la adulación. Si **otros son elegantes,** la persona que sueña saldrá con personas dudosas.

Elevador: Si el **elevador está ascendiendo,** significa que la persona que sueña tiene anhelos después de cambios positivos en su vida. Un **elevador que desciende** indica ausencia de éxito financiero y falta de iniciativa.

Elevarse: Soñar con mejorar de posición a una más elevada significa que la persona que sueña se volverá muy rica como resultado de aprendizaje y promociones. Si la **persona que sueña se eleva en el aire**, se divertirá mucho y recibirá una fortuna imprevista, pero debe tener cuidado de la publicidad indeseable.

Elíxir de la Vida: Es un sueño positivo que indica nuevas alegrías y oportunidades.

Elocuente: Si la persona que sueña parece elocuente en un sueño, puede esperar buenas noticias respecto a alguien para quien trabaja.

Elogio: Es señal de buenas noticias (por lo general, matrimonio) que trae un amigo íntimo.

Embalsamamiento: Si la **persona que sueña ve el proceso de embalsamamiento**, indica que va a experimentar una inversión de la suerte. Si **se está embalsamando a la persona que sueña**, significará que mantendrá la compañía de personas censurables.

Embarazo: Para una **mujer, soñar con estar embarazada** es una indicación de falta de satisfacción con su esposo o sus hijos. Si una **mujer está en verdad embarazada y tiene este sueño**, pronostica un parto seguro y recuperación rápida. Si una **virgen tiene este sueño**, es señal de escándalo y problemas.

Embarcaciones: Soñar con embarcaciones es señal de trabajo y actividad.

Emboscada: Si la persona que sueña **es atacada en una emboscada,** es una señal de peligro que lo acosará si no tiene cuidado. Si la persona que sueña **es quien prepara la emboscada,** indica que nada la detendrá para engañar a sus amigos.

Empacar: Soñar con empacar indica un anhelo por cambiar. Si la **persona que sueña no termina de empacar,** es señal de frustración.

Empanada: Soñar con comer empanadas advierte a la persona que sueña que debe vigilar a sus enemigos, quienes desean dañarla. Si una **joven sueña con hacer empanadas,** será común que coquetee.

Empaste (de los dientes): Indica que se encontrará algo de valor que había perdido la persona que sueña, después de causarle mucha angustia.

Emperador: Si la persona que sueña conoce a un emperador extranjero durante sus viajes, significa que va a realizar un viaje largo, trivial y sin diversión.

Emperatriz: Soñar con una emperatriz indica que la persona que sueña recibirá altos honores, pero que no será popular por su arrogancia. Un **sueño sobre una emperatriz y un emperador** no tiene un significado particular.

Empleado: Si la **persona que sueña ve que uno de sus empleados es belicoso u ofensivo,** habrá problemas. Si el **empleado es agradable,** todo estará bien.

Empleo: Soñar con empleo es un sueño desafortunado que indica fracasos en los negocios, desempleo y enfermedad. Si la **persona que sueña está desempleada** en cierto momento, puede tener la certeza de que encontrará un empleo por su diligencia. Si la **persona que sueña emplea a otros**, sufrirá pérdidas.

En el Extranjero: Soñar que se está en el extranjero predice un viaje placentero a otro país, con otras personas, en el futuro cercano.

Enano: Ver a un enano es una indicación de buenas noticias. Un **enano enfermo o herido** sugiere que la persona que sueña tiene enemigos ocultos.

Encaje: Ver encaje es señal de fidelidad en el amor y de elevación del nivel social. Una **mujer que sueña con encaje** hará realidad todas sus ambiciones y deseos. **Comprar encaje** indica riqueza. **Vender encaje** significa vivir por encima de sus medios. **Hacer encaje** es señal de encontrar un marido bien parecido y rico. **Embellecer el vestido de novia con encaje** significa que una mujer tendrá muchos admiradores, pero que su boda permanece en el futuro muy distante.

Encalar: Si la **persona que sueña está encalando**, significa que quiere recuperar la aprobación de sus amigos al evitar costumbres repugnantes y compañías inaceptables. Si una **joven está encalando**, es señal de que ha diseñado una estrategia sofisticada de engaños para recuperar a su enamorado.

Encantamiento: Ser encantada es una advertencia para que la persona que sueña no se deje seducir por el mal disfrazado de algo agradable. Si la **persona que sueña resiste el encantamiento**, significa que la gente buscará su consejo y disfrutará de su generosidad. Si la **persona que sueña trata de encantar a otros**, se hundirá en el mal. Usar encantamientos en un sueño indica disputas entre esposos o enamorados. Si **otros repiten el encantamiento**, significa que tus amigos no son genuinos en su conducta.

Encanto: Algo encantador en un sueño significa que todas las personas cercanas a la persona que sueña se beneficiarán. Si un **enamorado sueña con el encanto de su novia**, pronto se casará y disfrutará de una gran felicidad. Si la **persona que sueña ve su propio encanto**, tendrá mucha alegría en la vida.

Encargo: Salir a hacer encargos es señal de relaciones agradables en el hogar y con amigos. Si una **joven envía a alguien a un encargo**, perderá al hombre que ama por su conducta indiferente.

Encerado: Soñar con un encerado es símbolo de alejamiento y traición hacia la persona que sueña. **Comerciar con encerados** significa negocios falsos.

Enciclopedia: Si la persona que sueña ve o utiliza una enciclopedia, significa que sacrificará la comodidad de su vida por las proezas literarias.

Encrucijada: Si la persona que sueña no puede escoger qué camino seguir, la irritarán problemas triviales. A este sueño puede seguir una decisión significativa en el campo del amor o de los negocios.

Encurtidos: Si la **persona que sueña ve encurtidos**, desperdiciará su tiempo en asuntos sin importancia si no usa su criterio. Si una **joven come encurtidos**, tendrá un trabajo mediocre, así como rivales que la vencerán a menos que emplee su discreción.

Enebros: Soñar con enebros es un símbolo de felicidad y riqueza que surgen de la miseria y la pobreza. Presagia algo bueno para la persona que se recupera de una enfermedad. Sin embargo, **comer o recoger bayas de enebro**, pronostica problemas y enfermedad.

Enemigo: Vencer enemigos significa superar dificultades de negocios y disfrutar de prosperidad; siempre es un buen sueño. Si los **enemigos vencen a la persona que sueña**, significa problemas. Si los **enemigos esparcen rumores sobre la persona que sueña**, sufrirá reveces y fracasos en su profesión o negocio. Si la **persona que sueña besa al enemigo**, significa que está compensando a un amigo con el que peleó.

Enero: A la persona que sueña le endilgarán compañeros o niños indeseables.

Enfermedad: Si la persona que sueña tiene una enfermedad en un sueño, puede ser señal de enfermedad leve y temporal o de algún desacuerdo con un padre. Si una mujer sueña con tener una enfermedad, significa que estará furiosa por perder algún espectáculo que había estado esperando por circunstancias imprevisibles. Soñar con enfermedades es en realidad una señal de infortunio y enfermedad en la familia; también habrá disputas. Si la **persona que sueña es la enferma**, se le advierte que se cuide. Si **ve que cualquier miembro de su familia parece enfermo y lívido**, se va a presentar un suceso negativo. Por lo general, este sueño pronostica enfermedad.

Enfermera: Si una **enfermera aparece en un sueño**, sugiere buenos resultados, principalmente en el trabajo o una mejoría en la situación económica. Si **se emplea una enfermera en la casa de la persona que sueña**, es señal de enfermedad o visitas desafortunadas con amigos. Si la **enfermera deja el hogar de la persona que sueña**, es señal de buena salud. Si una **joven sueña con ser enfermera**, la admirarán por su autosacrificio.

Enigmas: Los **enigmas** son una señal de confusión y descontento. Si la **persona que sueña está tratando de resolver enigmas**, significa que se dedicará a un proyecto que pondrá a prueba su paciencia y desperdiciará su dinero.

Enojo: Un **sueño sobre el enojo** pronostica noticias buenas y significativas para la persona que sueña. **Enojar-**

se con una persona conocida del soñador indica que la persona no merece la confianza de éste. **Enojarse con una persona desconocida** indica que la vida del soñador pronto cambiará para mejorar.

Ensalada: Ver una ensalada indica que uno de los talentos ocultos de la persona que sueña pronto se manifestará y le proporcionará la gloria. Si **come una ensalada,** es señal de personas desagradables y de enfermedad. Una **joven que prepara una ensalada**  reñirá con su enamorado.

Entierro: Contrario a lo que parece, un **entierro en clima asoleado** predice buena salud, nacimiento o matrimonio. Un **entierro lluvioso** indica malas noticias y enfermedad.

Entornar los Ojos: Si la **persona que sueña ve a una persona que entorna los ojos**, la irritarán individuos desagradables. Si sueña que **su enamorada o una mujer hermosa entorna los ojos,** la seguirán problemas si va tras las mujeres. Si una **joven tiene este sueño**, su reputación va a estar en peligro.

Entrañas: Soñar con entrañas humanas simboliza desesperación abrumadora y terrible, sin un vislumbre de esperanza. Las **entrañas de un animal silvestre** significan que la persona que sueña vencerá a un enemigo. Si la **persona que sueña arranca las entrañas de otra persona**, significa que está dispuesta a recurrir a conducta sádica a favor de sus propios intereses. **Soñar con las entrañas de sus hijos** pronostica la caída de uno de los dos.

Entretenimiento: Estar entretenido o de buen humor en un sueño, significa que la persona que sueña pronto tendrá buena suerte. **Soñar con algún tipo de evento de entretenimiento** significa que una oportunidad está a punto de presentarse y que sería una pena perdérsela.

Entrevista: Una entrevista sugiere que tendrá una promoción en el futuro cercano y buenas noticias para una amistad cercana.

Entumecimiento: Si la persona que sueña empieza a sentir entumecimiento, es una predicción de enfermedad y ansiedades.

Envidia o Celos: Si la **persona que sueña le tiene envidia a otra persona**, predice una posible desilusión. Si **otra persona le tiene envidia,** anuncia el éxito y la buena suerte.

Epidemia: Indica deterioro mental y ansiedad causada por tareas desagradables. Las personas cercanas a la persona que sueña se expondrán a enfermedades.

Equipaje: Soñar con equipaje indica problemas indeseables. La persona que sueña tendrá a su alrededor personas indeseables. Si **carga su propio equipaje**, estará tan metida en su angustia que no notará la de los demás. **Perder el equipaje** indica disputas domésticas. Si una **persona soltera sueña con perder**

el equipaje, es señal de rompimiento de romances o del compromiso de casarse. **Soñar con equipaje** significa que la persona que sueña está preocupada. Si **carga su propio equipaje**, significa que está tan absorta en su propio sufrimiento que no puede ver el de los demás. **Perder el equipaje** significa un mal trato de negocios o peleas domésticas.

Ermitaño: Soñar con un ermitaño indica aflicción y soledad como resultado de amigos desleales. Si la **persona que sueña es ermitaña**, tendrá gran interés en asuntos actuales. Si **se encuentra en la choza de un ermitaño**, es señal de gran altruismo y magnanimidad hacia amigos y enemigos.

Escaldadura: Si la persona que sueña se escalda, significa que algo que esperaba se estropeará por un suceso negativo.

Escalera: Si la **persona que sueña trepa una escalera sin problemas**, es señal de que sus ambiciones están a punto de hacerse realidad y que será próspera. El **miedo de ascender una escalera**, o subir sin éxito (como caer de la escalera) es una horrible predicción. Una **escalera reclinada contra una pared** signi-  fica que uno de los parientes de la persona que sueña no es leal con ella. Una **escalera rota** es una indicación de fracaso total.

Escalera Mecánica: Un **sueño sobre subir por una escalera mecánica** es una señal de avance profesional. Un

sueño sobre una escalera mecánica para bajar es señal de estancamiento profesional. Si la **escalera mecánica está descompuesta** y la persona que sueña tiene que subir por ella, no recibirá la promoción que esperaba.

Escaleras: Subir las escaleras es señal de excelente suerte. **Bajar las escaleras** es señal de mala suerte en los negocios y el amor. **Caer por la escalera** significa que la persona que sueña será menospreciada y le tendrán envidia. **Sentarse en las escaleras** significa una mejoría general en la vida de la persona que sueña. **Ver una escalera ancha y elegante** pronostica riqueza y nivel social más elevado. Si la **persona que sueña ve a otras personas bajar las escaleras**, sucesos felices pronto darán lugar a infelicidad.

Escalofríos: Un **sueño de sufrir escalofríos** a menudo indica mala salud del soñador, o fracasos en los negocios por indecisión. Si **otras personas tienen escalofríos**, significa que la arrogancia del soñador será ofensiva para otros.

Escándalo: Soñar con ser el objeto del escándalo indica que la persona que sueña prefiere la compañía de personas frívolas e inmorales a compañeros más honrados. Después de este sueño, los negocios se reducirán considerablemente. Si una **joven discute un escándalo**, un hombre que no la merece se aprovechará de ella.

Escapar o Huir: Si la **persona que sueña está escapando de algo**, significa que un amigo íntimo está conspirando contra ella y uniendo fuerzas con sus enemigos. Si **está escapando una persona cercana a la persona que sueña**, indica que la familia de ésta va a aumentar de tamaño. Un **intento fallido de escapar** indica que ciertos problemas no se han resuelto. **Huir del peligro** advierte de pérdidas inevitables. Si **otros están huyendo**, la persona que sueña estará aturdida por los problemas de sus amigos. **Ver al ganado correr** advierte a la persona que sueña que sea cauta cuando haga tratos o entre a nuevas ocupaciones.

Escape: Soñar con un escape de lesiones o desgracias es, por lo general, negativo. **Escapar de un lugar donde la persona que sueña había sido encerrada** significa que su diligencia en los asuntos de negocios le traerá el éxito. **Escapar de la enfermedad** significa salud y riqueza. Un **intento fallido de escapar** significa maltrato y reputación arruinada a manos de sus enemigos.

Escarabajo: La persona que sueña puede esperar un brillante futuro. Se volverá famosa e importante.

Escarabajos de Mayo: La persona que sueña tendrá un socio de temperamento irritante en lugar de uno agradable.

Escarapela: Si la persona que sueña o alguien más usa una escarapela, simboliza superficialidad. Puede proporcionar alegría inicial, pero pronto será una desilusión.

Escarcha: La **escarcha en una mañana oscura** significa exilio a un país distante, pero por fin paz. La **escarcha que brilla al sol** es señal de acciones entretenidas que la persona que sueña abandonará más adelante en la vida.

Escarlatina: **Soñar con escarlatina** es un augurio de enfermedad o de enemigos. Si un **pariente de la persona que sueña muere de escarlatina**, la persona que sueña será destruida por una conducta traicionera.

Escasez: Es una mala señal, predice tristeza en el hogar y malos negocios.

Escasez o Hambre: Predice sucesos particularmente buenos e indica un cambio total y positivo en la vida de la persona que sueña.

Escoba: Si la **persona que sueña está barriendo con una escoba,** indica un punto de cambio en lo profesional. Una **escoba tirada en el piso** pronostica separación inminente de un amigo cercano.

Escondite: Si la persona que sueña se oculta en un escondite, es señal de que pronto recibirá malas noticias.

Escopeta de Caza: **Soñar con una escopeta de caza** presagia problemas domésticos y ansiedad causada por empleados e hijos. Si la **persona que sueña dispara con ambos cañones de una escopeta de caza,** significa que la actitud de personas en su profesión la habrán provocado a tal grado que desechará toda cortesía y etiqueta, y dará salida a su enojo.

Escoria: La persona que sueña tendrá una desilusión por los fracasos en su vida social.

Escorpión: Un **sueño sobre un escorpión** advierte de enemigos que quieren dañar a la persona que sueña. Si **no destruye al escorpión**, sufrirá pérdidas con el asalto del enemigo.

Escribir: Soñar con escribir significa que la persona que sueña cometerá un error que casi la destruirá. **Ver escribir** significa que la regañarán por descuidada y puede ser acusada en un proceso. **Tratar de leer escritura extraña** significa que la persona que sueña evitará a sus enemigos sólo si no hace nuevos tratos después de este sueño. Si la **persona que sueña está escribiendo una carta**, significa que una carta arribará. Si **otros escriben una carta**, significa que la persona que sueña va a reñir con una persona allegada.

Escritorio: Ver un escritorio producirá a la persona que sueña mala suerte inesperada. Si **ve dinero en su escritorio**, saldrá de dificultades.

Escritura (de una propiedad): **Ver una escritura** simboliza un pleito legal. La persona que sueña debe escoger a su abogado con cuidado si tiene alguna oportunidad de ganar. Si la **persona que sueña firma algo**, es un mal presagio.

Escuchar Furtivamente: Si **otros están escuchando furtivamente** a la persona que sueña, se advierte de problemas. Si la **persona**

que sueña está escuchando furtivamente a otros, ¡puede esperar sorpresas agradables!

Escuchar Voces: Si las **voces son agradables**, el sueño significa reconciliación. Si **son estridentes**, se presentarán problemas y desilusiones.

Escudo de Armas: Si la persona que sueña ve un **escudo de armas**, es señal de mala suerte, y también que nunca recibirá un título.

Escuela de Equitación: Advierte de la conducta traicionera de un amigo. Sin embargo, la persona que sueña se sobrepondrá a los malos efectos.

Escuela: Soñar con la escuela indica ansiedad respecto a los fracasos. Si la **persona que sueña es adulta**, el sueño indica frustración y una sensación de oportunidades perdidas y fracasos. Si la **persona que sueña es joven**, significa que está evitando las responsabilidades. Un **adulto que sueña que es joven y está en la escuela** tendrá pesares y problemas que lo harán añorar la simplicidad de sus años escolares. **Enseñar en una escuela** significa que la persona que sueña tiene inclinaciones literarias, pero prevalecen los aspectos prácticos de ganarse la vida. **Soñar con su antigua escuela** significa que existen problemas en la vida de la persona que sueña. Un **sueño sobre un maestro de escuela** significa que la persona que sueña no busca formas de entretenimiento ostentosas y ruidosas.

Escultor: Soñar con un escultor significa que la persona que sueña encontrará un empleo con menos paga pero de mayor nivel social. Si una **mujer sueña que su enamorado o su esposo es escultor**, significa que tendrá influencia en personas de posiciones elevadas.

Escupir: Soñar con escupir significa que los asuntos que parecían favorables al principio terminarán muy mal. Si **alguien escupe a la persona que sueña**, se predicen riñas y rompimientos.

Esmeralda: Ver una esmeralda indica una herencia llena de problemas para la persona que sueña. Si un **enamorado ve a su amada usando una esmeralda**, es señal de que está a punto de ser abandonado. Un **sueño sobre comprar una esmeralda** es señal de un mal trato.

Espacio: Si la persona que sueña está viajando por el espacio exterior, pronto se liberará de una situación restrictiva y gozará de la autosuficiencia y la libertad.

Espada: Si la **persona que sueña porta una espada**, significa que tendrá una posición de gran dignidad y respeto. Si su **espada es confiscada**, sus rivales serán más listos que ella. Si **otros portan espadas**, es una advertencia de altercados graves. Una **espada rota** es señal de desesperación.

Espalda: Soñar con una espalda desnuda significa pérdida de poder y advierte contra prestar dinero o dar consejos. Si **alguien da la espalda** a la persona que sueña y se aleja, es envidiosa y puede dañar al soñador. Si **sueña con su propia espalda**, no es una buena señal.

Espárragos: Significan que la persona que sueña está tomando decisiones correctas y apropiadas. Debe continuar siguiendo a su corazón y no escuchar el consejo de otros.

Especia: Si la **persona que sueña ve especias**, significa que es probable que arruine su reputación por buscar placeres hedonistas. Si una **joven huele o come especias**, se aprovechará de ella un estafador.

Espectros: Ve **Espíritus**.

Espejo: Si una mujer sueña con un espejo, significa que pronto enfrentará cara a cara una traición pasmosa que la conducirá a pleitos terribles o rompimientos. Si la **persona que sueña se ve en un espejo**, va a encontrar muchos obstáculos; sufrirá pérdidas y aflicciones por una enfermedad. Un **espejo roto**  predice la muerte repentina o violenta de alguien cercano a la persona que sueña. Para una **joven, romper un espejo**, significa que tendrá un matrimonio infeliz. Ver a **otros reflejados en un espejo** significa que van a tratar mal a la persona que sueña para producir el avance de otras personas.

Espía: Si **espías están molestando a la persona que sueña**, puede esperar graves separaciones y disgustos. Si la **persona que sueña se ve como espía,** predice una aventura fallida.

Espina: Un **sueño sobre espinas** indica que alguien en el entorno de la persona que sueña está maquinando en su contra y tratando de dañarla. Si las **espinas están ocultas por hojas verdes**, enemigos invisibles están corrompiendo la seguridad financiera de la persona que sueña.

Espíritus: Ver espíritus en un sueño o **escucharlos tocar a la puerta** pronostica vicisitudes repentinas para la persona que sueña. Si **están vestidos de blanco**, está en peligro la salud de un buen amigo de la persona que sueña. **Si están vestidos de negro** su destino serán engaños e infidelidad. **Escuchar a un espíritu hablar** es una advertencia para escuchar consejos con el fin de impedir que sucedan cosas malas. Si los **espíritus se esconden detrás de las cortinas**, se advierte a la persona que sueña a no expresar sus emociones para que no actúe tontamente. **Ver el espíritu de su amigo planear por la casa** significa que la persona que sueña sufrirá por desilusiones y falta de confianza.

Esplendor: Soñar con vivir con esplendor significa que la persona que sueña avanzará a un nivel social mucho más elevado. Si **otros viven con esplendor**, la persona que sueña estará satisfecha por el interés que sus amigos muestran en cómo se siente.

Esponja: Si la persona que sueña ve una esponja, la están estafando. Si **utiliza una para borrar un pizarrón**, la estupidez de otro hará que sufra.

Esposa: Si la **persona sueña con su esposa**, es señal de disputas domésticas. Si **su esposa es extrañamente amistosa**, tendrá buenas ganancias en el comercio. Si una **esposa sueña que su esposo le da latigazos**, significa que será cruelmente criticada por haberse dejado persuadir para hacer ciertas cosas, y le seguirá el caos.

Esposas: Las **esposas** simbolizan una relación imposible o problemas con el sistema judicial. Un **sueño sobre ser liberado de las esposas** significa que la persona que sueña no es una persona ordinaria.

Espuela: Soñar con usar espuelas es una indicación de participación en un tema muy disputado. Si **otros usan espuelas**, significa que los enemigos están conspirando contra la persona que sueña.

Espuma del Mar: Para una **mujer, soñar con la espuma del mar** indica una conducta lasciva. Si **se adorna con espuma del mar**, simboliza su búsqueda de metas materiales en lugar de espirituales y que la mejoran.

Esqueleto: Ver un esqueleto predice enfermedades, discusiones y daño causado por enemigos. Si la **persona que sueña es un esqueleto**, significa que se preocupa por problemas inexistentes y debe hacer un esfuerzo por tranquilizarse. Si la **persona que sueña es**

acosada por un esqueleto, es una predicción de muerte o de una terrible desgracia, física o financiera.

Esquilar: Soñar con esquilar corderos significa que la persona que sueña carece de la bondad humana y trata a los demás con honestidad pero con frialdad y cálculo. **Esquilar ovejas** predice grandes ganancias financieras.

Establo: Soñar con un establo es señal de buena suerte y negocios provechosos. Un **establo en llamas** puede presagiar el hecho real o indicar cambios que serán benéficos para la persona que sueña.

Estado Matrimonial: Si la **persona que sueña está atrapada en un estado matrimonial infeliz**, significa que se enredará en un asunto infortunado. Si una **joven sueña que está insatisfecha con el estado matrimonial**, predice que se involucrará en amoríos escandalosos. Si una **mujer casada sueña con el día de su boda**, es una advertencia de que debe emplear su fuerza contra pesar, desilusiones, disputas y envidias. Si una **mujer sueña que está casada con felicidad y seguridad**, es señal de buena suerte.

Estados Unidos: Si la persona que sueña es un oficial de alto rango, este sueño advierte de problemas y peligro para ella.

Estafado: Soñar sobre ser estafado en los negocios significa que personas celosas tratarán de acabar con la persona que sueña.

Estambre: Un **sueño sobre estambre** predice éxito en los negocios y una pareja diligente en el hogar. Si una **joven sueña con trabajar con estambre**, significa que encontrará un excelente marido que estará orgulloso de ella.

Estampillas: **Soñar con estampillas de correo** significa asuntos de negocios lucrativos y organizados. **Tratar de emplear estampillas canceladas** significa mala reputación. Las **estampillas rotas** son señal de obstáculos en el camino al éxito de la persona que sueña.

Estanque para Peces: Un **estanque para peces lodoso** indica problemas. Un **estanque limpio lleno de peces** significa prosperidad y una vida grata. Si una **joven cae en uno**, será feliz en el amor. Un **estanque para peces vacío** es una indicación de la proximidad de enemigos peligrosos.

Estatua: Mirar una estatua en un sueño es señal de cambio autoimpuesto en la vida de la persona que sueña. **Ver una estatua** significa un rompimiento con la pareja de la persona que sueña.

Estera: Es señal de pesar y preocupación.

Estercolero: Soñar con un estercolero indica prosperidad que procede de lugares totalmente inesperados. **Para un granjero,** es señal de buena suerte, de cosecha abundante y de ganado. Para una **joven,** indica un matrimonio con una persona rica (desconocida para ella).

Estetoscopio: Nada bueno proviene de este sueño, sólo mala suerte, esperanzas arruinadas y problemas en el amor.

Estiércol: Ver estiércol es una señal muy buena, predice buenos sucesos, en especial para granjeros.

Estilográfica: Indica que la persona que sueña pronto escribirá una carta a un amigo perdido por mucho tiempo.

Estornudo: Si la **persona que sueña estornuda,** significa que noticias inesperadas harán que cambie sus planes. Si **otras personas estornudan,** es una predicción de compromisos sociales tediosos.

Estrangulado: Soñar con ser estrangulado es una predicción de una relación restrictiva y agotadora. Si la **persona que sueña es ahorcada por un estrangulador que no ve,** significa que la dañará alguien cercano a ella.

Estrechar las Manos: Estrechar la mano a personas de un nivel social inferior significa que la persona que sueña ganará amor y respeto por su conducta benévola. Sin embargo, si piensa que **las manos están sucias,** los amigos resultarán ser enemigos. Si **sueña con estrechar la mano con alguien que le ha perjudicado,** reñirá con un amigo íntimo. Una **joven que estrecha la mano de un líder importante** logrará respeto y riqueza. Si **tiene que estirarse hacia arriba para hacerlo,** la esperan competencia y obstáculos. Sin embargo, **si ella usa guantes,** podrá evitarlos.

Estrellas: Las **estrellas brillantes** son señal de buena salud y suerte. Las **estrellas opacas y rojizas** pronostican mala suerte. Una **estrella fugaz** es un augurio de pesar. Si una **estrella cae en la persona que sueña,**

sufrirá la pérdida de un miembro cercano de su familia. Si **aparece y desaparece una estrella** en una forma extraña, tendrán lugar cambios en la vida de la persona que sueña. Es una señal peligrosa ver **estrellas que rodean la Tierra**.

Estricnina: Consumir estricnina por orden de un médico significa aceptar riesgos enormes en algún asunto.

Estufa: Significa que la persona que sueña podrá impedir muchas cosas desagradables.

Etiqueta: Si aparece una etiqueta normal o adherible con un nombre o un artículo, anuncia un futuro lleno de sorpresas.

Europa: Si la persona sueña con viajar a Europa, pronto irá a un viaje en el que se familiarizará con modos de vida extranjeros. Su beneficio será educativo y financiero.

Eva y la Manzana: Por lo general, soñar con la historia de Eva en el Jardín del Edén simboliza la habilidad de la persona que sueña para resistir la tentación.

Examen: Soñar con hacer un examen pronostica que es inminente una importante oportunidad de negocios. **Reprobar un examen** indica pérdida en los negocios. **Obtener buena calificación en un examen** es señal de buena suerte y vida placentera. **Desmayarse durante un examen** significa que la persona que sueña no puede progresar ni puede superar los obstáculos en su camino.

Excursión: Si la **persona que sueña está en una excursión en el campo**, tendrá una vida cómoda, pero experimentará infelicidad por la separación de seres queridos. Para una **joven**, significa que su hogar será agradable pero que perderá a un ser querido a corta edad.

Exigencia: La persona que sueña va a ser incomodada por una **exigencia de caridad**, pero al final se restaurará su reputación. Si la **exigencia es exorbitante**, la persona que sueña llegará a ser un miembro principal de su profesión.

Exilio: Para una mujer, soñar con ser exiliada es señal de que será obligada a viajar y se perderá un evento que estaba esperando.

Explosión: Soñar con una explosión es un sueño muy negativo. **Ver una explosión** significa que uno de los amigos de la persona que sueña está en peligro, y que sufrirá la desaprobación de sus amigos íntimos, y esto causará enojo y pérdida.

Expresión del Rostro: Una **expresión encantadora e inocente** pronostica algún placer futuro, mientras que una **expresión horrible y ceñuda** promete sólo cosas malas.

Éxtasis: Soñar sobre el éxtasis indica que la persona que sueña puede esperar una visita de un amigo querido y distante.

Extraño: Soñar con un extraño, en especial si emplea traje negro, representa una advertencia sobre un mal periodo y depresión en la vida de la persona que sueña.

Extraños: Un **sueño de extraños amistosos** indica situaciones positivas. Un **extraño desagradable** significa desilusiones. **Soñar con seres del espacio** predice que el soñador se va a encontrar con personas muy peculiares que lo harán sentir incómodo al principio, pero que después influirán en él de manera positiva.

Fábrica: Es una indicación de actividad de negocios sin precedentes.

Fabricante de Artículos de Cobre: Es símbolo de un trabajo agradable pero mal pagado.

Fábulas: Leer o escribir fábulas indica pasar el tiempo agradablemente, además de una tendencia literaria. **Soñar con fábulas religiosas** significa que la persona que sueña se volverá muy piadosa.

Faisán: Un **sueño sobre faisanes** simboliza bienestar y buenos amigos. **Comer faisán** significa que la esposa de la persona que sueña impedirá el contacto entre ésta y sus amigos. **Disparar a los faisanes** es señal de que la persona que sueña se rehúsa a dejar una actividad agradable, por hacer que sus amigos se sientan bien.

Faja: Soñar con usar una faja significa que la persona que sueña está tratando de lograr que una persona inconstante se enamore de ella. Si una **joven compra una**, es señal de su fidelidad y del respeto que merecerá en el futuro. Una **faja apretada** significa que gente con agendas ocultas influirá en la persona que sueña. Una **faja de terciopelo o adornada con joyas** significa que la riqueza es más importante para la persona que sueña que el honor. Una **faja** es señal de honor para una mujer.

Falta de Claridad: Si la persona que sueña ve todo sin claridad, es señal de deslealtad en las amistades y de empresas arriesgadas sin éxito.

Falta de Moderación: La falta de moderación en el amor o en otra emoción presagia enfermedad, pérdida financiera o disminución de la estima.

Fama: Un sueño sobre la fama, la de la persona que sueña o la de alguien cercano, advierte de sucesos que serán fuente de nerviosismo e intranquilidad.

Familia: Un **sueño sobre una familia feliz** indica salud y bienestar. Sin embargo, un **sueño sobre enfermedad o pleitos en una familia** pronostica desilusión e infelicidad.

Fango: Soñar con pasar por fango significa que los apreciados planes de la persona que sueña se deberán detener por cambios que ocurren a su alrededor.

Fantasma: La aparición de un fantasma y una conversación con él indica dificultades para enfrentar la muerte y el deseo de alguien por hacer contacto con el mundo de los muertos. Ser perseguida por un fantasma es una predicción de experiencias peculiares y molestas. Si un **fantasma huye de la persona que sueña,** significa que sus problemas disminuirán.

Faro: Si la **persona que sueña ve un faro en una tormenta**, experimentará problemas y tristeza que después serán reemplazados por alegría y prosperidad. Si ve el **faro desde un mar en calma**, la vida será placentera y tranquila para la persona que sueña.

Farol: **Ver un farol encendido en la oscuridad** es señal de riqueza repentina. Si **desaparece de repente**, los asuntos financieros se echarán a perder. **Llevar con uno un farol encendido** es señal de altruismo. **Romperlo** significa que al ayudar a los demás, la persona que sueña se está dañando a sí misma. **Perder un farol** significa pérdidas en los negocios.

Faros de Automóvil: Si la persona que sueña es cegada por los faros de un automóvil, significa que debe dar pasos rápidos para evitar posibles complicaciones.

Fatiga: Advierte contra tomar decisiones incorrectas que la persona que sueña lamentaría toda su vida.

Favor: **Pedir favores** a alguien es señal de un estilo de vida cómodo, en que nada falta. **Hacer favores** significa que la persona que sueña sufrirá una pérdida.

Fealdad: No indica situaciones buenas para la persona que sueña.

Febrero: **Soñar con febrero** es señal de enfermedad y tristeza. **Soñar con un día brillante en febrero** significa que sucederá algo inesperadamente bueno.

Felicidad: Contrario a lo que parece, soñar con felicidad pronostica periodos de privaciones y peligro, en especial en el trabajo.

Feo: Soñar con ser feo significa problemas en el amor y los negocios. Si una **joven se considera fea**, actuará mal con respecto a su enamorado y sin duda causará una ruptura. Una **persona joven que ve una cara fea** también es señal de problemas en el amor, y **un novio que se ve envejecido** significa un rompimiento.

Féretro: Soñar sobre un féretro es un sueño de mala suerte: los **granjeros** perderán sus cosechas, los **comerciantes** sufrirán pérdidas, los **jóvenes** experimentarán la muerte de los seres amados. Si la **persona que sueña ve su propio féretro,** es señal de pleitos y penas domésticos, y de pérdidas en los negocios. Si **ve su propio cuerpo en el féretro**, significa que la derrotarán en su trabajo a pesar de su valiente lucha.

Feria o Bazar: Soñar con estar en una feria significa que la persona que sueña debe tratar de no llamar la atención en el futuro cercano y de no ser conspicua.

Festín: Un **festín en un sueño** es una indicación de sorpresas agradables que se planean para la persona que sueña. Un **festín caótico y desordenado** significa que se presentarán disputas e infelicidad por la enfermedad de alguien. Si la **persona que sueña llega tarde a un festín**, significa que tendrá preocupaciones.

Festival: Indica que se descartan valores conservadores a favor de placeres nuevos y superficiales. Aunque a la persona que sueña nunca le faltará nada, no se sostendrá sola.

Festivo: Un sueño sobre estar de fiesta, o con personas festivas, significa que la persona que sueña disfrutará de la vida por un tiempo y que sus negocios prosperarán.

Fianza: Un sueño en que la persona que sueña busca fianza indica problemas no previstos, accidentes y malas amistades.

Fiebre: La fiebre alta advierte contra acciones y hechos incorrectos que producen resultados negativos.

Fiesta: Una **fiesta** es señal de una vida feliz. Una **fiesta alegre en un jardín** significa una vida social activa y muchos negocios.

Figuras: Es un sueño negativo que significa angustia mental y malas acciones. La persona que sueña sufrirá grandes pérdidas si no tiene cuidado en lo que dice y hace.

Firmamento: Un **firmamento lleno de estrellas** significa que el camino para satisfacer las ambiciones de la persona que sueña será muy difícil, y que los enemigos tratarán de debilitarla. Si la **persona que sueña ve a gente que conoce en el firmamento**, significa que participará en hacer acciones desafortunadas que afectarán adversamente a otros. Es un mal sueño.

Fiscal: Los **fiscales** simbolizan disputas graves respecto a objetos materiales. La persona que sueña está siendo amenazada por las demandas de sus enemigos. Si **ve a un fiscal defendiéndola**, significa que sus amigos tratarán de ayudarla, pero pueden producir más problemas que ayuda.

Flan: Si la **persona que sueña es una mujer casada que sueña con hacer o comer flan**, significa que tendrá que dar hospitalidad a un huésped inesperado. Si el **flan sabe muy mal**, cualquier felicidad que haya anticipado la persona que sueña será remplazada por pesar.

Flauta: Si la **persona que sueña está tocando la flauta**, es una indicación de talento musical oculto. **Escuchar que alguien toque la flauta**, significa que la persona que sueña puede confiar en sus amigos.

Flecha: Ver una flecha es un sueño que predice placer en forma de entretenimiento, viajes y festividades. Un **arco y flechas** en un sueño indica que la persona que sueña se beneficiará de la incapacidad de alguna otra persona para hacer algo. Una **flecha vieja o rota** indica desventura en el amor o los negocios.

Floración: Árboles y arbustos en floración indican que periodos agradables y provechosos están en el futuro de la persona que sueña. **Caminar a través de huertos en floración** con la persona amada significa que la relación estará llena de placer físico.

Flores: Soñar con flores es señal de ganancias y placer. **Recoger flores** en un sueño significa que la persona que sueña puede contar con que sus amigos no la desilusionarán. **Lanzar flores** en un sueño es una predicción de una disputa con alguien íntimo en el futuro. Si el sueño es sobre **arreglar flores**, se puede esperar una agradable sorpresa. Si se **adornan tumbas o féretros con flores blancas**, la persona que sueña no debe permitirse actividades agradables o mundanales.

Flota: Si la persona que sueña ve una flota que navega rápidamente, significa que se presentará un cambio total y positivo en negocios lentos.

Flotar: Soñar con flotar en el aire es muy común. Por lo general, indica que la persona que sueña debería enfocar sus esfuerzos en un objetivo. **Flotar en agua** significa superar obstáculos que parecen insuperables. Si el **agua está lodosa**, el éxito de la persona que sueña no le producirá alegría.

Foca: Soñar con focas significa que la persona que sueña es alguien que rinde más de lo esperado, que por lo general está infeliz con su situación actual y que aspira a resultados mejores y más elevados.

Fondo: Ver fondos nuevos significa que la gente va a burlarse de la persona que sueña por enorgullecerse de sus posesiones. Los **fondos sucios o rotos** advierten de una amenaza para la reputación de la persona que sueña. Si una **mujer tiene fondos de seda limpios**, significa que tiene un marido apropiado y atento. Si **olvida usar fondo**, es señal de mala suerte. Si su **fondo cae mientras** está en público, perderá a su enamorado.

Forma: Algo **mal formado** es una indicación de desilusión. Una **forma hermosa** indica buena salud y negocios prósperos.

Forraje: Cortar forraje es una buena señal de abundancia para los granjeros. El **forraje recién cortado** indica prosperidad. **Llevar, guardar o cargar forraje** indica buena suerte. **Alimentar al ganado con forraje** significa que la persona que sueña ayudará a alguien que corresponderá promoviendo a la persona que sueña a una posición más elevada.

Fortaleza: Si la **persona que sueña está dentro de una fortaleza**, significa que tiene el ardiente deseo de volverse rica. Si **se ve una fortaleza a lo lejos**, sugiere frustración y un sentimiento de haber fallado. Si la **persona que sueña vive en la fortaleza**, significa que obtendrá una gran riqueza.

Fortuna: Despilfarrar una fortuna en un sueño significa que la persona que sueña estará acosada por preocupaciones domésticas.

Forúnculos: Un **forúnculo sangrante y lleno de pus** es una indicación de cosas malas inmediatas, como amigos poco sinceros. Un **forúnculo en la frente de la persona que sueña** predice enfermedad de alguien cercana a ella.

Fósforo: Soñar con fósforo simboliza felicidad pasajera. Para una **mujer**, es un símbolo de un gran éxito entre sus admiradores, aunque será transitorio.

Fotografía: Un **sueño sobre cualquier tipo de fotografía** indica un largo viaje. Si una **mujer sueña con una cámara**, significa que pronto tendrá una cita cálida con un hombre. Ver fotografías es señal de decepciones inminentes. Si **están fotografiando a la persona que sueña**, significa que sin desearlo causará problemas a otros y a sí misma. Si la **persona que sueña recibe una fotografía de quien ama**, es una advertencia de infidelidad. Si las **personas casadas tienen fotografías de otros**, significa que se harán públicas malas cosas sobre ellas.

Fracaso: Contrario a lo que se podría esperar, para un enamorado, un **sueño sobre el fracaso** en realidad predice el éxito. Sin embargo, un **empresario que sueña sobre el fracaso** debe precaverse de pérdidas y mala administración, lo cual lo hará caer, si no lo rectifica.

Frambuesa: Simboliza un fuerte deseo de relaciones sexuales apasionadas.

Frasco: Los **frascos vacíos** son señal de pobreza y problemas. Los **jarros rotos** advierten a la persona que sueña de enfermedades y profundas desilusiones.

Fraude: Si la **persona que sueña practica el fraude**, significa que engañará a su jefe, tendrá una vida disipada y perderá su reputación. Si la **persona que sueña es defraudada**, significa que sus enemigos están tratando en vano de destruirla y desacreditarla. Si **acusa a alguien de fraude**, se le ofrecerá una alta posición.

Frente: Una **frente lisa** indica que la persona que sueña es reconocida por su buen juicio y honradez. Una **frente horrible** significa que la persona que sueña está infeliz consigo misma. Si la persona que sueña **acaricia la frente de su hijo**, significa que el niño será elogiado por su talento. Una **joven que besa la frente de su enamorado**, significa que él se molestará por su conducta.

Fresas: **Soñar con fresas** es una buena señal, promoción, placeres y satisfacción de los deseos. **Comer fresas** significa un amor feliz. **Comprar y vender fresas** significa que habrá buenas cosechas y alegría.

Frijoles: No es un buen sueño. Los **frijoles germinados** son indicación de enfermedad en los hijos. Los **frijoles secos** significan aumento de la desilusión en los asuntos globales. También indican la posibilidad de epidemias. **Comerlos** significa que un buen amigo se enfermará o sufrirá infortunios.

Frío: Soñar con el frío es una advertencia de enemigos dispuestos a destruir a la persona que sueña. Su salud también está en peligro.

Fruta (seca): Es una advertencia: La persona que sueña no fue cauta cuando tomó cierta posición o tuvo una decisión apresurada. Por lo general, es una indicación de cosas apropiadas y agradables para la persona que sueña en el futuro.

Fuego: Soñar con fuego advierte de problemas que pueden surgir si la persona sueña que se quema. Si la **casa de la persona que sueña se está quemando**, significa armonía doméstica. Si un **empresario ve que una tienda se está quemando**, puede esperar un gran periodo de prosperidad. **Combatir el**  **fuego** en un sueño significa muchas preocupaciones con relación a los asuntos de negocios. **Tiendas destruidas por el fuego** son señal de mala suerte que convertirá en buena la persona que sueña.

Fuegos Artificiales: Es una señal de buena salud y placer.

Fuelle: Los **fuelles en un sueño** representan una contienda, pero la energía y la perseverancia prevalecerán al final sobre la pobreza. **Ver un fuelle** significa que amigos lejanos extrañan a la persona que sueña. **Escuchar un fuelle** significa que se adquirirán conocimientos de lo oculto.

Fuente de Sodas: Si la **persona que sueña está en una fuente de sodas**, por fin ha obtenido algo bueno después de incontables frustraciones. Si **convida a otros refrescos**, significa que al final tendrá éxito en sus esfuerzos, sin importar lo poco probable que parezca en este momento.

Fuente: Una **fuente limpia** es un excelente sueño, significa placeres maravillosos, riqueza y viajes agradables. Una **fuente turbia** significa desilusiones en el amor y con socios de negocios. Una **fuente seca y que no funciona** es señal de muerte y una existencia infeliz.

Fuerte: Defender un fuerte significa que serán atacados el honor y las posesiones de la persona que sueña, lo que le causará gran preocupación. **Atacar un fuerte** y conquistarlo significa que la persona que sueña vencerá a su peor enemigo y tendrá éxito.

Fuga: Una **fuga en lo que sea** simboliza pérdidas y preocupaciones. Un **tanque con fuga** es señal de pérdidas financieras. Un **techo de palma que gotea** significa peligro, pero la rápida acción de la persona que sueña puede impedirlo. Una **sombrilla que gotea** significa que la persona que sueña no se sentirá bien respecto a su amor o sus amigos.

Fuga de Amantes: Si la **persona que sueña se fuga con su amante**, el círculo social de personas casadas lo considerará indigno de su posición y arriesga su reputación. Para la **población soltera**, la fuga de amantes es una indicación de desilusiones en el amor y de la infidelidad de los hombres.

Fumar: Predice un periodo adverso acompañado por frustración y ansiedad.

Funcionario: Indica que la persona que sueña necesita una figura autoritativa en su vida para señalarle el camino.

Funcionario Religioso: La aparición de un funcionario religioso indica tiempos difíciles llenos de problemas, desilusiones, ansiedad y frustración.

Funda de Espada: Soñar con la **funda de una espada** significa resolver un pleito amistosamente. **Perder una funda de espada** es señal de problemas abrumadores.

Funeral: Ver un funeral simboliza un matrimonio infeliz, hijos enfermizos y problemas domésticos. **Ver el funeral de un extraño** es un símbolo de preocupaciones. Si la **persona que sueña ve el funeral de su hijo**, significa buena salud para la familia, pero también es una amarga desilusión de una fuente inesperada. **Vestir de negro en un funeral** significa viudez prematura.

Furia: Tener furia violenta en un sueño significa riñas y violencia entre amigos. Si **otros están furiosos**, le sobrevendrá mala suerte en los negocios y la vida social. Si el **enamorado de una joven está furioso**, experimentarán malentendidos y disputas.

Futuro: Es un símbolo de economía y de evitar las extravagancias.

Gabán: **Soñar con un gabán** significa que otros harán enojar a la persona que sueña. Si **pide prestado uno,** sufrirá por los errores de otras personas. Si **ve o usa un gabán nuevo,** será extremadamente afortunado ya que se cumplirán sus deseos.

Gacela: Significa que la persona que sueña está solitaria.

Gachas: Ve **Cereal**.

Gafas Protectoras: Es una advertencia para la persona que sueña de no dejarse engañar para prestar dinero a compañeros dudosos.

Gaita: Si el músico está enojado y toca con brusquedad, la gaita no es una buena señal.

Galería de Arte: Pronostica algo negativo en el área matrimonial, donde la persona que sueña aparenta ser feliz en su situación actual, mientras anhela algo distinto.

Galgo: **Soñar con un galgo** es un buen sueño. Si el **perro está persiguiendo a una niña,** la persona que sueña recibirá un legado inesperado. Si la **persona que sueña es dueña de un galgo,** encontrará amigos donde esperaba encontrar enemigos.

Galletas: Ve **Bizcochos**.

Gallina o Gallo: Una **gallina con pollos** indica la necesidad de planear por adelantado con precisión antes de actuar. **Escuchar un gallo en un sueño** indica exagerada confianza en uno mismo.

Gallo: Soñar con un gallo es señal de éxito y fama, pero la persona que sueña dejará que se le suba a la cabeza. **Ver gallos de pelea** es señal de pleitos y competidores.

Galopar: Galopar en un caballo confirma que la persona que sueña está en un camino directo al éxito.

Ganado: Ver ganado indica éxito financiero en el futuro cercano. Demuestra la naturaleza conservadora de la persona que sueña y la tendencia a calcular todos los pasos. El **ganado negro y de cuernos largos** significa enemigos.

Ganancias: Soñar con ganancias es señal de éxito inminente. Si la **persona que sueña recibe una gran suma de dinero,** es señal de engaño, negaciones y que la pervierta uno de sus amigos íntimos.

Gancho: Es señal de cargas pesadas y desagradables para la persona que sueña.

Gangrena: Si la persona que sueña ve a alguien con gangrena, pronostica la muerte de un padre o pariente cercano.

Ganso: Un **ganso muerto** advierte que las expectativas de la persona que sueña no se cumplirán y puede esperar pérdidas. Si **sueña con gansos en el pasto**, se puede esperar un gran éxito. Los **gansos que nadan** muestran un aumento de la riqueza. Si el **graznido de los gansos molesta a la persona que sueña**, es una predicción de una muerte en su familia. **Desplumar un ganso** es una predicción de una herencia. **Comer un ganso** significa que otras personas reclamarán los bienes de la persona que sueña.

Garañón: **Soñar con un garañón** predice prosperidad y nivel social para la persona que sueña. Si la **persona que sueña cabalga en un hermoso garañón**, gozará de una subida meteórica a la fama y la fortuna, pero su nueva situación la corromperá. Si el **garañón está furioso**, la riqueza de la persona que sueña hará que se vuelva arrogante, con lo que alejará a sus amigos.

Garganta: **Soñar con una garganta hermosa** significa promoción. Una **garganta irritada** significa que un amigo no ha resultado ser del todo lo que esperaba la persona que sueña, para su mortificación.

Gargantilla: Una **gargantilla** simboliza el deseo de la persona que sueña de estar en el centro de todo. Si una **mujer sueña que recibe una gargantilla,** tendrá un esposo amoroso y una hermosa casa. **Perder una gargantilla** indica desamparo en el futuro cercano.

Gárgola: **Soñar con una gárgola** indica la separación de la persona que sueña y un amigo íntimo. Si una **gárgola**

cobra vida, significa que pronto aparecerán tristeza y desgracias.

Garrapatas: Ver garrapatas arrastrarse por nuestro cuerpo significa pobreza y enfermedad. Si la **persona que sueña aplasta una garrapata en su cuerpo**, significa que enemigos peligrosos están acosándola. Si **ve garrapatas enormes en su ganado**, significa que sus enemigos están tratando de huir con sus posesiones.

Garrote: Si la **persona que sueña es atacada** por un asaltante armado con un garrote, significa que sus enemigos la atacarán, pero al final podrá vencerlos; a lo que seguirá extraordinaria felicidad y prosperidad. Si la **persona que sueña ataca a alguien con un garrote**, le espera un viaje difícil y trivial.

Garza: Soñar con una garza sugiere que ocurre un cambio en la vida de la persona que sueña. **Ver una garza** puede interpretarse como símbolo de estancamiento, falta de desarrollo y estar atorado en una rutina.

Gas: Soñar con gas es señal de que la persona que sueña va a juzgar mal a otros y su conciencia estará atormentada por esto. La **asfixia por gas** significa que la conducta extravagante de la persona que sueña la llevará a tener problemas. **Apagar el gas** significa destruir la felicidad propia.

Gas Lacrimógeno: Si la persona que sueña emplea gas lacrimógeno para defenderse de atacantes, se le está advirtiendo de un peligro que puede evitar si está preparada para él.

Gasa: La **gasa** es un símbolo de suerte incierta. Si un **enamorado ve a su amada vestida con gasa semitransparente**, significa que puede influir en ella de manera positiva.

Gasolina: Ve **Combustible**.

Gatitos: Soñar con gatitos simboliza molestias e irritaciones interminables, y la única forma de terminar con ellas es matar los gatitos. Un **gatito gordo y blanco** significa que una mujer estará en peligro de que la defrauden, pero su sensatez lo impedirá.

Gato: Soñar con un gato es una indicación de astucia, subversión, falta de confianza y traición. El sueño impulsa a la persona que sueña a examinar a sus amigos y confidentes con cuidado. Si la **persona que sueña ve a un gato y no puede matarlo,** le traerá mala suerte. Si el **gato ataca**, la persona que sueña está en peligro ante sus enemigos, quienes la calumniarán y la arruinarán. Si **se deshace del gato,** superará todos los obstáculos y se elevará a la fama y la riqueza. Un **gato delgado y de mal carácter** pronostica malas noticias de lugares lejanos. **Escuchar el maullido o el gemido de un gato** significa que un falso amigo está dañando a la persona. Si un **gato araña a la persona que sueña,** perderá todos los frutos de sus esfuerzos ante un enemigo. **Soñar con un gato blanco y limpio** significa quedar enredado en cosas que parecen no ser dañinas y que al final causarán pesar y pérdida financiera.

Gaveta: Si la **persona que sueña ve dinero y joyería en una gaveta,** se predice éxito en el amor. Una **gaveta vacía** no promete nada excepto desilusión.

Gavillas: Soñar con gavillas significa sucesos felices y prosperidad.

Gaviota: La gaviota es una señal de malas noticias: es probable que la persona que sueña se entere de noticias que le causarán tristeza y pena.

Gaviotas: Un **sueño con gaviotas** profetiza tratar de manera amigable con personas tacañas. Las **gaviotas muertas** significan alejamiento de los amigos.

Gelatina: Soñar con **comer gelatina** indica muchas interrupciones agradables. Una **mujer que hace gelatina** tendrá reuniones felices con amigos.

Gemas: Pronostican buena suerte en el amor y en los negocios.

Gemelos: Ver gemelos en un sueño es una predicción de negocios seguros y felicidad doméstica. Si los **gemelos no son sanos,** significa que la persona que sueña tomará una decisión que sólo producirá desilusión y pesar.

Gemido: Si la **persona que sueña escucha un gemido,** predice terribles noticias de catástrofes y miseria. Si una **joven escucha un gemido,** la abandonarán cuando más lo necesite y quizá en su vergüenza.

Gemidos: Escuchar gemidos advierte a la persona que sueña que tiene que actuar rápidamente para impedir que sus enemigos la dañen. Si **gime de miedo,** se alegrará con la tendencia ascendente de su negocio, y con encuentros agradables con amigos.

Genitales: Un **sueño sobre genitales deformes o enfermos** (de mujer o de hombre) significa que la persona que sueña será tentada por un romance ilícito y escandaloso, que será destructivo. Si **expone sus genitales,** significa que está a punto de perder su buena reputación.

Geografía: Soñar sobre geografía significa que la persona que sueña viajará por todas partes.

Germen: Es una indicación de la hipocondría de la persona que sueña y de su constante miedo a la enfermedad.

Giga: Bailar una giga es señal de pasatiempos felices y frívolos. Si **baila el ser amado de la persona que sueña,** es señal de carácter alegre.

Gigante: Soñar con un gigante es señal de la habilidad de la persona que sueña para hacer frente y superar los problemas, a pesar de las privaciones que entrañe. **Ver un gigante** también puede ser una indicación de un problema emocional que se manifiesta principalmente como sentimiento de inferioridad.

Gimnasta: Este sueño significa mala suerte en empresas arriesgadas.

Girasol: Indica luz solar, fuego y calor.

Gis: Usar gis en un pizarrón es una señal de mala suerte. Si la **persona que sueña sostiene un puñado de gises**, indica desilusión.

Gitana: Soñar con una gitana advierte a la persona que sueña de tener cuidado con un estafador que la hará sufrir en el futuro. **Si la persona que sueña aparece como gitana**, es señal de que en el futuro vagará por otras tierras para buscar la felicidad. **Soñar con visitar un campamento de gitanos** significa  que la persona que sueña recibirá una proposición importante. Si **los gitanos le dicen su suerte a una mujer**, ella tendrá un matrimonio apresurado e inapropiado. Si **está casada**, tendrá celos de su marido sin justificación. Para un **hombre, hablar con un gitano** es una advertencia de perder bienes valiosos. **Comerciar con un gitano** predice pérdida de dinero como resultado de especulación.

Globo: Ver globos indica graves desilusiones en el futuro. Un **globo mayor a lo normal** sugiere que la persona es ambiciosa. Un globo que **cae de gran altura** significa regresión.

Gloria: Es señal de que la persona que sueña ha alcanzado el punto más alto de sus logros y en adelante, todo será cuesta abajo.

Golf: Un **sueño sobre golf** es señal de ilusiones y deseos placenteros. Si **algo malo sucede en el golf**, la persona que sueña puede esperar que la humillen por el descuido de otro.

Golondrina: Soñar con una golondrina indica un hogar feliz y sereno. Una **golondrina muerta o lastimada** es señal de pena profunda.

Golpear: Ser golpeado en un sueño es una indicación de disputas y riñas familiares. **Golpear a un niño** revela la tendencia de la persona para aprovecharse de otras personas, por lo general, de las más débiles.

Golpes: Un **sueño sobre golpes** es una advertencia de lesiones. Si la **persona que sueña recibe un golpe,** sufrirá de daño al cerebro. Si la persona que sueña **se defiende,** sus negocios prosperarán.

Gong: Es una advertencia falsa de enfermedad o señal de una pérdida muy molesta.

Gordura: Un **sueño sobre ponerse gorda** predice un cambio para mejorar en la vida de la persona que sueña. **Soñar que otros están gordos** es señal de prosperidad.

Gorgojo: Es señal de malos negocios y decepción en el amor.

Gorra Escocesa: Soñar con una gorra escocesa es señal de chismes y calumnias. **Las gorras escocesas negras** significan que los amigos del sexo opuesto no son confiables.

Gorra: Que una **mujer vea una gorra** es señal de una invitación a una fiesta. Una **gorra de prisionero** significa que está fallando el valor de la persona que sueña.

Gorrión: Si la **persona que sueña ve gorriones**, significa que está arropada por amor y felicidad, lo que significa que tendrá paciencia y compasión para tratar con los infortunios de otras personas. Si los **gorriones están lastimados o muertos**, puede sobrevenir infelicidad o pesar.

Gota: Un sueño sobre sufrir de gota significa que la persona que sueña se distraerá por la estupidez de algún pariente y también perderá dinero por culpa de la misma persona.

Grabado en Placa de Cobre: Es una advertencia de puntos de vista conflictivos en el hogar, los cuales pueden conducir a pleitos domésticos e inquietud.

Grabadora: Soñar con una grabadora significa que lo que dijo la persona que sueña volverá para atormentarla e incriminarla, en especial si lo escuchan las personas equivocadas.

Grajo: Un **sueño sobre un grajo** es una mala señal, predice enfermedad y disputas. Si la **persona que sueña atrapa un grajo**, vencerá a sus enemigos. **Matar un grajo** significa recibir propiedades polémicas.

Grajos: Significa que aunque la persona que sueña tiene verdaderos amigos, sus aspiraciones son mucho más modestas que las de ella, de manera que nunca podrán proporcionarle el nivel de placer y felicidad que anhela.

Granada: No es un buen sueño ya que le siguen pleitos y juicios. Si el **enamorado de la persona que sueña da una granada** o se presenta un **árbol de granadas**, sugiere que la persona que sueña teme la infidelidad sexual de su compañero. **Soñar con granadas** implica que la persona que sueña va a explotar sus talentos para enriquecer su mente y no para obtener placeres superficiales. **Comer una** indica enamorarse desesperadamente.

Granero: Un **granero lleno de cereales y maíz**, rodeado por ganado gordo, predice gran prosperidad. Un **granero vacío** indica pobreza.

Granizo: **Soñar con quedar atrapado en una tormenta de granizo** indica fracaso en cualquier empresa. Si la **persona que sueña ve caer granizo mientras brilla el sol**, le molestarán pequeñas preocupaciones que pronto desaparecerán. **Escuchar el golpeteo del granizo** es una mala señal.

Granja o Rancho: Un **sueño sobre caminar en una granja** significa éxito en los negocios. Si la **persona que sueña está enamorada**, se puede esperar una relación feliz.

Granjero: Sugiere una vida de prosperidad y abundancia; éxito en todas las áreas: económica, social, personal y salud.

Grano: Es un excelente sueño, predice riqueza y felicidad.

Grasa: Si la persona que sueña está cubierta de grasa, pronostica que se encontrará con extraños bien vestidos pero desagradables.

Grava: Soñar con grava simboliza empresas arriesgadas triviales. La **grava mezclada con arena** significa pérdida de propiedad por malas especulaciones.

Griego: Un **sueño sobre leer griego** significa que al final se prestará atención y adoptarán las ideas de la persona que sueña. **No poder leerlo** significa que tiene problemas técnicos.

Grifo: Un grifo del que sale agua indica crecimiento de los negocios y éxito financiero.

Grillo: Escuchar un grillo en un sueño predice noticias tristes, quizá de la muerte de un amigo distante. **Ver un grillo** indica una lucha continua contra la pobreza.

Gritos: Una **persona dormida que escucha gritos de dolor** tendrá graves problemas, pero se liberará de ellos e incluso se beneficiará como resultado de estar alerta. Un **grito de sorpresa** significa que la persona que sueña recibirá ayuda de personas inesperadas. Si **escucha un grito de auxilio**, significa que amigos o padres tienen infortunios o están enfermos. **Escuchar los gritos de animales silvestres** significa una enfermedad grave.

Grosellas (rojas): **Ver grosellas** significa que la persona que sueña está evitando a alguien que no puede enfrentar. **Recoger grosellas** es una indicación de la personalidad optimista de la persona que sueña: la habilidad de ver siempre el lado positivo.

Grosellas Silvestres: Recoger grosellas silvestres es señal de que los problemas en la casa o en los negocios se resolverán gradualmente. Se advierte a la persona que sueña que no coma **grosellas verdes,** las cuales atraen malas cosas. **Ver grosellas silvestres** significa que la persona que sueña va a escapar de alguna tarea atroz.

Grúa: Representa obstáculos y dificultades en el camino al éxito de la persona que sueña.

Grulla: Las **grullas que vuelan hacia el norte** presagian malas cosas en el campo de los negocios, desilusión para una mujer. Las **grullas que vuelan hacia el sur** indican una reunión feliz de amigos y la unión fiel y continua de enamorados. Si las **grullas aterrizan**, significa que están por suceder sucesos extraños.

Gruta: Es señal de amistades insatisfactorias. La calidad de vida de la persona que sueña se deteriora de una comodidad relativa a una pobreza insufrible.

Guadaña: Soñar con una guadaña significa que la persona que sueña no podrá concentrarse en su negocio o viaje por enfermedad o contratiempos. **Ver una guadaña**

vieja o dañada significa pérdidas de negocios o partida de antiguos amigos.

Guantes: Perder los guantes significa pérdida del control en los negocios o una pérdida monetaria por tomar decisiones incorrectas.

Guardarropa: Soñar con el guardarropa propio significa que la persona que sueña arriesgará su fortuna con el fin de parecer mejor de lo que en realidad es. Si la **persona que sueña tiene un guardarropa limitado**, se arriesgará.

Guardián: Soñar con un guardián significa que la persona que sueña será tratada con consideraciones por sus amigos.

Guerra: Soñar con la guerra significa fracasos en los negocios, caos y falta de armonía doméstica. Si la **persona que sueña declara la guerra**, significa éxito en las áreas de negocios y economía. Si la **persona que sueña es testigo en una guerra**, significa que debe evitar acciones que podrían  ponerla en peligro, y sólo actuar después de meditarlo con cuidado. Si el **enamorado de una joven va a la guerra**, escuchará algo malo respecto a él. Si el **país de la persona que sueña es conquistado en una guerra**, se llevará a cabo una revolución financiera y política que afectará sus negocios. Si **hay una victoria en la guerra**, los negocios mejorarán y la vida doméstica será armoniosa.

Guía o Instrucción: Significa que es probable que se presente una reunión en el futuro cercano con una persona que tiene influencia positiva en la persona que sueña.

Guijarros: Si una **joven sueña con guijarros**, señala que es egoísta y rencorosa. **Ver un sendero cubierto de guijarros** significa que ella puede esperar tener muchos rivales dignos.

Guirnalda: Soñar con una guirnalda de flores frescas significa que pronto la persona que sueña tendrá la oportunidad de hacer mucho dinero. Una **guirnalda seca** es señal de enfermedad y problemas de amor. Una **guirnalda nupcial** significa que situaciones inciertas se corregirán positivamente.

Guitarra: Si la **persona que sueña tiene una guitarra**, es señal de parrandas y de estar profundamente enamorada. **Tocar la guitarra** simboliza armonía doméstica.

Gusano: Soñar con gusanos significa aproximadamente lo mismo que un sueño sobre una culebra, pero en menor grado. (Ve **Culebra**.) Un **sueño sobre gusanos** significa que las tretas ruines de personas desagradables molestarán a la persona que sueña. Si **se arrastran gusanos sobre una joven**, significa que sus aspiraciones son materiales. Si **mata los gusanos o los desecha**, se elevará de lo puramente material y alcanzará un plano más moral y espiritual. **Usar gusanos como cebo** significa que la persona que sueña manipulará inteligentemente a sus enemigos para su provecho.

Gusano de Seda: Soñar con un gusano de seda es una indicación de un trabajo excelente, prestigioso y bien pagado. Los **gusanos de seda muertos** o los capullos recortados, significan mala suerte y dificultades.

Habitación: Simboliza los miedos que expresa la persona que sueña, o su relación insatisfactoria con su compañero.

Hablar: Soñar sobre hablar predice mala salud en la familia de la persona que sueña y preocupaciones de negocios. Si **otras personas hablan ruidosamente**, significa que la persona que sueña será acusada de entrometerse. Si **la persona que sueña piensa que se está hablando de ella,** es una advertencia de enfermedad e infelicidad.

Hacer Bromas: Hacer bromas a alguien significa que la persona que sueña será popular por su naturaleza extrovertida y su sentido del humor. También tendrá éxito en los negocios. Si **se burlan de la persona que sueña**, es probable que agrade a personas alegres y ricas. Si **se burlan de una joven,** ésta se enamorará de inmediato sin llegar a casarse.

Hacer Copias: Es señal de que van a fallar los planes.

Hacer Pan: Si una mujer sueña con hacer pan, es una señal de pobreza, demasiados hijos y mala salud.

Hacer Tejido de Lino: Es símbolo de diligencia y economía.

Hacha: Como resultado de libertinaje, la persona que sueña será víctima de las conjuras de personas que le tienen envidia. Soñar con un hacha significa el fin de una enemistad, pelea o disputa familiar. Un **hacha filosa** simboliza el progreso; un **hacha embotada** significa que el negocio será lento.

Hada: Este sueño presagia algo bueno para todos, ya que es la encarnación de la belleza.

Halcón: Este sueño significa que la gente envidiará la riqueza de la persona que sueña. Indica chismes maliciosos. Ver un halcón es señal de que la persona que sueña será estafada. **Matar a tiros un halcón** significa que al final superará obstáculos inflexibles. También significa que es probable que la persona que sueña gane una competencia con sus enemigos. Un **halcón muerto** significa la derrota de los enemigos.

Hambre: Si la **persona que sueña está hambrienta**, le faltarán amigos y trabajo. Si **otros están hambrientos**, el trabajo actual y las amistades de la persona que sueña sólo le producirán infelicidad. Soñar con el hambre es mala señal, ya que indica falta de armonía doméstica. Para los **enamorados**, es señal de un mal matrimonio. Ver hambre es un mal sueño, que predice fracaso en los negocios y enfermedad. Si los **enemigos de la persona que sueña mueren de hambre**, ésta tendrá éxito.

Hambruna: Si la **persona que sueña está famélica**, significa que un proyecto del que estaba segura está en camino a fracasar. Un **sueño sobre otras personas que están famélicas** es señal de mala suerte, tanto para la persona que sueña como para otras personas.

Harén: Si la **persona que sueña tiene un harén**, significa que se está desperdiciando en placeres viles. Por lo general, una **mujer que sueña con pertenecer a un harén** busca hombres casados.

Harina: **Soñar con harina** es un símbolo de una vida simple pero feliz. **Comerciar con harina** es señal de especulaciones arriesgadas.

Harina de avena: Comer harina de avena en un sueño significa que la persona que sueña merece disfrutar la riqueza que tanto trabajo le costó conseguir. Si una **joven sueña con prepararla**, pronto será responsable del destino de otros.

Harina de Maíz: Es una indicación de amor que es una maravillosa diversión de las preocupaciones del estudio y los negocios.

Hebilla: Predice gran cantidad de invitaciones agradables, además de caos en asuntos de negocios.

Hechicero: Pronostica que las aspiraciones de la persona que sueña no se harán realidad y sufrirán una transformación. Soñar con un hechicero significa que la persona que sueña tendrá una familia grande que le causará desagrado e incomodidades. Para **personas jóvenes**, este sueño es una predicción de pérdida y separaciones.

Helado: Un **sueño sobre helados** indica éxito en empresas arriesgadas que realice la persona que sueña. Si **niños comen helado en un sueño**, indica felicidad y prosperidad. El **helado que se acaba** significa que se destruirá la alegría de la persona que sueña. El **helado derretido** significa que sus placeres no alcanzarán la consumación.

Helecho: Indica un apetito sexual demasiado grande.

Helicóptero: Un **helicóptero que flota sobre la persona que sueña** es señal de que un huésped está a punto de arribar. Si el **helicóptero parece amenazador**, el visitante será peligroso. **Escuchar el ruido de un helicóptero** es señal de un viaje inminente.

Heliotropo: Significa que la persona que sueña será infeliz en sus relaciones personales.

Hemorragia: Advierte de problemas de salud que se deben atender.

Heredero: Soñar con ser un heredero de propiedades significa que la persona que sueña arriesga perder lo que tiene. A veces, a este sueño siguen cosas buenas.

Herencia: Soñar con recibir una herencia significa que la persona que sueña alcanzará todos sus deseos y objetivos. **Heredar joyería** significa prosperidad inesperada pero no completamente positiva.

Herida: Soñar con estar herida es señal de aflicción y problemas en los negocios. Si **otros están heridos**, la persona que sueña será juzgada injustamente por sus amigos. **Vendar una herida** significa que pronto la persona que sueña será afortunada.

Hermanastra: Soñar con tener una hermanastra es señal de preocupaciones inevitables y responsabilidad.

Hermano: Un **sueño sobre un hermano** se debe interpretar de acuerdo a los rasgos del carácter de la familia de la persona que sueña. Un sueño sobre un **hermano muerto** significa que pronto llamarán a la persona que sueña para prestar ayuda financiera o de otro tipo.

Herradura: Significa que la persona que sueña hará un viaje por mar en el futuro cercano.

Herrero: Es muy raro soñar con un **herrero**. Sin embargo, indica que el espíritu está dividido en dos.

Hervir: Una **olla de agua hirviendo** es una buena señal para las mujeres e indica deberes sociales agradables. Una **tetera hirviendo** significa que los problemas de la persona que sueña están terminando y que le esperan buenos tiempos.

Hidrofobia (rabia): Si la **persona que sueña tiene hidrofobia,** es una indicación de enemigos y cambios en los negocios de la persona que sueña. Si **ve a otros con la enfermedad,** la muerte interrumpirá su obra. Si un **animal con rabia la muerde**, significa que será traicionada por su amigo más cercano, mientras existe conmoción por el escándalo.

Hiedra: Soñar con hiedra indica que la persona que sueña es sensible y dedicada respecto a las tradiciones con que creció y con la gente cercana a ella. La **hiedra que crece en árboles** es una predicción de alegría, salud excelente y buena suerte. La **hiedra marchita** es un símbolo de miseria y relaciones rotas.

Hielo: Ver hielo es señal de problemas, ya que personas malignas tratarán de sabotear el trabajo de la persona que sueña. El **hielo que flota en una corriente clara** significa que la felicidad de la persona que sueña se trastornará por la malicia de amigos envidiosos. **Caminar en hielo** significa arriesgar beneficios sólidos por placeres momentáneos. **Comer hielo** es señal de enfermedad, como lo es beber agua helada.

Hiena: Un sueño sobre una hiena es señal de infortunio y problemas, además de momentos desagradables con conocidos. Un **ataque de una hiena** pronostica un intento de arruinar la reputación de la persona que sueña.

Hierbas: Después de **soñar con hierbas**, la persona que sueña experimentará algunas controversias, seguidas por alegría. Las **hierbas venenosas** indican enemigos. Las **hierbas útiles** significan buenos negocios y amistades.

Hierro: Soñar con hierro es una señal muy mala. Una **pesa de hierro** en un sueño significa preocupaciones y pérdida financiera. El **hierro oxidado y viejo** es un símbolo de pobreza y desilusión. Un **hierro al rojo vivo** significa pérdida de éxito por entusiasmo mal dirigido.

Hierro Laminado: Ver hierro laminado significa que la persona que sueña está enfrentado con seriedad las críticas de otros, en su detrimento. **Caminar sobre hierro laminado** simboliza encuentros desagradables.

Hígado: Soñar con tener algún trastorno del hígado significa que la pareja de la persona que sueña tendrá mal carácter y la falta de armonía reinará en su casa. **Soñar con comer hígado** significa que el enamorado de la persona que sueña fue seducido por alguien más.

Higo: Es predicción de buenas noticias.

Hija: Si la **persona que sueña ve a su hija,** van a desaparecer muchas controversias, remplazadas por felicidad y serenidad. Si **su hija es desobediente**, la persona que sueña experimentará cólera y descontento.

Hijo: Si la **persona que sueña ve a su hijo como obediente y bien parecido**, éste le proporcionará mucha alegría, además de orgullo por sus logros. Un **sueño sobre un hijo perdido, mutilado o enfermo** advierte sobre el futuro. Si una **madre escucha llorar a su hijo por el gran peligro en que se encuentra**, se presentarán enfermedades, desamparo y pena. Si **lo rescata,** desaparecerán de inmediato todos los riesgos o peligros.

Hilar: Si la persona que sueña está hilando, ejecutará un proyecto que es perfectamente apropiado para ella en todo aspecto.

Hilo: Soñar sobre hilo significa que el camino a la riqueza de la persona que sueña es largo y retorcido. Un **hilo roto** indica desilusión o pérdida causada por el carácter compasivo de la persona que sueña y la traición de amigos.

Hilvanar (costura): Es señal de que la mujer experimentará muchos agravios por su extravagancia.

Himnos: Es señal de felicidad doméstica y prosperidad razonable.

Hinchazón: Si la **persona que sueña ve su cuerpo hinchado,** significa que será próspera, pero su egoísmo será un obstáculo. Si **ve a otros hinchados,** su mejoramiento en la vida será considerado con envidia.

Hipnotizador: Si la **persona que sueña está en un trance hipnótico,** significa que sus enemigos la tienen en su poder. Si **es quien tiene a otros en su poder,** significa que mandará en su entorno.

Hipócrita: Si **alguien ha actuado en forma hipócrita hacia la persona que sueña,** significa que amigos desleales la han traicionado y entregado a sus enemigos. Si **es un hipócrita,** actuará falsamente con sus amigos.

Hipopótamo: Advierte de tener sobrepeso o se refiere a sentimientos de inferioridad.

Hipoteca: Si la **persona que sueña hipoteca una propiedad**, significa que tiene problemas financieros que le causarán turbación. Si **da una hipoteca a otros**, significa que no tiene suficiente dinero para pagar sus deudas.

Historia: Soñar con leer historia significa pasar el tiempo agradablemente.

Hocicos: Es una señal de tiempos peligrosos para la persona que sueña, la acosan las vicisitudes y los enemigos.

Hogar: Visitar el antiguo hogar pronostica buenas noticias. Si **la antigua casa está en ruinas**, advierte de la muerte o enfermedad de un pariente. **Regresar a una casa brillante y agradable** significa armonía doméstica y prosperidad en los negocios.

Hoja de Oro: Es un augurio de un futuro exitoso.

Hoja de Vidrio: Manejar una hoja de vidrio significa que los asuntos de la persona que sueña son inciertos. Si **la rompe**, es señal de fracaso. **Hablar a alguien a través de una hoja de vidrio** significa que existen obstáculos fastidiosos en el camino de la persona que sueña.

Hojas: Un **sueño sobre hojas** es señal de que mejorarán la vida amorosa y los negocios de la persona. Las **hojas marchitas** significan que la persona que sueña está frustrada por una mala decisión que tomó y le seguirá pérdida y desilusión. Las **hojas verdes y recién cortadas** son la señal de un excelente matrimonio para una mujer... mientras que las **hojas secas** significan una vida solitaria y a veces la muerte.

Hollín: Ver hollín en un sueño es señal de mala suerte en los negocios, y una predicción de disputas entre enamorados.

Hombre: Soñar con un **hombre guapo** indica buenos sucesos para la persona que sueña. Un **hombre deforme** significa preocupaciones y desilusiones. Si una **mujer sueña con un hombre guapo**, recibirá honores. Si **sueña con uno horrible**, uno de sus amigos le causará ansiedad.

Hombre de Mar: Soñar con ser un **hombre de mar** es señal de un viaje agradable a lugares lejanos. Si la **persona que sueña ve su barco zarpar sin ella**, los rivales le causarán problemas.

Hombrera: Un **soldado que sueña con hombreras** estará temporalmente en desgracia, pero pronto recibirá una promoción. Si una **mujer sueña con conocer a una persona con hombreras**, significa que está a punto de presentarse un escándalo.

Hombro: Ver hombros desnudos es señal de cambios positivos y un nuevo punto de vista sobre la vida. Si la **persona que sueña ve sus propios hombros huesudos**, necesitará de otras personas para entretenerse y divertirse.

Homicidio: Pronostica una gran humillación en manos de otros y la desesperación de la persona que sueña apenará a otros.

Homicidio No-premeditado: Si una mujer sueña con estar ligada de alguna manera a un homicidio no-premeditado, significa que teme que se le nombre en algún escándalo.

Hongos: Ver hongos significa que la persona que sueña tiene deseos de mal gusto y se apresura a acumular dinero, el cual perderá en juicios. **Comer hongos** significa vergüenzas y amores escandalosos.

Honor: Es señal de que la persona que sueña debe tomar precauciones en asuntos de dinero y adoptar patrones de conducta más económicos.

Hormigas: Un **sueño de hormigas** sugiere que el soñador reorganiza su vida profesional y le hace cambios. Las **hormigas que son particularmente molestas** indican un periodo inminente de frustración y desengaños.

Horno: La **persona que sueña que ve un horno** necesita calor y contacto humano amistoso. Si una **mujer sueña que su horno está caliente**, todos la amarán por su naturaleza dulce. Si **está horneando**, experimentará desilusiones pasajeras. Un **horno roto** indica irritaciones causadas por empleados e hijos. Un **horno funcionando** es señal de buena suerte. Un **horno descompuesto** significa problemas con los hijos o con los empleados. **Caer en un**

horno pronostica sucumbir ante un enemigo en los negocios.

Horno de Cal: Señala a la persona que sueña que nada bueno se encuentra en el futuro cercano, ni en negocios ni en el amor.

Horno de Microondas: Usar un horno de microondas para preparar una comida significa que la persona que sueña puede esperar una visita de huéspedes indeseables.

Horóscopo: Soñar con que le tracen un horóscopo indica un largo viaje y cambios en asuntos de negocios. Si **se muestran las estrellas a la persona que sueña mientras se hace el horóscopo**, puede esperar desilusión en lugar de suerte.

Horquilla (para paja)**: Soñar con una horquilla** es señal de la lucha de la persona que sueña para mejorar por sí misma y para su prosperidad. Si **la ataca una persona armada con una horquilla**, significa que tiene enemigos que quieren dañarla.

Hospicio: Es señal de amigos desleales que se asocian con la persona que sueña sólo para apoderarse de su dinero y posesiones.

Hospital: Si una **persona saludable sueña con un hospital**, significa que teme a la enfermedad y la muerte. **Soñar con ser tratado en un hospital** por personal médico indica miedo al futuro.

Hotel: Soñar con un hotel significa que la persona que sueña necesita cambios en su vida y le advierte de tomar decisiones apresuradas. **Soñar con vivir en un hotel** es señal de comodidad y prosperidad. **Visitar mujeres en un hotel** es señal de vida decadente. **Ver un hotel elegante** significa viajes y riqueza. **Ser propietario de un hotel** significa que la persona que sueña acumulará todo el dinero que siempre ha deseado ganar. **Trabajar en un hotel** insinúa que la persona que sueña podría encontrar un trabajo más lucrativo. **Buscar un hotel** significa que la persona que sueña será anulada en su búsqueda de riqueza y felicidad.

Huérfano: Soñar con consolar a huérfanos causará que la persona que sueña sacrifique sus propios placeres con el fin de ayudarlos. Si los **huérfanos son parientes de la persona que sueña**, tendrá nuevas obligaciones que causarán que pierda amigos.

Huerto: Los enamorados que caminan en huertos verdes y floridos predicen la consumación del cortejo. Si el **huerto está lleno de frutas**, significa que se premiará a los empleados leales por sus servicios, los propietarios de negocios tendrán éxito y los hogares serán felices y armoniosos. Si el **huerto está rodeado por una cerca**, significa que la persona que sueña anhela algo inalcanzable. Si el **huerto está enfermo con tizón**, predice bajeza a pesar de alegría y fortuna. Si la **persona que sueña se atora en unas zarzas del huerto,** tiene un rival celoso; también indica una terrible disputa doméstica. Una **huerta**

árida indica que la persona que sueña no se dará cuenta de oportunidades para avanzar en la vida. Si una **tormenta golpea a la huerta**, es una predicción de huéspedes inoportunos.

Huesos: Si la **persona que sueña ve que sus huesos sobresalen** de la carne, significa que será víctima de traición. Un **montón de huesos** indican hambre y malas influencias.

Huesos Cruzados: Es una advertencia de que otras personas causarán problemas a la persona que sueña, y dificultarán su prosperidad.

Huevo: La **aparición de un huevo o comer un huevo** indica que la persona que sueña pronto aumentará su riqueza y estará más establecida en la vida. Un **huevo roto o descompuesto** pronostica fracaso o pérdida. **Soñar con gran cantidad de huevos** significa mejoría en la situación financiera de la persona que sueña. **Dos huevos** en un nido testifican el apoyo de una familia amorosa. ¡**Tres huevos** en un nido indican una adición a la familia!

Huevos de Pescado: Es señal de calma y comodidad para la persona que sueña.

Huída o Huir: Si la **persona que sueña huye**, significa malas noticias de personas lejanas. Si **algo huye de la persona que sueña**, significa que triunfará en cualquier desacuerdo.

Humedad: Es señal de una fiera lucha contra enemigos, que la persona que sueña perderá por completo. También indica que la persona que sueña será maldecida y no podrá ver el futuro con optimismo alguno.

Húmedo: Soñar con estar húmedo significa que cierto placer podría causar pérdida y enfermedad a la persona que sueña. Debe tener cuidado con las tentaciones que le ofrecen personas que parecen tener buenas intenciones. Si una **joven sueña que está empapada,** experimentará la deshonra como resultado de tener un amorío con un hombre casado.

Humo: Soñar con humo predice ansiedad y deliberaciones. El **humo negro** advierte de posibles problemas en la vida familiar. Si la **persona que sueña es agobiada por el humo,** la halagarán personas sin escrúpulos.

Huracán: Ver un huracán turbulento significa que la persona que sueña experimentará una terrible tensión conforme intenta salvar su negocio del desastre. Si la **persona que sueña trata de rescatar a alguien de las ruinas de una casa,** significa que se cambiará de casa y hará cambios, pero no alcanzará la felicidad. Si **ve las víctimas del huracán,** significa que se trastornará con los problemas de otras personas.

Hurto: Ve **Robo.**

Ictericia: Soñar con ictericia es señal de prosperidad después de un revés. Si la **persona que sueña ve a otros con ictericia**, la atormentarán las preocupaciones de los negocios y compañías desagradables.

Ideal: Un **sueño sobre el hombre ideal** significa que se interrumpirá la felicidad y la alegría de la mujer. Un **sueño sobre la mujer ideal (por un soltero)** significa que pronto experimentará un cambio positivo en sus asuntos.

Idiota: Un **idiota en un sueño** predice pérdidas y disputas. Si la **persona que sueña es el idiota**, experimentará humillación y tristeza sobre planes fallidos. Si **son niños los idiotas**, nada bueno aguarda a la persona que sueña.

Ídolos: Un **sueño sobre la adoración de ídolos** significa que la persona que sueña no avanzará, ya que permite que pequeñeces lo detengan. La **iconoclastia** significa que la persona que sueña tendrá éxito, sin importar los obstáculos. Si **otros adoran ídolos**, significa que la persona que sueña abandonará a sus amigos.

Iglesia: Ver una iglesia predice desilusiones en metas que se han anticipado por largo tiempo. Si la **persona que sueña entra a una iglesia en la oscuridad**, significa que pronto asistirá a un funeral. No hay mucha esperanza de un futuro mejor.

Iluminación: La **iluminación extraña en un sueño** significa fracaso en todas las áreas. Los **cielos iluminados** con cuerpos celestes distorsionados significan pesar y tristeza extremos. Si la persona que sueña ve **serpientes, u otras criaturas que se arrastran, iluminadas**, significa que sus enemigos harán todo lo posible por derrotarla.

Imágenes: La **vista de las imágenes** presagia fracasos en el amor y los negocios. Las **imágenes horribles** significan disputas domésticas.

Imán: Soñar con un imán significa que fuerzas negativas van a influir sobre la persona que sueña, quizá la seduzca una mujer. Si la **persona que sueña es mujer**, significa que logrará riqueza y protección.

Imitación: Un sueño sobre imitaciones significa que engañarán a la persona que sueña.

Impedimento: Si la **persona sueña que tiene un impedimento**, puede esperar mejoría en su nivel social y en otras áreas de la vida. **Superar un impedimento** significa que la persona que sueña superará obstáculos en su camino; también es verdad lo **contrario**.

Importunar o Fastidiar: Cualquier tipo de molestia significa que una charla sin sentido e inútil puede causar daño.

Impresor: Si un **impresor** aparece en un sueño, significa que la persona que sueña tendrá dificultades económicas si no tiene cuidado. Si una **mujer sueña con algún tipo de relación con un impresor,** significa que su elección de amigos no será aprobada por sus padres.

Impuestos: Si la **persona que sueña paga impuestos,** vencerá a las fuerzas del mal en su entorno. Si **no puede pagar los impuestos,** sus labores no tendrán éxito. Si **otras personas pagan impuestos,** la persona que sueña tendrá que pedir ayuda a sus amigos.

Inauguración: Soñar con una inauguración sugiere que la persona que sueña alcanzará la posición más elevada que haya tenido.

Incendio: Un **sueño sobre flamas o un incendio** indica la erupción de rabia reprimida. **Acabar con un incendio** significa que la persona que sueña pronto recibirá buenas noticias inesperadas.

Incesto: Soñar con acciones incestuosas significa que la persona que sueña caerá en desgracia desde una posición elevada, además de tener pérdidas financieras.

Incienso: Un sueño en que la persona que sueña quema o huele incienso es una indicación de amigos estimados y de un futuro prometedor.

Incoherencia: Por lo general, es la manifestación de un estado de gran agitación por una rápida secuencia de eventos.

Incomodidad: Si el soñador expresa incomodidad o enojo, es una señal de que su vida será exitosa y feliz.

Independencia: Si la **persona sueña con ser muy independiente**, es una advertencia de un rival que intenta hacerle daño. Si **sueña con volverse rico independientemente**, significa que su futuro es promisorio.

Indiferencia: Este sueño indica amistades breves y bondadosas.

Indigente: Soñar con ser indigente presagia sucesos malos para la persona que sueña. **Ver indigentes** significa que tendrá que ser generosa.

Indigestión: Es una indicación de un entorno insalubre y deprimente.

Índigo: Ver índigo significa que la persona que sueña estafará las propiedades de personas amistosas e inocentes. El **agua de índigo** es una indicación de una sórdida aventura amorosa.

Indulgencia: Si una mujer sueña con la indulgencia, significa que criticarán su conducta.

Indulto: Si se **indulta a la persona que sueña**, superará obstáculos pesados. Si se **indulta al enamorado de**

una joven, es señal de buena suerte para él, lo cual es significativo para ella.

Infidelidad: Por extraño que parezca, es un sueño positivo. Un **sueño de amigos infieles** significa que mantendrán el alta estima de la persona que sueña. Si un **enamorado sueña que su amada es infiel,** es señal de un feliz matrimonio.

Infierno: Soñar con el infierno indica que la persona que sueña es avariciosa y materialista, y que lo que más le preocupa es el dinero. Un **sueño sobre el infierno** no augura nada bueno. Se pueden esperar pérdidas financieras, y se alegrarán los enemigos de la persona que sueña.

Influencia: Si la **persona que sueña espera avanzar mediante la influencia e intervención de personas en puestos elevados**, se desilusionará. Sin embargo, si **tiene una posición elevada**, sus expectativas son excelentes. Si **ve amigos en puestos altos**, se liberará de ansiedades.

Ingeniero: Ver a un ingeniero en un sueño significa reuniones felices después de jornadas agotadoras.

Inglés: Un extranjero que encuentra ingleses estará sujeto a las intenciones egoístas de otros.

Ingreso: Soñar con recibir su ingreso significa que la persona que sueña podría estafar a alguien o causar angustia a su familia. Si **alguien en su familia empieza a recibir ingresos**, significa éxito. Si el **ingreso de la per-**

sona que sueña no es suficiente, significa que habrá problemas para personas cercanas a ella.

Inmortalidad: Si la persona que sueña discute la inmortalidad del alma, significa que está en camino a un mayor conocimiento y a la oportunidad de hablar con personas cultas.

Inquilino: Si un **propietario sueña con su inquilino**, tendrá controversias. Si la **persona que sueña es la inquilina**, sufrirá pérdidas en los negocios por poner a prueba sus ideas. Si un **inquilino paga a la persona que sueña**, es señal de éxito. Si una **mujer sueña con tener inquilinos**, significa que no estará dispuesta a conocer secretos negativos. Un **inquilino que se va sin pagar** significa que puede esperar problemas con los hombres. Si el **inquilino paga**, es una buena señal, significa ganancia financiera.

Inquisición: Un **sueño sobre la inquisición** sólo significa problemas y desgracias. Si **se lleva a la persona que sueña ante una inquisición**, será impotente ante calumnias malignas.

Inscripción: **Ver una inscripción** indica la aproximación de malas noticias. Si la **persona que sueña está leyendo inscripciones en tumbas**, se enfermará de gravedad. Si escribe una, perderá a un amigo querido.

Insecto: Simboliza dificultades y desilusiones en los negocios o en la vida doméstica de la persona que sueña.

Instrumentos: Un **sueño sobre instrumentos** significa que la persona que sueña no puede llevar a cabo sus planes. Los **instrumentos rotos** significan enfermedad, muerte o fracasos en los negocios.

Instrumentos Quirúrgicos: Verlos en un sueño indica que la persona que sueña se sentirá ofendida porque un amigo le oculte algo.

Insulto: Indica que la persona que sueña tiene un fuerte deseo de cambio en su vida (en su trabajo o lugar de residencia).

Insultos: Si la persona que sueña **insulta a alguien**, es señal de pérdidas financieras. Si **se le insulta**, sufrirá a manos de sus enemigos. El **lenguaje insultante dirigido a una joven** indica que alguien está celoso de ella. **Que ella utilice lenguaje insultante** indica que la van a rechazar, lo que hará que se arrepienta de su mala conducta hacia sus amigos.

Intercambio: Soñar sobre un intercambio es señal de buenos tratos de negocios. Una **joven que sueña con intercambiar novios** con su amiga debe hacerlo si desea asegurar su futura felicidad.

Interceder: Si la persona que sueña intercede por alguien más, recibirá ayuda en tiempos de necesidad.

Intérprete: Soñar con un intérprete significa que la persona que sueña tomará parte en asuntos improductivos.

Interruptor de vías: Soñar con un interruptor simboliza reveces de fortuna y desaliento. Un **interruptor roto** es una indicación de humillación y controversias. **Soñar con un cambio de vías de tren** indica pérdidas que se producen por viajes.

Intersección: Significa exactamente eso: La persona que sueña ha llegado a una encrucijada en su vida y debe tomar decisiones que afectarán su destino.

Intestino: La **aparición de intestinos en un sueño** es muy negativa, prediciendo una catástrofe que causará la muerte de un amigo de la persona que sueña. Si **ve su propio intestino**, significa que sufrirá con una enfermedad que la separará de su entorno.

Intimidad: Si la **intimidad de la persona que sueña** es turbada, la molestarán personas poco consideradas. Una **mujer** que tiene este sueño debe tener cuidado con sus asuntos privados y no interferir con los de su compañero.

Intoxicación: Es una indicación de que la persona que sueña alberga deseos inmorales secretos.

Inundación Repentina: Ver una inundación repentina es una indicación de peligro en el horizonte. **Vencer una inundación repentina** o una fuerte corriente de agua indica que se superarán obstáculos y se alcanzará el éxito como resultado del trabajo duro.

Inundación: Ver ciudades o países bajo el agua predice catástrofes y pérdida masiva de vidas. Si la **gente es arrastrada por**

una inundación, es señal de muerte y desesperación. Si un **área extensa está bajo agua clara,** significa prosperidad después de una batalla que parece sin esperanza.

Inválido: Un **sueño sobre inválidos** significa que la persona que sueña está en compañía de personas desagradables que desean dañar sus intereses. Si **es inválida,** advierte de condiciones negativas.

Invectiva: Soñar con invectivas es una advertencia contra arranques de enojo con amigos cercanos. Si **otros lanzan invectivas,** significa que sus enemigos están atrapando a la persona que sueña.

Inventor: Soñar con un inventor significa que la persona que sueña pronto será reconocida por algún proyecto especial. Si la **persona que sueña está inventando algo,** tendrá éxito en sus planes y asuntos financieros.

Invierno: El **clima invernal** indica éxito en el futuro cercano. Un **sueño sobre el invierno** a veces se interpreta como señal de problemas familiares, en especial de las relaciones padre e hijo. También indica mala salud y negocios lentos.

Invitar: Un **sueño sobre invitar personas a la casa** significa que es inminente un suceso perturbador. **Recibir una invitación** significa que la persona que sueña escuchará malas noticias.

Isla: Estar en una isla en medio de una corriente de agua cristalina significa buenos viajes y suerte en los negocios. **Para una mujer**, también significa un feliz matrimonio. Una **isla árida** significa exactamente lo contrario, por la conducta extrema de la persona que sueña. **Ver una isla** es una señal positiva para el futuro de la persona que sueña, después de muchas luchas.

Jabalina: Si la **persona que sueña tiene que defenderse con una jabalina**, significa que sus asuntos más privados se han vuelto públicos con el fin de demostrar que es culpable de perjurio; sólo después de muchas discusiones se probará su inocencia. Si una **jabalina la hiere**, sus enemigos la derrotarán. **Ver a otros portando jabalinas** es una amenaza a los intereses de la persona que sueña.

Jabón: **Soñar con jabón** significa que la persona que sueña se divertirá haciendo cosas poco comunes con sus amigos. Si una **mujer sueña con hacer jabón**, tendrá una vida cómoda.

Jacinto: Pronostica una separación desconsoladora de un amigo, la cual, sin embargo, al final será para mejorar.

Jactancia: Si la **persona que sueña se jacta ante un rival**, significa que empleará métodos injustos para vencer a su rival. **Escuchar jactancias** en un sueño significa que el soñador vivirá para lamentar una acción impulsiva que causó problemas a sus amigos.

Jalea: **Soñar con comer jalea** es señal de sorpresas y viajes agradables. **Hacer jalea** indica un hogar feliz y buenos amigos.

Jamón: Un **sueño sobre jamón** es una advertencia contra las traiciones. Las **rebanadas grandes de jamón** significan que la persona que sueña superará a toda competencia. Si **come jamón**, perderá algo de valor. **Comerciar con jamón** es señal de salud y prosperidad.

Jardín: Un **sueño sobre un jardín** significa buenas noticias: un matrimonio exitoso, prosperidad económica y abundancia material. Un **jardín con flores** simboliza un negocio en expansión y paz interna. Un **jardín de verduras** indica la necesidad de tomar medidas precautorias.

Jardines Zoológicos: Visitar un zoológico es señal de un futuro bueno y próspero mezclado con algunos conflictos con enemigos. **Ver un zoológico** también significa que la persona que sueña viajará y vivirá en otros países.

Jarro: Soñar con un jarro es una indicación de la naturaleza agradable y dadivosa de la persona que sueña; tendrá éxito. Un **jarro roto** indica perder amigos.

Jarrón: Ver un jarrón indica que la persona que sueña es egocéntrica y sólo se preocupa por su propio bien, y que debe demostrar un nivel más alto de comprensión y sensibilidad hacia los demás. **Soñar con un jarrón** es señal de vida doméstica muy feliz. **Beber de un jarrón** predice las emociones de una aventura amorosa ilícita. Un **jarrón roto** significa dolor intempestivo. Si una **joven recibe un jarrón** su deseo más ferviente pronto se hará realidad.

Jaspe: Es buena señal, significa amor y éxito.

Jaula: Si una **joven soltera sueña con una jaula,** es señal de que pronto recibirá una propuesta de matrimonio. Si un **hombre sueña con una jaula,** significa que se casará en forma prematura. **Dos aves en una jaula** indican una vida matrimonial maravillosa y feliz. Ninguna ave en una jaula indica la pérdida de un miembro de la familia. **Ver animales silvestres en jaula** significa que la persona que sueña vencerá a sus enemigos. Si la **persona que sueña está en la jaula con los animales silvestres,** predice accidentes espantosos mientras se viaja.

Jazmín: Indica que la persona que sueña no está explotando ni siquiera una porción de sus talentos y habilidades.

Jefe: Ve **Director**.

Jeringa: Ver una jeringa significa que la persona que sueña sufrirá una conmoción sin justificación por malas noticias de la salud de un pariente. Una **jeringa rota** significa males sin importancia y preocupaciones de nego- cios.

Jeroglíficos: Ver jeroglíficos pronostica que la indecisión de la persona que sueña en un asunto importante le causará problemas y pérdidas financieras. Si la **persona que sueña puede descifrar jeroglíficos,** significa que superará malas cosas.

Jilguero: Si un **jilguero vuela rápidamente a su alrededor**, significa que la persona que sueña quedará paralizada de miedo respecto al futuro como resultado de algún suceso trascendental. Si el **jilguero está enfermo o muerto**, significa que la persona que sueña sufrirá por la estupidez de otra persona.

Jirafa: Significa graves problemas sexuales, en especial si la persona que sueña es un hombre soltero.

Jitomate: Ver jitomates significa que la persona que sueña tiene necesidad de participación social. **Comer jitomates** es señal de buena salud. **Ver crecer jitomates** significa satisfacción en el hogar. Si una **joven ve un jitomate firme y maduro**, se casará felizmente.

Jockey: Soñar con un jockey significa que la persona que sueña estará feliz de recibir un regalo de un origen inesperado. Si un **jockey es derribado de su caballo**, se pedirá a la persona que sueña que dé su ayuda a extraños.

Jornalero: Soñar con un jornalero indica dinero desperdiciado en viajes triviales. Para una **mujer**, los viajes son inesperados pero agradables.

Joroba: Indica gran éxito en el futuro cercano.

Joven: Ver jóvenes significa hacer la paz en disputas familiares y hacer planes para nuevas empresas de negocios. **Soñar con ser joven de nuevo** significa que la persona que sueña tratará en vano de recuperar las oportunidades perdidas. **Ver jóvenes en la escuela** significa que la persona que sueña será próspera.

Joyas: Por lo general, **soñar con joyas** indica felicidad y riqueza. **Usarlas,** sea la persona que sueña u otros, es señal de jerarquía y satisfacción de las ambiciones. La **ropa con joyas** es sorprendente buena suerte para la persona que sueña. Para una **mujer, recibir joyas** significa felicidad y un buen matrimonio. **Perder joyas** significa que la engañarán con adulación y la estafarán. **Comprar joyas** significa que la persona que sueña tendrá gran éxito en el amor.

Joyería: Soñar con joyería es señal de que la persona que sueña es afortunada. La **joyería rota** pronostica desilusión. **Recibir joyería como regalo** significa un matrimonio feliz. **Perder joyería en un sueño** sugiere problemas causados por jugar por dinero.

Juego: Si la **persona que sueña está participando en un juego competitivo**, significa que pronto recibirá noticias agradables. Si la **persona que sueña sólo está observando un juego**, significa que en realidad está muy celosa de uno de sus amigos.

Juego de la Gallina Ciega: Soñar con este juego indica que la persona que sueña está a punto de hacer algo que le causará humillación y pérdida financiera.

Juego de Tejos: Jugar a los tejos significa un despido de un buen empleo. **Perder el juego** es señal de mala suerte.

Juego por Dinero: Jugar activamente por dinero en una mesa durante el sueño simboliza una pérdida futura en los negocios.

Juegos: Soñar con juguetes limpios y bien cuidados es señal de felicidad y alegría para la persona que sueña. Los **juguetes rotos** indican dificultades y periodos tristes, incluso la muerte. **Ver niños que juegan con juguetes** simboliza un matrimonio feliz. Si la **persona que sueña se deshace de sus juguetes**, la condenarán al ostracismo social.

Juez: Soñar con un juez indica claramente que la persona que sueña no debe apresurarse a juzgar a otras personas o a determinar su culpabilidad o inocencia. **Presentarse ante un juez** significa que una disputa sólo se arreglará en un juzgado.

Juicio: Un **sueño sobre un juicio** significa que la persona que sueña tiene naturaleza conservadora: Vive una vida completa y pacífica, pero no es espontánea y no rompe su rutina con facilidad. **Soñar con tomar parte en un juicio** significa que la persona que sueña tiene peligrosos enemigos que la están difamando. Un **hombre joven que sueña con estudiar leyes** tendrá éxito en cualquier profesión. Para una **mujer, soñar con un juicio** significa que será víctima de difamación por parte de un supuesto amigo.

Julio: Es un sueño sombrío, pero ocurrirá un cambio repentino y la persona que sueña tendrá alegría inaudita.

Junio: Un **sueño sobre junio** augura grandes éxitos. Si una **mujer sueña que el país es azotado por una sequía**, significa que experimentará pesar y desamparo.

Jurado: Un **sueño sobre un jurado** es señal del descontento de la persona que sueña con su trabajo, y debería buscar uno nuevo. Si la **persona que sueña es absuelta por el jurado**, su negocio tendrá éxito. Si **es declarada culpable**, será totalmente derrotada por sus enemigos.

Juramento: Hacer un juramento en un sueño pronostica disputas y discusiones al despertar.

Jurista: Soñar con un jurista significa que la persona que sueña necesita ayuda, consejo y guía. Si una **joven sueña con algún tipo de relación con un jurista**, significa que su conducta incitará murmuraciones y censura.

Justicia: Si la **persona que sueña exige justicia de alguien**, significa que la han acusado falsamente personas que están buscando su cabeza. Si **alguien le exige justicia a ella**, significa que están cuestionando su reputación y conducta, y es casi seguro que no podrá defenderlos adecuadamente.

Laberinto: Un **sueño sobre un laberinto** es señal de enredos de negocios, además de disputas familiares y pleitos de enamorados. Un **laberinto oscuro** simboliza problemas y enfermedades temporales pero graves. Un **laberinto de enredaderas verdes** significa éxito después de un fracaso seguro. Un **laberinto de vías férreas** indica viajes largos, aburridos y triviales.

Labios: Los **labios rojos y carnosos** indican felicidad y prosperidad para la persona que sueña. Los **labios pálidos y delgados** son una indicación de habilidad mental. Los **labios hinchados y adoloridos** indican impulsos malsanos y privación.

Labor: Ver **animales que laboran** bajo cargas pesadas significa prosperidad para la persona que sueña, pero tratará mal a sus subordinados. Ver **hombres que laboran** significa beneficios y salud. Si la **persona que sueña labora**, indica éxitos futuros en cualquier empresa arriesgada.

Laboratorio: Es indicación de tiempo perdido en cosas inútiles cuando se le podría dedicar a mejores fines.

Lado: **Ver sólo un lado de algo** significa que se rechazará una sugerencia franca de la persona que sueña. Si le **duele el costado del cuerpo**, su paciencia será puesta a prueba por controversias y ansiedades. Si **sueña que su costado está sano y fuerte**, tendrá suerte en el amor y los negocios.

Ladrillo: **Ver ladrillos** es una indicación de negocios sin resolver y zonas difíciles en el amor. **Hacer ladrillos** es señal de no poder hacer dinero.

Ladrón: **Soñar con ser un ladrón perseguido por la policía** significa problemas en los negocios y la vida social. Si la **persona que sueña atrapa a un ladrón**, es señal de que derrotará a sus enemigos.

Ladrones: Es señal de enemigos peligrosos que tienen el fin de destruir a la persona que sueña si no es cauta.

Lagarto: **Soñar con lagartos** es una advertencia de que un enemigo está conspirando contra la persona que sueña y ésta debe tener cuidado. **Matar un lagarto** significa recobrar la reputación o las finanzas que se arruinaron. Si **escapa**, sólo tendrá problemas en los negocios y el amor. Si una **mujer sueña con lagartos arrastrándose hacia arriba por sus piernas o arañándola**, es señal de problemas y pesar, se convertirá en una viuda pobre.

Lago: Si la **persona que sueña está navegando en un lago tranquilo y cristalino**, pronto hará buenos amigos y disfrutará del fruto de su trabajo. Se pueden esperar avances positivos en su vida. Una **joven sola en un lago** tendrá que enfrentar grandes dificultades como resultado de su conducta anterior. Un **lago lodoso** significa que negocios y amor tendrán un amargo fin. Un **lago lodoso rodeado de verdor** significa que la persona que sueña dominará su naturaleza apasionada. Si el **lago es claro pero tiene bancos áridos**, ganará la naturaleza apasionada de la persona que sueña. Un **reflejo de la persona que sueña en un lago claro** es señal de felicidad. Un **reflejo de árboles** significa que la persona que sueña tendrá su porción de pasión y alegría. Las **criaturas viscosas y repugnantes** en un lago predicen fracasos y enfermedad debido a la búsqueda de placeres inmorales de la persona que sueña.

Lágrimas: Si **se vierten lágrimas**, significa que la persona que sueña disfrutará de un futuro prometedor y sucesos alegres. Si la **persona que sueña está llorando,** pronostica un problema. **Que otros lloren** significa que los problemas de la persona que sueña tendrán efectos en otras personas.

Laguna: El mal uso de los recursos intelectuales de la persona que sueña la arrastrará a la confusión y la incertidumbre. Ver una laguna indica una vida calmada y sin sobresaltos. Una **laguna lodosa** es señal de disputas caseras.

Lamentarse: Si la **persona que sueña se está lamentando**, es señal de malas noticias en la familia. **Ver a otros lamentarse** significa una reunión feliz después de un periodo de separación. Para una **joven**, soñar con lamentarse se refiere a pleitos de enamorados que sólo se pueden resolver si está preparada para transigir.

Lamento: Lamentarse por la pérdida de posesiones o amigos significa que son inminentes la alegría y la prosperidad. **Lamentar la pérdida de parientes** significa enfermedad que consolida amistades.

Lámpara o Linterna Eléctrica: Una **lámpara brillante** significa que la persona que sueña es una persona honesta y busca justicia. Una **lámpara oscura** indica una sensación de vergüenza, celos y confusión. Una **lámpara rota** simboliza desamparo. **Portar una lámpara** es señal de independencia y liderazgo. **Prender una lámpara** significa hacer cambios en los negocios que serán lucrativos.

Lana: Soñar con lana es una predicción de expansión de los negocios y prosperidad. Si la **lana está sucia o manchada**, la persona que sueña buscará un trabajo con personas que aborrecen sus creencias.

Langosta: Ver langostas es señal de gran prosperidad. **Comerlas** significa caer en amistades frívolas. Las **langostas en una ensalada** significan que la persona que sueña aprovechará muy bien todos los placeres. Si **ordena una**

langosta, significa que tendrá una posición elevada, con muchas personas a sus órdenes.

Langostas: Soñar con langostas es señal de irregularidades de negocios que causarán ansiedad a la persona que sueña. Una **mujer que sueña con langostas** despilfarrará su amor en personas que no lo merecen.

Lanza: Soñar con una lanza es señal de enemigos poderosos. Si la persona que sueña sufre **una lesión de una lanza**, significa que la irritará un error de juicio. Si **rompe una lanza**, superará obstáculos que antes eran insuperables y logrará el éxito.

Lápiz: Ver ùn lápiz es un símbolo de buenos empleos. Si una **joven escribe con un lápiz**, significa que se casará bien. Si **borra lo que ha escrito**, su enamorado la abandonará.

Láser: Se advierte a la persona que sueña que no desperdicie su tiempo y pensamientos en trivialidades cuando debiera concentrarse en asuntos importantes.

Lastimar: Si la **persona que sueña lastima a alguien en un sueño**, lastimará a otras personas con crueldad. Si **es lastimada**, la vencerán sus enemigos.

Lata: Es una advertencia de que personas falsas rodean a la persona que sueña.

Látigo: Si la **persona que sueña da latigazos a un atacante**, significa que se ganará respeto y riqueza por su aplicación y valor. **Soñar con un látigo** simboliza disputas infortunadas y amistades no confiables.

Latín: Estudiar latín es señal de que han prevalecido las opiniones sobre importantes asuntos de estado de la persona que sueña.

Latón: La persona que sueña llegará a un nivel alto en su profesión, pero la acosará el miedo de una caída.

Laúd: Tocar un laúd es señal de buenas noticias de amigos lejanos. **Escuchar música de laúd** pronostica cosas agradables.

Láudano: Tomar láudano en un sueño es señal del carácter débil de la persona que sueña y del riesgo de que otros influyan en ella. **Impedir que otros tomen láudano** significa que la persona que sueña va a presentar excelentes noticias. **Dar láudano** significa que un miembro de la familia de la persona que sueña se enfermará moderadamente.

Laurel: Un sueño en que resalta un árbol de laurel significa ocio placentero. Es un sueño muy bueno.

Laureles: Soñar con laureles es un raro sueño que simboliza la proximidad de honor, gloria, fama, amor y riqueza en la vida de la persona que sueña. Si una **joven coloca una corona de laurel en la cabeza de su enamorado**, encontrará a un hombre fiel y famoso.

Lavandera: Ver una lavandera en un sueño simboliza infidelidad y un suceso extraño. Una **lavandera** es señal de negocios prósperos para los empresarios y una cosecha abundante para el granjero. Si una **mujer sueña que es lavandera**, lanzará la discreción a los vientos en su intento de continuar con una relación ilícita.

Lavandería Automática: Lavar la ropa propia en una lavandería significa que terminará una relación infructuosa, y la reemplazará una buena relación.

Lavaplatos: Significa que una disputa en la vida personal de la persona que sueña está a punto de resolverse.

Lavar: Soñar con ropa para lavar es una advertencia de fracaso y problemas familiares, pero con un buen final. Si las **ropas están bien lavadas**, la persona que sueña será feliz; si **están mal lavadas**, no lo será.

Lavarse el Cabello con Champú: Ver que se lave el cabello a alguien es una indicación de murmuraciones, secretos revelados y, además, pasatiempos humildes. Si **lavan el cabello de la persona que sueña**, es una indicación de un viaje secreto que será excelente si oculta su naturaleza secreta de familiares y amigos.

Lavarse: Si la persona que sueña se está lavando significa que está orgullosa del gran número de amoríos que tiene.

Leche: Comprar leche pronostica buenos tiempos. **Vender leche** indica éxito y buena suerte. **Hervir leche** significa éxito después de grandes esfuerzos. La **leche agria y echada a perder** indica problemas domésticos y desgracias causadas por el sufrimiento de amigos. La **leche derramada** indica un revés temporal a manos de amigos. **Regalar leche** significa exceso de generosidad. Las **grandes cantidades de leche** simbolizan salud y riqueza. **Beber leche** es una excelente señal para granjeros, mujeres y viajeros. **Bañarse en leche** predice placeres y buenos tiempos con los amigos.

Lechuga: Comer lechuga es una indicación de problemas relativos a la sexualidad y a la vida amorosa en general de una persona. **Ver crecer lechuga** significa éxito después de algunas molestias. **Plantar semillas de lechuga** significa muerte prematura. **Recoger lechugas** es señal de sensibilidad excesiva y celos que causarán daño a la persona que sueña. **Comprar lechuga** significa que la persona que sueña será responsable de su propio fracaso.

Lechuza Blanca: Soñar con escuchar los chillidos de la lechuza blanca pronostica noticias terribles sobre la enfermedad terminal o la muerte de un amigo cercano.

Leer: Leer en un sueño significa que la persona que sueña saldrá con bien de una tarea que parece difícil. Ver a **otros leer** es señal de muy buenos amigos. Si la **persona que sueña comenta la lectura**, se volverá una gran erudita.

Si la **lectura es incompresible o inaudible**, es señal de preocupaciones y desilusiones.

Legado: Soñar con un legado predice que la persona que sueña obtendrá placer de labores bien hechas. Un **sueño sobre un legado** es una señal de hijos sanos.

Legislatura: Soñar con pertenecer a la legislatura significa que la persona que sueña se jactará de su riqueza y tratará mal a su familia. No obtendrá una promoción.

Legumbre: Es un símbolo de éxito económico y prosperidad de los negocios.

Lengua: Si la **persona que sueña ve su propia lengua**, sus socios la considerarán con disgusto. Si **ve la lengua de otra persona**, significa que las calumnias la dañarán. Si **algo anda mal con su lengua**, significa que hablar sin pensar la meterá en problemas.

Lente de Aumento: Ver a través de una lente de aumento en un sueño significa no poder poner en práctica proyectos exitosos. Para una **mujer, tener una lente de aumento** significa que busca relaciones con personas que la abandonarán.

Lentejas: Un **sueño sobre lentejas** es señal de disputas y un mal medio ambiente. Una **joven** se verá obligada por sus padres a escoger a un hombre que no ama.

Lentes o Binoculares: Indican que la persona que sueña experimentará una gran mejoría en su vida, ya que lo que antes no era claro se aclarará y comprenderá.

Leña: Si los negocios de la persona que sueña se relacionan con leña, significa que tendrá éxito después de trabajar duro.

León: Un **sueño sobre un león** es señal de que uno de los amigos de la persona que sueña tendrá mucho éxito y que en el futuro la persona que sueña se beneficiará enormemente de este éxito, ya que recibirá ayuda de ese amigo. Si el **león subyuga a la persona que sueña**, ésta será vulnerable a los ataques de  enemigos. **Controlar un león** significa éxito en los negocios, gran inteligencia y atención de las mujeres. Los **leones jóvenes** significan empresas arriesgadas nuevas y quizá exitosas. Para una **mujer, los leones jóvenes** significan enamorados nuevos e interesantes. **Escuchar rugir a un león** significa una promoción repentina y éxito con las mujeres. **Subyugar a un león** significa victoria en cualquiera de las ocupaciones de la persona que sueña. Una **melena de león** significa prosperidad y alegría. **Montar un león** indica la habilidad para superar obstáculos.

Leopardo: Un **leopardo enjaulado** advierte de un enemigo que intenta dañar a la persona que sueña, pero que no tendrá éxito. **Matar a un leopardo** significa éxito. Un **leopardo que ataca a la persona que sueña** significa dificultades a lo largo del camino al éxito. Los **leopardos en el bosque** que escapan de la persona que sueña significan problemas en los negocios y el amor, pero se superarán. La **piel de leopardo** significa que la persona que sueña sufrirá a manos de un amigo falso.

Lepra: Si la **persona que sueña tiene lepra**, es una predicción de enfermedad, pérdida financiera y abandono de otros. **Otras personas con lepra** significan desilusión en el amor y los negocios.

Lesión: Si alguien causa una lesión a la persona que sueña, significa que pronto se irritará por alguna desgracia.

Levadura: Indica una buena vida, abundancia y una situación económica satisfactoria.

Ley: Todos los elementos relacionados con la ley (como tribunales, policía, abogados, etc.) advierten a la persona que sueña: Piensa con cuidado antes de tomar una determinación respecto a asuntos financieros.

Librería: Significa que la persona que sueña tendrá aspiraciones literarias que obstruirán su trabajo normal.

Librero: Ver un librero indica que la ocupación y el ocio de la persona que sueña estarán relacionados con el conocimiento. Un **librero vacío** significa que la persona que sueña es incapaz de trabajar.

Libro: Soñar con un libro significa gran éxito en relación con leer o estudiar, lo que conducirá a la persona que sueña a una profesión satisfactoria y provechosa en lo financiero. **Leer un libro** en un sueño signi- fica que la persona que sueña irá a un viaje que tendrá un gran significado en su vida.

Libro Mayor: Mantener un libro mayor en un sueño es una señal de dificultades y desilusiones. **Cometer errores en un libro mayor** pronostica peleas y pérdidas menores. Un **libro mayor perdido** implica pérdidas por negligencia. Un **libro mayor que se destruye en fuego** significa infortunios para la persona que sueña por culpa de sus amigos. Si una **mujer lleva el libro mayor de la persona que sueña,** sufrirá pérdida financiera por mezclar negocios y placeres.

Licencia: Una **licencia** es señal de pleitos y pérdidas. Si una **mujer sueña con una licencia matrimonial,** pronto se involucrará en una mala relación.

Licor: Soñar con comprar licor significa que la persona que sueña tiene proyectos sobre propiedades que no le pertenecen. **Vender licor** es señal de inminente criticismo. **Beber licor** significa que la persona que sueña obtendrá dinero en una forma ligeramente sospechosa, pero los amigos y las mujeres tratarán de hacer que lo gaste en ellos. El **licor en botellas** es señal de muy buena suerte. Una **mujer bebiendo licor** significa un carácter y estilo de vida superficial y acomodativo, sin celos ni fuertes emociones.

Liebre: Si una **liebre escapa de la persona que sueña,** perderá algo de valor. Si la **persona que sueña atrapa una liebre,** ganará una competencia. Una **liebre muerta** significa la muerte de un amigo. Una **liebre perseguida por perros** significa disputas entre los amigos de la persona que sueña.

Matar a tiros una liebre significa que la persona que sueña tendrá que recurrir a la violencia para defender su propiedad.

Liga: Si un **enamorado encuentra una liga de su novia**, pronto perderá ante un rival. Si una **mujer pierde una liga en un sueño,** significa que su enamorado está celoso. Si un **hombre casado sueña con una liga**, su esposa pronto expondrá sus aventuras secretas.

Lima (fruta): Comer limas en un sueño significa mala suerte y enfermedad. Predice desastre temporal seguido por buena suerte sin precedentes.

Limón: Los **limones en los árboles** significan celos sin fundamentos. **Comer limones** significa desesperación, producto de un gran amor y desilusión respecto al cónyuge. Los **limones verdes** son señal de enfermedad. Los **limones resecos** significan la disolución de parejas.

Limonada: Beber limonada en un sueño significa que la persona que sueña está permitiendo que otros se aprovechen de ella para financiar alguna diversión que desean.

Limosna: Es un buen sueño, a menos que se muestre reluctancia en recibirla o darla.

Limpieza: Un sueño sobre la limpieza de los objetos significa que la persona que sueña pronto tendrá que soportar una carga insoportable y experimentará sentimientos de opresión extrema.

Limusina: Es una predicción de buena suerte repentina e inesperada.

Lince: Ver un lince significa enemigos que intentan arruinar los negocios de la persona que sueña y debilitar su hogar. Si una **mujer sueña con un lince**, significa que existe un rival para su enamorado. Si **mata el lince**, vencerá a su rival.

Lino: Es señal de prosperidad. **Soñar con lino** es señal de felicidad y prosperidad. Si la persona que sueña ve a **alguien vestido con ropa de lino**, significa que pronto tendrá buenas noticias sobre una herencia. Si la **persona que sueña está usando ropa de lino buena y limpia**, tendrá una vida maravillosa. Si el **lino está sucio**, se presentarán momentos ocasionales de pesar y mala suerte.

Lira: Escuchar música de lira indica placeres inocentes, compañía agradable y tratos de negocios sin problemas. Si una **joven toca la lira**, un hombre magnífico la amará exclusivamente.

Lirio: Se considera al lirio un símbolo de santidad entre los cristianos y está relacionado con personas y sitios sagrados. **Soñar con un lirio** significa sufrir enfermedades y muerte. Los **lirios que crecen** significan matrimonio rápido y muerte prematura. Ver **hijos entre los lirios** significa que no serán robustos. **Inhalar los aromas de los lirios** significa que la persona que sueña avanzará a un plano superior como resultado de sufrimiento.

Lisiado: Ve **Persona Incapacitada**.

Llagas: Si la **persona que sueña ve llagas**, experimentará angustia mental y pérdidas por una enfermedad. Si la **persona que sueña pone un vendaje en una llaga**, significa que renunciará a su placer por el bien de otros.

Llamador: Significa que la persona que sueña se verá forzada a buscar el consejo y ayuda de otros.

Llamar a la Puerta: Un **sueño sobre llamar a la puerta** es señal de noticias graves por suceder. Si la **persona que sueña se despierta porque llaman a la puerta**, las noticias serán muy graves.

Llamar por el Nombre: Cuando **llaman por el nombre** a la persona que sueña o ésta llama a otro por su nombre, es señal de que pronto tendrá un buen periodo respecto al romance y el matrimonio.

Llamas: Un **sueño de combatir llamas** indica que la persona que sueña tendrá que hacer grandes esfuerzos para tener éxito y volverse adinerada.

Llana: Un **sueño sobre una llana** es señal de que la persona que sueña tendrá éxito en superar las privaciones. Una **llana oxidada o rota** anuncia inevitable mala suerte.

Llano: Si una **joven cruza un llano verde y fértil**, tendrá una buena vida. Si el **llano es árido y estéril**, su vida será solitaria y desagradable.

Llanura: Soñar con una llanura indica un estilo de vida de comodidad y riqueza, y avances sin problemas. Una **llanura ondulante, con pasto y llena de flores** es señal de sucesos felices. Una **llanura árida** significa que la ausencia de amigos causará pérdidas e infelicidad a la persona que sueña. **Estar perdido en una llanura** es señal de tristeza y mala suerte.

Llaves: Cualquier situación que involucre una llave (excepto la pérdida de una llave o una rota) son buenas noticias: éxito en la vida personal, social, financiera y familiar. La **pérdida de una llave** es una advertencia de sucesos por venir. Las **llaves rotas** pronostican pérdida por soledad o envidia.

Llorar: Llorar en un sueño anuncia, por lo general, buenas noticias e indica que existirán razones para alegrarse y celebrar. Sin embargo, en ocasiones, **llorar** puede interpretarse como una señal de infortunio de un amigo.

Lluvia: La **lluvia ligera y suave** indica que la persona que sueña tendrá que enfrentar desilusiones y frustraciones; la **lluvia fuerte y que golpea** significa que la persona que sueña tendrá que enfrentar situaciones que le causarán desaliento y depresión.  **Estar afuera en lluvia limpia** es señal de juventud y prosperidad. Si la **lluvia procede de nubes oscuras**, la persona que sueña está preocupada por la seriedad de su negocio. **Observar lluvia fuerte desde el interior de la casa** es señal de amor apasionado y riqueza. **Escuchar lluvia en**

el techo es señal de felicidad doméstica y prosperidad moderada. Las **tormentas** nunca presagian algo bueno. Si la **persona que sueña ve a otros en la lluvia,** significa que no está confiando en sus amigos. Si **llueve sobre el ganado,** tendrá mala suerte en los negocios y la vida social.

Lluvia Fuerte: Ve **Diluvio.**

Lobo: La **aparición de un lobo en cualquier forma en un sueño** indica malas noticias. Las noticias serán mucho peores si el **sueño es sobre una manada de lobos. Soñar con un lobo** indica que uno de los empleados de la persona que sueña es ladrón y traidor. **Matar a un lobo** significa que la persona que sueña burlará a enemigos que desean desacreditarla. **Escuchar el aullido de un lobo** revela a la persona que sueña el hecho de que existe una conspiración para derrotarla en una competencia honesta.

Locomotora: Una **locomotora a toda ve-locidad** es señal de mucho mejor suerte y viajes a lugares distantes. Una **locomotora parada** significa problemas y estancamiento en éstos, y viajes cancelados. Una **locomotora estrellada** es señal de angustia y pérdida financiera. 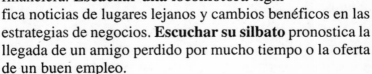 **Escuchar una locomotora** significa noticias de lugares lejanos y cambios benéficos en las estrategias de negocios. **Escuchar su silbato** pronostica la llegada de un amigo perdido por mucho tiempo o la oferta de un buen empleo.

Locura: Un **sueño sobre locura de cualquier tipo** es una mala señal, predice enfermedad e infelicidad. **Ver la**

locura de otras personas significa amigos no confiables y esperanzas desvanecidas. Si una **joven sueña sobre la locura,** no hará realidad sus esperanzas de matrimonio o de elevar su estado financiero.

Lodo: Soñar con **caminar en el lodo** simboliza descontento con amistades y falta de armonía casera. **Salir de lodo** o arena movediza representa la habilidad para salir de dificultades o situaciones complejas. **Ver a otros caminando en lodo** significa que la persona que sueña escuchará rumores horribles sobre un amigo. El **lodo en la ropa** significa que está en riesgo la reputación. Si la **persona que sueña lo limpia,** escapará del escándalo.

Loro: Un **loro que está amarrado** sugiere que la persona que sueña disfruta con los chismes o es víctima de ellos. Un **loro que habla** indica murmuraciones ociosas por parte de los amigos de la persona que sueña. Un **loro dormido** significa un respiro en las disputas familiares. Si una **joven sueña con poseer un loro,** su enamorado pensará que es regañona. **Enseñar a un loro** es señal de problemas de negocios, mientras que un **loro muerto** indica que se van a perder amigos.

Lotería: Si la **persona que sueña participa en el sorteo,** significa que está desperdiciando su tiempo y tendrá que participar en un viaje trivial. Si **sale su número,** su triunfo le causará ansiedad. Si **otros ganan la lotería,** significa mucha diversión, risa y socialización. Cualquier tipo de **lotería en el sueño de una joven** significa que no es totalmente responsable y se casará con alguien inestable. **Soñar con un boleto de lotería** indica malas relaciones de negocios y relaciones amorosas temporales.

Loza: Gran cantidad de **loza limpia y bien acomoda-da** es una indicación de una buena ama de casa. Si la persona que sueña es comerciante y se encuentra en una **tienda de loza** en su sueño, sacará ganancias. Una **tienda desarreglada** indica pérdida financiera.

Luchar: Luchar simboliza dificultades. Sin embargo, **triunfar sobre otra persona en una lucha** es señal de que la persona que sueña superará dificultades que se encuentran en su camino.

Lujo: Soñar con revolcarse en el lujo significa que la riqueza de la persona que sueña está disminuyendo rápidamente por su vida corrupta y hedonista. Si una **mujer pobre sueña con el lujo**, significa que sus circunstancias van a cambiar.

Luna: La **luna nueva** simboliza riqueza y éxito en el amor. **Ver la luna en un cielo normal** es señal de éxito. Una luna extraña indica disputas domésticas, mala suerte en el amor y desilusiones en los negocios. Una **luna de color rojo sangre** significa que el enamorado de una mujer partirá a la guerra.

Lunares: Son señal de disputas y enfermedad.

Lúpulo: Es señal de energía, economía y habilidad para sacar lo máximo de cualquier empresa arriesgada.

Luto: Usar ropas de luto simboliza pérdida, pesar y dolor. Si **otros usan ropa de luto,** ciertas acciones entre los amigos de la persona que sueña le causarán pérdida e infelicidad. Para **enamorados,** un sueño sobre estar de luto pronostica un rompimiento. Un **velo de luto** es señal de problemas y tristeza, además de problemas en los negocios.

Luz de Faro: Un **faro encendido** es una buena señal para los marineros, para personas con penas y para los enfermos. Presagia algo bueno para los negocios. Si la **luz se apaga,** la persona que sueña ya no tendrá buena fortuna.

Luz: El significado del sueño cambia de acuerdo a la intensidad de la luz. Una **luz brillante** indica éxito, riqueza y felicidad; una **luz opaca:** desilusión y depresión; una **luz verde:** los celos de la persona que sueña; una **luz que se apaga:** una empresa arriesgada que falla; una **luz baja:** éxito parcial; una **calle brillantemente iluminada:** placer transitorio.

Macarrones: Comer macarrones es señal de pérdidas menores. **Ver grandes cantidades de macarrones** significa que la persona que sueña ahorrará dinero al ser muy frugal. Si una **joven ve macarrones**, significa que un extraño entrará a su vida.

Macho Cabrío: Es un símbolo de un demonio, el diablo o un espíritu maligno.

Madera: Soñar con madera indica numerosas dificultades, tareas desagradables y mal pagadas. Las **pilas de madera que arden** pronostican suerte inesperada. **Aserrar madera** significa malos tratos de negocios y mala suerte en general. **Ver madera** es un símbolo de paz y prosperidad. Si la **madera se ha secado y deformado**, se presentarán desilusiones.

Madre: La naturaleza de la relación entre la persona que sueña y su madre es de gran importancia. Por lo general, **soñar con una madre** indica embarazo en el futuro cercano. Sin embargo, para una **mujer**, también simboliza amistad firme, honestidad, sabiduría, generosidad y felicidad en la vida matrimonial. Soñar con una

madre muerta es una predicción de pesar y deshonor. Si **ella llora**, puede estar enferma o la persona que sueña puede estar a punto de caer enferma. Si **su madre la llama**, significa que no está haciendo algo que debería hacer.

Madreselva: Significa prosperidad y dicha doméstica.

Maestro: Indica que la persona que sueña debe examinar su situación financiera o social y actuar con cautela.

Maestro de Baile: Soñar con un maestro de baile significa que la persona que sueña favorece ocupaciones triviales sobre asuntos de importancia.

Magia: Si la **persona que sueña hace magia**, predice cambios para mejorar en su vida, en especial en las finanzas y la salud. Si **otros hacen magia**, la persona que sueña se beneficiará. **Ver a un mago** significa un viaje interesante para los universitarios.

Magistrado: Soñar con un magistrado es una advertencia de demandas legales inminentes y pérdidas financieras.

Mago: La persona que lo sueña encontrará problemas en su camino a la felicidad y la prosperidad.

Maicena: La **aparición de maicena** en un sueño significa que los deseos más fervientes de la persona que sueña se harán realidad. Si **come maicena** cocinada como pan, se está poniendo obstáculos involuntariamente en su propio camino.

Maíz y Maizales: Un **maizal verde luju-riante** indica una buena cosecha y prosperidad para el granjero, además de armonía y felicidad para la persona que sueña. Los **olotes pisoteados** pronostican desamparo y desilusión. Si la **persona que sueña está pelando mazorcas**, significa que tendrá éxito y una vida placentera. Observar **a otros pelando mazorcas**  significa que la persona que sueña se regocijará con su prosperidad. Los **sueños sobre maíz joven** son buenos, ya que implican éxito, fama, riqueza y deseos satisfechos. **Comer maíz verde** es señal de armonía.

Maldecir: Si la **persona que sueña se maldice**, sugiere que sus metas y objetivos se alcanzarán después de esfuerzos especialmente grandes. Un sueño en que **ella es maldecida por otro** significa que existen enemigos conspirando a sus espaldas. Un **enamorado que sueña con maldecir** ya no tendrá confianza en su enamorada. **Soñar con maldecir a otros** significa reveces en los negocios. Si la **persona que sueña maldice en presencia de su familia**, pronto tendrá lugar una riña por su mala conducta.

Maleta: Si la **maleta pertenece a la persona que sueña**, indica que pronto tendrá que enfrentar problemas. Si la **maleta pertenece a alguien más**, significa que se embarcará en un viaje en el futuro cercano.

Malicia: Si la **persona que sueña siente malicia hacia alguien**, significa que desagradará a sus amigos por su naturaleza maligna. Si **otros actúan con malicia hacia la persona que sueña**, la está acosando un enemigo que aparenta ser un amigo.

Malla: **Soñar con una malla** advierte que amigos deshonestos tratarán de causar daño a la persona que sueña. Si la **malla es inflexible** la persona que sueña resistirá los ataques de personas envidiosas que quieren explotarla.

Mallete: **Soñar con un mallete** significa que la persona que sueña tendrá que hacer alguna tarea trivial pero no desagradable. Si **se emplea un mallete**, significa que los amigos de la persona que sueña serán arrogantes con ella.

Malta: **Soñar con malta** es una indicación de una vida buena y con riqueza. **Beber malteada** es señal de tareas peligrosas que resultarán ser muy lucrativas.

Manchas: Las **manchas en la ropa o las manos de la persona que sueña** indican dificultades, frustraciones y miedos. Las **mismas manchas en otros** significan que la persona que sueña será traicionada por alguien.

Mandamiento: Leer o escuchar los Diez Mandamientos en un sueño significa que la persona que sueña cometerá errores que no podrán rectificar, ni siquiera los consejeros más sabios.

Mandíbulas: Las **mandíbulas horribles y distorsionadas** simbolizan disputas y malos sentimientos entre amigos. **Soñar con estar en las mandíbulas de un animal silvestre** significa que los negocios y la armonía doméstica de la persona que sueña están amenazados por enemigos.

Manguito: **Usar un manguito** significa protección contra los problemas de la vida. Si un **enamorado sueña que su amada utiliza un manguito**, alguien más se la quitará.

Mano: Una **mano hermosa** es señal de gran estima y éxito profesional. Una **mano horrible y deformada** indica pobreza y desilusión. **Lavarse las manos** predice la participación de la persona que sueña en un evento alegre. Una **mano sucia** significa que la persona que sueña está enfrentando un periodo difícil en su vida. Una **mano vendada** indica que su tristeza se convertirá en felicidad y alegría. **Ver sangre en nuestra mano** es señal de mala suerte inmediata.

Manojo: Advierte a la persona que sueña de una gran decepción en el futuro cercano.

Manos Peludas: Soñar con manos peludas significa que la persona que sueña está conspirando contra personas inocentes, y que tiene enemigos que tratan de detenerla. Las **manos cubiertas de pelo** también indican que la persona que sueña nunca sobresaldrá entre sus socios.

Mansión: Si la **persona que sueña se ve entrando a una mansión**, puede esperar buenas noticias y riqueza. Si sueña con **abandonar una mansión de prisa**, o acerca de un **cuarto embrujado en una mansión**, predice problemas difíciles que la esperan. **Ver una mansión desde lejos** significa una promoción.

Manta: Soñar con una manta indica buenos tiempos y vida feliz: **entre más gruesa y mejor decorada esté**, más feliz será la vida de la persona que sueña.

Manteca: Un **sueño sobre manteca** es señal de mayor prosperidad. Una **mano cubierta de manteca** significa desilusión.

Mantequera: Un **sueño sobre una mantequera** indica que la persona que sueña tendrá que llevar a cabo tareas difíciles. Tendrá éxito y se volverá próspera. Si un **granjero sueña con una mantequera**, predice una cosecha abundante y beneficiosa.

Mantequilla: Soñar con mantequilla significa que la persona que sueña no está concentrada, y en lugar de concentrar sus esfuerzos en un campo, se está extendiendo débilmente en demasiadas áreas y no está teniendo éxito en ninguna.

Mantilla: Indica un mal compromiso que causará daño a la persona que sueña.

Manuscrito: Un **manuscrito sin terminar o perdido** indica desilusión. Un **manuscrito completo** significa que las expectativas se han cumplido. **Trabajar en un manuscrito** significa que la persona que sueña está ansiosa por algo, si **sigue trabajando con perseverancia**, tendrá éxito. Si **se rechaza un**  **manuscrito,** la persona que sueña estará perturbada, pero sus sueños al final se harán realidad. Un **manuscrito ardiendo** es señal de éxito y ganancias.

Manzana: Comer una manzana en un sueño predice un futuro prometedor. Si la **manzana está agria**, es una señal de que el soñador pronto se desilusionará o experimentará un fracaso.

Mañana: Ver despuntar la mañana es señal de buena suerte y placer. Una **mañana nublada** indica asuntos importantes que la persona que sueña tendrá que manejar.

Mapa: Soñar con un mapa es señal de que la persona que sueña puede esperar algún tipo de cambio en su vida, a veces desilusionante, a veces bueno. **Buscar un mapa** significa que la persona que sueña cambiará su dirección en la vida al darse cuenta de repente que no es feliz con la situación presente.

Mapache: Soñar con un mapache significa que los enemigos de la persona que sueña la están engañando al aparentar ser sus amigos.

Máquina Copiadora: Este sueño advierte contra personas que roban propiedad o ideas de la persona que sueña; depende de ella tener más cuidado.

Máquina de Escribir: Soñar con usar una máquina de escribir significa que la persona que sueña pronto se pondrá al día con respecto a un amigo que desapareció por mucho tiempo.

Máquina de Fax: Recibir un fax en un sueño es una indicación de que la persona que sueña está a punto de recibir malas noticias respecto a su profesión o negocio. **Enviar un fax** significa que la persona que sueña sufrirá una decepción a manos de uno de sus socios de negocio.

Máquina Impresora: Estar cerca de una máquina impresora indica murmuraciones y calumnias. **Trabajar con una máquina impresora** pronostica mala suerte. Si el **enamorado de la persona que sueña está asociado a una máquina impresora**, significa que no tiene tiempo ni dinero para ella.

Máquina para Cavar Zanjas: Indica que un secreto muy oscuro se revelará pronto. La persona que sueña debe prepararse para hacerle frente.

Maquinaria: Soñar con maquinaria indica un proyecto difícil que al final será exitoso. **Ver maquinaria vieja** indica que enemigos están tramando contra la persona. Si la **persona que sueña es atrapada por maquinaria**, tendrá pérdidas y problemas financieros.

Máquinas: Las máquinas que se emplean para producción u otras máquinas sofisticadas indican problemas complejos en todas las áreas de la vida.

Mar: Soñar sobre el mar es señal de esperanzas sin cumplir, principalmente en el mundo espiritual. Una **joven que sueña con pasar rozando el mar con su enamorado** experimentará dicha absoluta en su matrimonio. Si la **persona que sueña escucha el rugido sordo del mar**, significa que está destinada a tener una vida solitaria y sin amor.

Marcha (música): Marchar con música significa que la persona que sueña desea convertirse en soldado o funcionario público. Advierte a la persona que sueña para que considere todos los aspectos.

Marchar: Marchar por un camino disparejo sugiere malentendidos y falta de comunicación con el entorno de la persona que sueña. Si **mujeres sueñan con hombres que marchan**, significa que han puesto la vista en hombres importantes.

Marea Alta: Es señal de progreso en las empresas arriesgadas de la persona que sueña.

Marfil: Ver marfil es un sueño afortunado. **Ver grandes piezas de marfil** significa alegría natural y ganancias financieras.

Margarita: Predice buenos tiempos acompañados por felicidad y seguridad interna.

Marido: Si una **mujer sueña que su marido la está dejando sin razón**, a un periodo amargo le seguirá la reconciliación. Si **sueña con la muerte de su marido**, tendrá pesar y desilusiones.

Marinero: Soñar con un marinero o una persona de mar indica viajes largos e interesantes, además de infidelidad sexual. Si una **joven sueña con un marinero**, romperá con su enamorado por un flirteo sin importancia. Si en su sueño, **ella es marinera**, perderá a su verdadero amor por su conducta.

Mariposa: Indica que la persona que sueña participa en una aventura amorosa apasionada.

Mariquita: Si este insecto rojo con manchas negras aparece, es señal de que la persona que sueña pronto tendrá una oportunidad de oro que le permitirá hacer verdad sus mayores sueños.

Marisma: Caminar por una marisma significa mala salud como resultado del exceso de trabajo. La persona que sueña soportará el impacto de la mala conducta de un pariente.

Mármol: Soñar con una cantera de mármol indica éxito financiero pero fracaso social. **Pulir mármol** indica una herencia. Si el **mármol se rompe**, la persona que sueña incurrirá en el disgusto de sus colegas por su conducta inmoral.

Marmota: Ver una marmota es una advertencia de enemigos que se esconden tras una mujer bonita. Para una **mujer**, es señal de tentación en su camino.

Marranos: Los **marranos gordos y saludables** significan cambios positivos en los negocios. Los **marranos flacos** significan problemas con los hijos y con los empleados. **Escuchar chillar a los marranos** es señal de malas noticias de amigos lejanos, muerte o pérdidas en los negocios. **Alimentar a los marranos** significa un aumento en los bienes de la persona que sueña. Si los **marranos comen fruta en un huerto,** la persona que sueña perderá propiedades mientras trata de tomar algo que no le pertenece. **Comerciar con marranos** significa que la persona que sueña ganará mucho dinero, pero tendrá que trabajar duro para hacerlo.

Marruecos: Soñar con Marruecos predice ayuda abundante de lugares inesperados. El amor de la persona que sueña se corresponderá con fidelidad.

Marsopa: Ver una marsopa significa que la persona que sueña es incapaz de retener el interés de otras personas, de manera que sus enemigos la están haciendo a un lado.

Marte: Soñar con Marte es una mala señal: Los amigos tratarán cruelmente a la persona que sueña, los enemigos tratarán de hundirla. Si la **persona que sueña se eleva hacia Marte**, alcanzará un excelente sentido de decisión que la llevará años luz delante de sus amigos.

Martillo: La persona que sueña debe considerar sus pasos con cuidado y no desperdiciar el dinero.

Mártir: Soñar con mártires es señal de amigos hipócritas, disputas domésticas y pérdidas de negocios. Si la **persona que sueña es una mártir**, perderá sus amigos y sus enemigos hablarán pestes de ella.

Masa: Es un símbolo de riqueza, dinero y posesiones.

Máscara: Usar una máscara significa que la persona que sueña es falsa. **Ver máscaras** advierte a la persona que sueña de la  traición de una persona cercana a ella que está actuando a sus espaldas para tratar de hundirla. Si **otros emplean máscaras**, la persona que sueña superará la envidia de otros. Si una **joven usa una máscara**, se impondrá a otras personas. Si **se quita la máscara**, otros no la admirarán como ella quiere.

Mascarada: Participar en una mascarada significa que la persona que sueña está perdiendo el tiempo en asuntos triviales y descuida asuntos importantes. Para una **mujer**, significa que la engañarán.

Masilla: Advierte contra arriesgar la fortuna propia.

Masón: Ver miembros de la Orden Masónica en su traje de gala significa que la persona que sueña se tendrá que preocupar y mantener a otros además de sí misma.

Mástil: Ver los mástiles de un barco significa un viaje largo y placentero, nuevos amigos y recursos. **Ver los mástiles de navíos naufragados** significa cambios para empeorar y sacrificios en la vida de la persona que sueña. Si un **marinero sueña con un mástil**, pronto se embarcará en un viaje memorable.

Mastín: Sentirse asustado por un gran mastín significa dificultad para superar la mediocridad. Si una **mujer**

sueña con un mastín, se casará con un hombre bondadoso e inteligente.

Matadero: Indica que la persona que sueña será acusada de malversación y su esposa o su novia le temerán en lugar de amarla.

Matar: Si la **persona que sueña mata a un hombre desarmado**, pronostica problemas y tristeza. Si la **muerte ocurre en autodefensa**, significa victoria y ascensos.

Matrimonio o Nupcias: Si una mujer sueña con **casarse con un hombre viejo y horrible**, es señal de grandes problemas y enfermedad para ella. Ver un matrimonio con **huéspedes de ropaje brillante** significa alegría. Un **vestido oscuro** significa desamparo y tristeza. Ver **algo malo en relación con el** **matrimonio** en un sueño, es una predicción de catástrofe en la familia de la persona que sueña. Si la **persona que sueña está presente en una boda**, tendrá alegría y prosperidad.

Mausoleo: Soñar con un mausoleo significa la enfermedad, muerte o infortunio de un amigo muy conocido de la persona que sueña. Si la **persona que sueña está en un mausoleo**, significa que está enferma.

Mayo: Soñar con mayo es señal de placer y prosperidad. Si se presentan **cambios extremos de clima**, los buenos tiempos se deteriorarán por pesar y preocupaciones.

Mazo: Soñar con un mazo significa que la persona que sueña será maltratada por sus amigos ya que está enferma. Habrá falta de armonía en su hogar.

Mecánico: Soñar con un mecánico significa que la persona que sueña se cambiará de casa y experimentará una mejoría en el negocio y el ingreso.

Mecedora: Una **mecedora vacía** es señal de que la tristeza y el dolor se acercan a la vida de la persona que sueña como resultado de la separación de una persona amada, quizá por su muerte. **Alguien que se sienta en una mecedora** (en especial, una esposa, madre o enamorada) es señal de estabilidad material y económica, además de felicidad personal.

Medalla: Soñar con medallas indica recompensas que son producto del trabajo duro. **Perder medallas** es una señal de mala suerte causada por la traición de otras personas.

Medallón: Una **joven que sueña que su enamorado coloca un medallón en su cuello** pronto se casará y tendrá hijos hermosos. Si **pierde el medallón**, su vida se estropeará por el pesar del desamparo. Si un enamorado sueña que **su novia le regresa su medallón**, puede esperar desilusiones, ella no actuará hacia él como lo desea. **Romper un medallón** significa que una mujer tendrá un marido errático, que es totalmente inconstante en su relación con ella y en los negocios.

Medias: Soñar con medias es señal de que la persona que sueña disfrutará las malas compañías. Si las **medias de una joven están desgastadas o llenas de carreras**, su conducta no será juiciosa, incluso podría ser inmoral. Si **usa medias de fantasía**, debe tener cuidado de cómo actúa en compañía de hombres. Si **usa medias blancas**, la espera mala suerte.

Medicina: Cualquier tipo de medicina en un sueño indica que en el futuro cercano, la vida de la persona que sueña se trastornará temporalmente por preocupaciones y privaciones. La **medicina que da asco** predice una enfermedad grave o tragedias para la persona que sueña. **Dar medicina a otros** significa que la persona que sueña está lastimando a personas que confían en ella.

Medicina de Curandero: Soñar con medicina de curanderos significa que la persona que sueña se está hundiendo por la presión de algún problema, pero el trabajo duro puede sacarla del problema. Si la **persona que sueña ve un anuncio de este tipo de medicina**, la lastimarán malas compañías.

Medicina de Patente: Si la **persona que sueña toma medicina de patente** con el fin de curarse, indica su determinación de tener éxito, lo que hará para disgusto de sus rivales. Si **ve o produce medicinas de patente**, disfrutará de una subida meteórica a ser eminente.

Médico: Reunirse con un médico en una clínica indica necesidad urgente de ayuda. Si la **persona que sueña se reúne con el médico en una reunión social**, es señal de buena salud y prosperidad, ya que no tendrá que pagarle al médico. Si una **joven sueña con un médico**, significa que está arruinando su belleza en placeres superficiales. Si **está enferma y sueña con un médico**, pronto estará bien. Si **se siente ansiosa**, sus problemas aumentarán.

Médium (clarividente): Si se sueña con un individuo que actúa como intermediario entre el mundo de los vivos y el de los muertos, predice que la persona que sueña pasará por una crisis grave en el futuro cercano.

Mejillones: Son señal de prosperidad promedio pero vida doméstica feliz y satisfecha.

Melancolía: Si la **persona que sueña siente melancolía**, se desilusionará en lo que creía tendría éxito. Si **otros tienen melancolía**, su negocio se trastornará fuertemente. Para **enamorados**, es augurio de rompimiento.

Melaza: Soñar con melaza significa que la persona que sueña recibirá una invitación agradable que la llevará a magníficas sorpresas. Si **come melaza**, significa que se desilusionará en el amor. Si **se embadurna en su ropa**, puede sufrir pérdidas de negocios y recibir proposiciones matrimoniales no deseadas.

Melón: **Ver crecer melones** significa que la persona que sueña puede esperar cambios que mejorarán su vida, después de sus preocupaciones actuales. **Soñar con melones** es señal de enfermedad y fracasos en los negocios. **Comerlos** significa que la persona que sueña experimentará ansiedad como resultado de sus acciones precipitadas.

Mendigo: Si la **persona que sueña ayuda a un mendigo**, significa que debe esperar buenas cosas en todas las áreas de su vida. Si la **persona que sueña se rehúsa a ayudar al mendigo**, se predice una pérdida futura. Si una mujer sueña con mendigos, sus ambiciones serán interrumpidas por situaciones desagradables.

Mendrugos: Son señal de incompetencia, además de la posibilidad de consecuencias terribles porque los deberes no se cumplen en forma adecuada.

Mensaje: Recibir un mensaje en un sueño es una indicación de cambio. **Enviar un mensaje** pronostica situaciones difíciles para la persona que sueña.

Menta: Soñar con menta predice interesantes cambios en los negocios y agradables actividades de descanso. **Verla crecer** indica una actividad divertida en que habrá algo de romance. Si una **bebida contiene menta**, la persona que sueña tendrá un encuentro con una persona interesante y atractiva. Soñar con menta significa buenas noticias: la persona que sueña pronto recibirá una herencia cuantiosa de una fuente inesperada.

Mentir: Si la **persona que sueña miente con el fin de escapar al castigo**, significa que actuará de manera despreciable hacia una persona que no lo merece. Si la **persona que sueña miente para cubrir a un amigo**, significa que se le dirigirán críticas injustificadas, pero las superará y será célebre. Si la **persona que sueña escucha mentir a otros**, significa que están tratando de hundirla.

Mentira: Si la persona que sueña u otra persona miente en un sueño, es una advertencia para tener cuidado de un trato sospechoso o de un fraude.

Mentiroso: **Soñar con otras personas como mentirosas** significa que la persona que sueña ya no podrá apoyar el plan que ella misma propuso. Ser **acusada de mentirosa** significa que la persona que sueña tendrá preocupaciones causadas por personas deshonestas. Si una **mujer** piensa **que su enamorado es mentiroso**, perderá a un buen amigo.

Mercado: **Soñar con estar en un mercado** es una indicación de ser frugal y con muchas ocupaciones. Un **mercado vacío** es señal de depresión y tristeza. Para una **mujer**, un mercado indica buenos cambios.

Mercurio: **Soñar con mercurio** significa que ocurrirán cambios negativos en la vida de la persona que sueña por la intervención de sus enemigos. Si una **mujer sufre de envenenamiento por mercurio**, su familia la abandonará.

Mermelada: Soñar con comer mermelada es señal de enfermedad e infelicidad.

Mesa: Soñar con una mesa simboliza los logros de una persona en la vida. Una **mesa puesta** indica una vida familiar cómoda y feliz. Una **mesa desnuda** es señal de disputas y falta de dinero. **Limpiar la mesa** significa una transformación de felicidad a frialdad y preocupaciones. Una **mesa de trabajo, de operaciones, un escritorio**, etc., se interpreta de acuerdo al contexto en que aparece en un sueño. **Comer en una mesa sin mantel** es indicación de una naturaleza independiente, a la que no afecta la conducta o situación de otros. Un **mantel sucio** significa hijos o empleados problemáticos y malos tiempos. Una **mesa rota** indica pérdida de riqueza. Si la **persona que sueña ve a alguien parado o sentado en una mesa**, esa persona pronto actuará tontamente.

Metamorfosis: Es señal de cambios en la vida, los cuales pueden ser buenos o malos.

Metro: Soñar con viajar en metro es señal de problemas inminentes, en su mayor parte de naturaleza psicológica y emocional. **Estar detenido en el metro** simboliza la lucha con un asunto moral que necesitará consideración y tiempo.

Microscopio: Es una señal de fracaso en proyectos o empresas arriesgadas.

Miedo: Sentir miedo en un sueño significa que fallarán las empresas futuras. **Para una mujer, sentir miedo** significa desilusión en el amor.

Miel: Simboliza la felicidad y la alegría. La persona que sueña logrará sus objetivos y disfrutará los frutos de su estudio y esfuerzos.

Mina: Estar en una mina indica fracasos en los negocios. **Poseer una mina** significa riqueza. Trabajar en **una mina de oro** significa que la persona que sueña tratará de quitar a otros sus derechos. Debe evitar los escándalos en su hogar.

Mina de Carbón: Ver una mina de carbón predice un complot para causar la caída de la persona que sueña. Sin embargo, si la **persona que sueña tiene acciones en la mina**, significa que es segura su inversión en un negocio.

Mineral: Soñar con minerales significa que mejorará la vida de la persona que sueña.

Ministro: Ver un ministro significa cambios para empeorar y viajes indeseables. **Escuchar predicar a un ministro** significa que la persona que sueña será influenciada para hacer el mal. **Soñar con ser un ministro** indica que tratará de quitar a otros sus derechos.

Minué: Ver danzar un minué es señal de una vida agradable con buenos amigos. Si la **persona que sueña danza el minué**, tendrá éxito en los negocios y felicidad en casa.

Miopía: Un **sueño sobre ser miope** significa que la persona que sueña experimentará un fracaso humillante y puede esperar visitantes indeseables. Para una **joven**, significa rivalidad no prevista. Si el **enamorado de la persona que sueña es miope**, se desilusionará con ella.

Mirra: La mirra es señal de ganancias satisfactorias en las inversiones. Si una **joven sueña con mirra**, conocerá a una persona acaudalada.

Mirto: Soñar con **mirtos floridos y verdes** indica placeres y deseos satisfechos. Si una **joven sueña con portar mirtos**, tendrá un buen matrimonio a edad temprana. Sin embargo, si el **mirto está seco**, lo perderá por su conducta.

Misterio: Si **eventos misteriosos confunden a la persona que sueña**, significa que la preocuparán los problemas de extraños y sus exigencias de ayuda. Es un recordatorio de deberes desagradables y predice embrollos en los negocios. Si la **persona que sueña contempla los misterios de la creación**, su vida está a punto de cambiar y elevarse a un plano superior, prometiéndole alegría y prosperidad.

Modales: Ver **personas con malos modales** en un sueño significa fracaso en proyectos por lo desagradable de uno de los socios. Las **personas con buenos modales** indican cambios para mejorar.

Modelos: Soñar con una modelo signi-
fica que la persona que sueña gastará su dinero
en su vida social, y esto la llevará a pleitos y
recriminaciones. Si una **joven sueña con ser
modelo**, predice una aventura amorosa com-
plicada que le causará angustia debido a un
amigo egoísta.

Moisés: Un sueño sobre Moisés es señal de matrimonio feliz y prosperidad.

Mojar la Cama: Si una **madre sueña que su hijo
moja la cama**, es señal de extraordinaria preocupación y
la recuperación prolongada de alguien enfermo. Si la **persona sueña que moja la cama**, es señal de enfermedad o
tragedia disociadora.

Mojón: Si la **persona que sueña ve o pasa un mojón**
en un sueño, tendrá miedo y dudas respecto al amor o a los
negocios. Ver un **mojón caído** significa que sus asuntos se
verán amenazados por contratiempos.

Molestar: Ser molestado en un sueño significa que de
repente se tendrán muchas preocupaciones. Si la **persona
que sueña piensa que alguien está molesto con ella**, no
va a arreglar una discusión sin importancia en el futuro
cercano.

Molestia: Si la persona que sueña es molestada por
alguien en un sueño, es una señal de tener enemigos.

Molestias: Ve **Importunar**.

Molinero: Un **molinero** en un sueño indica una mejoría en el entorno de la persona que sueña. Si una **mujer** sueña con un **molinero desafortunado**, se desilusionará por la situación financiera de su enamorado.

Molinillo de Café: Ver un molinillo de café es una advertencia para la persona que sueña de un peligro que se aproxima con rapidez y que puede evitarse al estar bien alerta y tener firmeza. **Escuchar el zumbido de un molinillo de café** significa que la persona que sueña no tendrá problemas para acabar con el mal que se está cometiendo en su contra.

Molino: Un **molino** es señal de buena suerte y prosperidad. Un **molino descompuesto** significa enfermedad y mala suerte.

Molino de Viento: Ver trabajar un molino de viento significa que la persona que sueña será feliz y rica. Si un **molino de viento está inmóvil o descompuesto**, los problemas la tomarán por sorpresa.

Monasterio: Un **monasterio en ruinas** indica planes fallidos y esperanzas arruinadas. Si **una joven entra a un monasterio**, significa que ella se va a enfermar de gravedad. Que un **sacerdote niegue la entrada al soñador en el monasterio** significa que se evitará que el soñador sea avergonzado por sus adversarios.

Monedas: Una **moneda de oro** indica que la persona que sueña ha salido a disfrutar de la naturaleza. Una

moneda de plata es señal de mala suerte, ya que predice pleitos domésticos. Una **moneda desgastada** indica un día molesto. Una **moneda de cobre** indica que se lleva una pesada carga y grandes responsabilidades. Una **moneda brillante** significa éxito en el romance.

Monedero: Si el monedero de la persona que sueña está lleno de billetes y diamantes, disfrutará de armonía y amor en su vida.

Monja: Si una **persona religiosa sueña con monjas**, indica que tiene un conflicto entre los placeres materiales y los asuntos del espíritu. Para una **mujer**, este sueño pronostica viudez o separación del enamorado. Si **sueña que es una monja**, refleja infelicidad con su vida. Una **monja muerta** indica la desesperación de la persona que sueña por la infidelidad de seres amados y sus pérdidas financieras. Si una **monja sueña con desechar los hábitos**, significa que es inapropiada para el ministerio.

Monje: Ver a un monje indica que la persona que sueña tiene problemas familiares y debe realizar viajes desagradables. Si una **joven sueña con un monje**, debe cuidarse de las murmuraciones. Soñar que se **es un monje** pronostica desamparo y enfermedad.

Mono: Soñar con un mono significa que la persona que sueña tiene una relación des-honesta con una amistad cercana, que desea explotarla para su propio bien. **Ver un mono muerto** significa que desaparecerán los peores enemigos de la persona que sueña.

Alimentar a un mono es señal de adulación y sospechas de infidelidad.

Moño: Un **moño** es señal de extravagancia. Soñar con una **novia que usa moños** indica que las intenciones del novio no son honorables. Los **moños en la ropa** significan que la persona que sueña tendrá amigos joviales y no tomará nada demasiado en serio. Si una **joven ve a otras mujeres que usan moños**, tendrá rivales respecto al afecto de un hombre. **Comprar moños** significa una buena vida doméstica para una mujer.

Monstruo: Un **monstruo que aparece en diferentes formas** en un sueño, indica que la persona que sueña sufre de miedo extremo que la tiene paralizada. **Ser perseguido por un monstruo** es señal de extrema mala suerte y pesar. **Matar un monstruo** significa victoria sobre los enemigos.

Montaña: Si el **ascenso es muy difícil**, pronostica encuentros con obstáculos con los que la persona que sueña tendrá que luchar para superarlos. Un **ascenso fácil y rápido** significa que la persona que sueña tendrá un rápido ascenso a la riqueza y fama. Si **se encuentra con otras personas al subir**, indica que tendrá que buscar la ayuda de otros en su camino al éxito. Una **montaña desnuda** es señal de hambre e infortunio.

Montar: Soñar con montar no augura nada bueno, a menudo predice una enfermedad. **Cabalgar lentamente** significa resultados decepcionantes de los tratos de negocios. **Cabalgar rápido** significa prosperidad con el riesgo de peligros.

Monumento: Soñar con un monumento significa que la persona que sueña tendrá que ser amable y paciente con parientes enfermos y desafortunados.

Morada: Si la persona que sueña **no puede encontrar su morada**, significa que ya no cree en la integridad de otras personas. Si **no tiene morada**, tendrá mala suerte en asuntos financieros. **Cambiar de morada** es una indicación de noticias y viajes urgentes. Una **joven que sueña en abandonar su morada,** significa que es el tema de murmuraciones y calumnias.

Moras: Si **aparecen moras en un sueño**, una enfermedad impedirá que la persona que sueña realice sus deseos y tendrá que mitigar el sufrimiento de otros. **Comer moras** es señal de amargo desengaño.

Mordedura: Este sueño no presagia nada bueno. La persona que sueña intentará sin éxito deshacer algo que no se puede deshacer. También sufrirá a manos de un enemigo.

Mortaja: Un **sueño sobre mortajas** predice enfermedad y preocupación, además de estratagemas malévolas de falsos amigos y caída de los negocios. **Ver cadáveres amortajados** es señal de enorme mala suerte. Si la **mortaja se retira del cadáver**, se presentarán separaciones irreconciliables.

Mortificación: Soñar con sentirse mortificado por su conducta significa que la persona que sueña sufrirá una humillación frente a quienes quería impresionar. Experimentará una pérdida financiera.

Moscas: Es una indicación de preocupaciones diarias, enfermedad, contagio y enemigos.

Mosquito: Ver mosquitos es señal de que enemigos están tramando algo malo contra la persona que sueña y le causarán problemas financieros. **Matar mosquitos** indica prosperidad y felicidad doméstica.

Mostaza: Ver crecer la mostaza es señal de prosperidad para el granjero y de riqueza para quienes viajan por mar. **Comer mostaza** es una advertencia sobre recibir malos consejos y de realizar una acción no considerada que causará problemas a la persona que sueña.

Mostrador: Soñar con mostradores significa que los diversos intereses y actividades de la persona que sueña le impedirán sucumbir a deseos dañinos. **Mostradores vacíos y sucios** son una premonición de algún mal encuentro que privará a la persona que sueña de su paz mental.

Motocicleta: Soñar con conducir una motocicleta significa que la persona que sueña controlará sus relaciones. **Observar a otros conducir una** significa que la persona está estancada en las rutinas mientras otros avanzan en sus vidas personales y profesionales.

Motor: Ver motores significa que con la ayuda de buenos amigos, la persona que sueña podrá superar las dificultades graves que están en su camino. Los **motores descompuestos** simbolizan mala suerte y muerte de un padre. También simboliza el deseo de ser un líder y estar en el centro de la acción.

Muchacha: Una **muchacha brillante y saludable** es señal de buena suerte y felicidad doméstica. Una **muchacha delgada y pálida** es señal de una persona enferma en la familia, además de situaciones desagradables.

Muchedumbre: Por lo general, **soñar con una muchedumbre** es una buena señal, si la mayor parte de la gente emplea ropa de color brillante. La persona que sueña que ve una **muchedumbre de individuos bien vestidos en un evento de entretenimiento**, tendrá buenas amistades, pero **si algo sucede para estropear** la atmósfera de placer, sus amistades estarán en peligro y en lugar de relaciones amistosas y benéficas, tendrá aflicción e infelicidad. **Ver una muchedumbre** también es una indicación de pleitos familiares y descontento con el gobierno actual.

Mudar Plumas las Aves: Indica tratamiento inhumano e inmoral hacia los infortunados y oprimidos por parte de los adinerados.

Mudo: Indica que la persona que sueña es incapaz de convencer a otros para pensar como ella lo hace. Intenta explotarlos utilizando palabras agradables. **Soñar con ser mudo** significa que la persona que sueña es incapaz de convencer a otros para que adapten sus opiniones mediante su elocuencia. Si la **persona que sueña está muda**, es señal de amigos hipócritas.

Muelle: Encontrarse en un muelle indica que la persona que sueña superará obstáculos, recibirá los más altos honores y tendrá prosperidad. Si **trata de caminar en un muelle** pero no puede, perderá el honor que aprecia tanto.

Muelles: La **presencia de la persona que sueña en los muelles** es indicación de un viaje infortunado, amenazado por accidentes. Si la **persona que sueña vaga por los muelles en la oscuridad**, estará en peligro por sus enemigos, pero **en la luz del día**, estará segura.

Muérdago: Soñar con muérdago es un sueño muy feliz y festivo que promete buenos tiempos. Sin embargo, si **aparecen malas señales con el muérdago**, serán desilusiones las que tendrá.

Muerte: Contrario a lo que se podría esperar, **soñar con la muerte** anuncia una vida larga y buena. Un **sueño sobre la muerte de una persona que está enferma** significa que se recuperará pronto.

Muertos: Por lo general, un **sueño sobre los muertos** es una advertencia. Si la persona que sueña habla con su padre muerto, está a punto de hacer un trato desfavorable; debe tener cuidado. Si **ve a su madre muerta**, debe intentar mostrar más compasión y amor hacia sus semejantes. Si **ve a un hermano, padre o amigo muerto**, le pedirán caridad.

Muestras: Recibir muestras de bienes indica mejoría en los negocios. Si un **vendedor extravía sus muestras**, tendrá problemas en los negocios y el amor. Si una **mujer examina muestras** que. ha recibido, tendrá diversas opciones.

Mujer: Soñar con una mujer representa una advertencia para pensar con cuidado antes de tomar una decisión importante o fatídica. **Soñar con una mujer** es una predicción de intrigas. Si la **persona que sueña discute con una**, la detendrán y derrotarán. Una **mujer de cabello oscuro y ojos azules** significa que se retirará de alguna situación competitiva en la que tiene una buena oportunidad de ganar. **Ver una mujer de ojos castaños** significa que lo seducirá un trato arriesgado. **Ver una mujer de cabello rojizo con ojos castaños** significa que tendrá confusión y preocupaciones exacerbadas. **Ver una mujer rubia** significa sucesos y diversiones placenteros.

Mula: Montar una mula significa que las acciones en que participa la persona que sueña le causan una gran ansiedad. Si el **paseo es tranquilo**, tendrá éxito. **Ser pateado por una mula** es señal de desilusión en el amor y el matrimonio. Una **mula muerta** simboliza rompimientos y ostracismo social. Si una **mujer sueña con una mula**

blanca, se casará con un extranjero rico o algún otro hombre rico pero incompatible.

Muletas: Si la **persona que sueña camina con muletas**, significa que confía en otros para obtener ayuda y progresar. Si **ve a otros con muletas**, significa que no son buenos los resultados del trabajo duro.

Murciélago: Soñar con murciélagos es una advertencia extrema de la venida de malas noticias: pesar, catástrofes, desamparo, accidentes. Un **murciélago blanco** casi siempre significa muerte, a menudo de un niño.

Murmuración: Si la **persona que sueña participa en murmuraciones insidiosas**, sufrirá las consecuencias vergonzosas de haber confiado demasiado en la persona equivocada. Sin embargo, **soñar con ser el objeto de murmuraciones** es señal de buenas cosas inesperadas.

Musaraña: Ver una musaraña en un sueño significa que la persona que sueña tendrá que hacer un esfuerzo para alegrar a un amigo. La persona que sueña ya no podrá enfrentar la vida diaria.

Músculos: Si los **músculos de la persona que sueña están bien desarrollados**, encontrará enemigos pero los derrotará. Los **músculos mal desarrollados** son señal de la incapacidad de la persona que sueña para tener éxito en los negocios. Si una **mujer sueña con músculos**, predice una vida de trabajo duro y dificultades.

Museo: Un **sueño sobre un museo** significa que la persona que sueña experimentará
con diversas actividades mientras busca el nicho
perfecto, actividades que la enriquecerán más
que el aprendizaje formal. Si **le desagrada el
museo**, es señal de preocupaciones irritantes.

Musgo: Soñar con musgo significa que la persona que
sueña trabajará como empleado. Sin embargo, si el **musgo
crece en suelo fértil**, la persona que sueña logrará recono-
cimientos.

Música: La **música armoniosa y placentera** simboliza éxito y buena vida. Los **sonidos discordantes y
cacofonía** indican pleitos domésticos, hijos desobedientes
y rupturas durante un largo viaje.

Muslo: Soñar con un muslo indica recuperarse de una
enfermedad o el final de los problemas de salud. **Ver el
muslo propio terso y pálido** es señal de muy buena suerte.
Si el **muslo está lesionado**, se presentarán traiciones y
enfermedades. Si una **joven admira sus muslos**, debe
evitar exagerar en su conducta extrovertida.

Nabos: Un **sueño sobre nabos en crecimiento** significa una mejoría en las posibilidades de la persona que sueña, lo que la hará muy feliz. **Comer nabos** es señal de enfermedad, mientras que desenterrarlos significa mejores oportunidades en la vida. **Ver semillas de nabo** tiene un significado similar. Si una **joven siembra semillas de nabo**, recibirá un buen legado y encontrará a un marido bien parecido.

Nacido Muerto: Soñar con un bebé nacido muerto significa que se informará a la persona que sueña de un suceso triste.

Nacimiento (de animales): Indica que la persona que sueña tiene enemigos que actúan a sus espaldas; sin embargo, superará este obstáculo y tendrá éxito en lograr sus metas y objetivos.

Nacimiento: Si una **persona soltera sueña con el nacimiento**, significa que ciertos problemas pronto se resolverán. Si una **persona casada sueña con el nacimiento**, es señal de que pronto tendrá sorpresas agradables.

Nadar: Si la **persona que sueña se ve nadando**, es una advertencia contra tomar riesgos innecesarios o contra jugar por dinero, lo que produciría pérdidas significativas. Si **empieza a hundirse mientras nada**, estará muy disgustado. **Nadar bajo el agua** es una predicción de preocupaciones y controversias. Una **joven nadando con una amiga** será popular por su naturaleza encantadora.

Naranja: **Comer o ver una naranja** en un sueño sugiere una mejoría significativa en el estilo de vida. Sin embargo, una **joven que sueña con comer una naranja** arriesga perder a su enamorado. Los **naranjos saludables**, con frutas maduras, indican salud y prosperidad. **Resbalar en una cáscara de naranja** predice la muerte de un miembro de la familia.

Narciso: Indica que la persona que sueña tiene problemas relacionados con su identidad sexual.

Nariz: Si la **persona que sueña se ve con una nariz grande**, indica gran riqueza y prosperidad económica. Una **nariz pequeña** significa que un miembro cercano o lejano de la familia va a deshonrar a ésta. **Ver una nariz en un sueño** significa que la persona que sueña está consciente de sus habilidades y su carácter fuerte. Si **crece pelo en la nariz**, logrará realizar acciones increíblemente difíciles por pura fuerza de voluntad. Una **nariz sangrante** predice desastres.

Navaja de Afeitar: Soñar con una navaja de afeitar es señal de mala suerte y problemas. Si la **persona que sueña se corta con una navaja de afeitar**, hará un mal trato. Una **navaja de afeitar rota u oxidada** significa gran infelicidad. **Tener problemas con la navaja de afeitar** significa tener que tratar con una persona en extremo irritante.

Navegación: Navegar en aguas calmadas es simbólico de un futuro bueno y feliz y de diversas oportunidades disponibles para la persona que sueña. **Navegar en un bote pequeño** significa que es posible la realización de las esperanzas de la persona que sueña.

Neblina: Si la **persona que sueña está envuelta por neblina**, significa que su suerte no es estable. Si la **neblina se aclara**, sus problemas pasarán. Si **ve a otros en la neblina**, se beneficiará de sus problemas.

Necesidad: Soñar con tener necesidades significa empresas arriesgadas sin éxito y malas noticias sobre amigos. Si **otros tienen necesidades**, tanto la persona que sueña como otras personas sufrirán en tiempos difíciles.

Negligé: Soñar con un negligé predice una osada vida amorosa con una compañera de gustos similares. **Ver un negligé en una caja** significa que viejas relaciones aún son satisfactorias. **Soñar con una mujer que usa negligé** pronostica una aventura amorosa que trastornará la vida de la persona que sueña.

Nenúfar: Soñar con un nenúfar o verlo crecer, significa que la persona que sueña experimentará una combinación de prosperidad y pesar.

Nerviosismo: ¡Buenas noticias en camino!

Nido: **Ver nidos de aves** significa la posibilidad de una proposición lucrativa de negocios. Para una **joven**, significa cambiarse de casa. Un **nido vacío** significa tristeza porque un amigo se ha marchado. Un **nido con huevos en mal estado o rotos** es señal de fracaso y desilusión. Las **palomas que construyen nidos** indican armonía doméstica y paz mundial.

Nido de Ave: Un **nido de ave vacío** indica problemas y dolor en el futuro. Un **nido que contiene huevos** indica un futuro prometedor.

Nido de Gallina: Simboliza la armonía doméstica y niños encantadores.

Niebla: Si la **persona que sueña está en la niebla**, es señal de que se cumplirán sus planes. Si **se ve niebla a lo lejos**, indica desacuerdo entre la persona que sueña y quienes están cerca de ella.

Nieve: **Cualquier tipo de nieve** en un sueño indica fatiga extrema. **Ver nieve** significa suerte bastante mala, pero no desastrosa. La **nieve sucia** significa orgullo perdido y tratar de recibir favores de alguien que la persona que sueña antes menospreciaba y desdeñaba. La **nieve que se derrite** significa que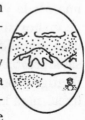

las preocupaciones se convertirán en felicidad. **Estar inmovilizado por una nevada** es señal de mala suerte que nunca termina. Una **tormenta de nieve** simboliza tristeza y desilusión porque no se va a materializar algún placer que ha deseado por mucho tiempo. **Lanzar bolas de nieve** significa que la persona que sueña va a enfrentar dilemas morales desagradables que la arruinarán si no ejerce bien su juicio. Si la **persona que sueña ve grandes copos de nieve** a través de la ventana, discutirá con su enamorada y experimentará dificultades financieras. **Mirar montañas lejanas, cubiertas de nieve** significa que las aspiraciones de la persona que sueña nunca se harán realidad. Ver un **paisaje nevado que brilla al sol** promete a la persona que sueña que vencerá los obstáculos en su camino.

Nigromante: Soñar con un nigromante y sus prácticas significa que la persona que sueña está en peligro de que influyan en ella extraños malvados.

Ninfa: Ver ninfas en agua transparente significa que los deseos íntimos se cumplirán en medio de éxtasis y deleites. Si las **ninfas no están en el agua,** es señal de desilusión. Si una **joven ve ninfas bañándose,** tendrá placeres y alegría, pero no serán puros; utilizará sus encantos para corromper a los hombres.

Niño: Este sueño indica que la persona que sueña carece de escrúpulos cuando se trata de buscar placeres; romperá corazones.

Niños: Un **sueño sobre muchos niños hermosos** significa gran prosperidad y felicidad. Si una **mujer sueña con niños,** significa que está satisfecha con su vida familiar. Si **sueña con un niño enfermo**, puede esperar que sus hijos sean saludables. Sin embargo, si ve al **niño peligrosamente enfermo o muerto**, predice que tiene mucho qué temer, ya que el bienestar de sus hijos está en riesgo. Si un **hombre sueña con niños**, significa que puede esperar un periodo de tranquilidad con respecto a su vida doméstica.

Niños de la Calle: Es señal de problemas de naturaleza personal y, en especial, mala suerte en los negocios.

Nitrato de Chile: Es un muy mal presagio, pronostica pesar y pérdida.

Nobleza: Si la **persona que sueña se asocia con la nobleza**, significa que está aspirando a algo equivocado, placeres frívolos en lugar de asuntos espirituales más elevados. Si una **joven sueña con la nobleza**, significa que escogerá a un hombre por su apariencia en lugar de por sus cualidades internas.

Noche: La **oscuridad y la noche** simbolizan falta de claridad mental, además de privaciones, confusión y falta de claridad en la vida de la persona que sueña. Si la **luz desaparece**, habrá mejoría en su vida y negocios. **Caminar por la noche** significa mala suerte y esforzarse inútilmente por la felicidad.

Nodriza: Soñar con ser una nodriza significa que la persona que sueña se quedará viuda o tendrá que cuidar de ancianos o niños chicos. Si una **mujer sueña con ser nodriza**, significa que tendrá que mantenerse sola.

Nómada: Si la persona que sueña u otra persona aparece como nómada o vagabunda, tiene un ardiente deseo de cambiar de vida.

Nombre: Si la persona que sueña escucha a alguien diciendo su nombre, es señal de que pronto necesitará ayuda de alguien cercano a ella.

Nostalgia: Significa que la persona que sueña extrañará la oportunidad de hacer viajes placenteros.

Nota: Si la persona que sueña recibe una nota, significa que necesitará la ayuda de sus amigos, pero éstos no se la darán.

Notario: Soñar con un notario significa que la persona que sueña tiene deseos insatisfechos y es probable que se meta en pleitos legales. Si una **mujer tiene tratos con un notario**, arriesga su reputación a cambio de placeres fugaces.

Noticias: Extrañamente, las **buenas noticias en un sueño** advierten de problemas y preocupaciones. Sin embargo, las **malas noticias** anuncian buena suerte y éxito en el futuro cercano.

Novia: Si la **persona que sueña ve a su novia como alguien agradable y hermosa**, encontrará una mujer encantadora y de reputación sólida. Si la **novia no tiene muy buena apariencia**, la persona que sueña tendrá serias dudas sobre su futuro con ella. Si **su novia está enferma**, significa que tendrá a la vez felicidad y tristeza. Si sueña que su **novia está muerta**, predice mucha mala suerte. **Soñar sobre una novia** es una indicación de virginidad y falta de madurez y experiencia en la vida. Para una **mujer, soñar que es una novia**, es señal de herencia inminente. **Besar a una novia** es señal de amigos que se concilian después de un pleito. Si la **persona que sueña es besada por una novia**, significa que tendrá salud y que heredará la persona que ama.

Noviembre: Es una indicación de éxito muy mediocre en todas las esferas.

Novillo: Ver un novillo indica honestidad y justicia de la persona que sueña, que son sus características más sobresalientes. Si **aparece más de un novillo en un sueño**, muestra que es el momento correcto para correr riesgos. (Un novillo, en oposición a un toro o una vaca, se caracteriza por sus cuernos; ve **Toro**.)

Nubes: Las **nubes oscuras y densas** en un sueño predicen privaciones y mala administración. **Nubes en combinación con estrellas**, significa pequeñas alegrías y recompensas. **Ver nubes brillantes** a través de las cuales resplandece el sol significa que el éxito seguirá a una lucha. Si está lloviendo, le seguirán problemas y enfermedad.

Nudo: Un **nudo en un sueño** es señal de problemas económicos y pérdidas financieras. **Atar un nudo** es señal de independencia y seguridad en sí mismo.

Nueces: Soñar con recolectar nueces predice éxito en los negocios y el amor. **Comer nueces** significa que la persona que sueña será lo bastante adinerada para tener todo lo que desee. Si una **mujer sueña con nueces**, tendrá lo que anhela.

Nueces Lisas: Comer nueces lisas en un sueño significa que se pondrá en práctica exitosamente un plan. **Verlas crecer en el árbol** significa una vida larga y feliz. Si **están podridas**, se presentarán fracasos en los negocios y el amor. Si la **persona que sueña tiene dificultades para romperlas**, y encuentra nueces pequeñas, significa que tendrá éxito, pero será menor.

Nuera: Es una indicación de un evento insólito, bueno si la persona es agradable, malo si no lo es.

Nuez Moscada: Es señal de éxito financiero y buenos viajes.

Nuez: Soñar con nueces maduras es una señal excelente. **Ver nueces** es señal de matrimonio con un compañero rico. **Comer nueces** en un sueño indica que la persona que sueña es despilfarradora y extravagante. **Cascar una nuez podrida** significa que las esperanzas de la persona que sueña se truncarán brutalmente. Si las **manos de una joven están manchadas con jugo de nuez**, su enamorado la dejará por otra, y sentirá remordimientos por sus indiscreciones pasadas.

Nupcias: Si una mujer sueña con sus nupcias, es una predicción de eventos agradables que le darán alegría y respeto.

Nutria: Ver jugar nutrias en aguas claras es señal de felicidad y buena suerte. Una **persona soltera** podría casarse poco después de este sueño, y los **cónyuges** pueden ser especialmente afectuosos.

Obediencia: Obedecer a alguien predice un periodo normal y agradable en la vida. Si **otros obedecen** a la persona que sueña es señal de que tendrá riqueza y poder.

Obelisco: Ver un obelisco significa que son inminentes noticias tristes. Si unos **enamorados están cerca de un obelisco**, se separarán.

Obispo: Si la **persona que sueña es maestra o autora,** sufrirá tormento mental por lo intrincado del material con que trabaja. Un **comerciante que sueña con un obispo** puede perder dinero por hacer transacciones sin sentido. **Ver a un obispo** en un sueño predice trabajo duro acompañado por fiebre y escalofríos. Si un **obispo admirado** da su aprobación a la persona que sueña, el resultado será el éxito.

Obituario: Soñar con escribir un obituario significa que la persona que sueña pronto tendrá que llevar a cabo tareas desagradables. **Leer uno** significa que pronto arribarán noticias desconcertantes.

Oblea: Ver obleas es señal de una confrontación inminente con enemigos. **Comer obleas** es señal de una disminución en los ingresos. Si una **joven cocina obleas,** significa que está atormentada por el miedo de no casarse.

Obra de Teatro: Si una **joven ve una obra de teatro**, se casará por dinero y buscando el placer. Si **tiene problemas para llegar o salir de la obra de teatro**, o si **se presentan escenas horribles**, le esperan tiempos muy difíciles.

Observatorio: Observar los cielos desde un observatorio predice la subida meteórica de la persona que sueña a ser eminente. Si el **cielo está nublado**, no se realizarán las aspiraciones más elevadas de la persona que sueña. Una **joven que sueña con estar en un observatorio** puede esperar placeres materiales.

Océano: Soñar con el océano indica un deseo de un nuevo inicio o de retirarse y tener reflexión interna. Un **mar en calma y un horizonte despejado** representa un futuro prometedor, afortunado y próspero; un **mar tormentoso** predice peligro inminente, peleas domésticas y preocupaciones de negocios. Si el **océano es tan poco profundo** que la persona que sueña ve el lecho marino, se predice una mezcla de alegría y prosperidad con pesar y privaciones.

Ocio: Soñar con estar ocioso significa un fracaso en alcanzar nuestros objetivos. Los **amigos ociosos** significan que tendrán un problema.

Octubre: Es señal de éxito en todas las empresas arriesgadas. Se fortalecerán nuevas amistades.

Oculista: Advierte a la persona que sueña que mantenga sus ojos abiertos y esté atenta a su situación, con el fin de no perder cualquier oportunidad que se le presente. **Soñar con consultar** un oculista significa que la persona que sueña no está satisfecha con su avance en la vida e intentará avanzar por otros medios.

Ocultista: Soñar con escuchar las enseñanzas de un ocultista significa que la persona que sueña tratará de elevar a otras personas a niveles más altos de tolerancia y justicia.

Odio: Soñar con odiar a alguien advierte a la persona que sueña que puede causar a esa persona una lesión, y que sufrirá pérdidas financieras y tendrá preocupaciones. Si la **persona que sueña es odiada sin razón**, significa que sus amigos y socios son positivos y fieles. Por lo general, es un mal sueño. Soñar que se **detesta a alguien** significa que el desagrado de la persona que sueña está justificado. Si **otras personas la detestan**, sus sentimientos bien intencionados hacia ellas se volverán egoístas. Una **mujer que sueña que la detesta** su pareja, ha escogido el hombre equivocado.

Ofensas: Si **ofenden a la persona que sueña**, estará enojada por tener que justificarse por mala conducta en asuntos menores. Si **ofende a alguien**, su camino al éxito está lleno de obstáculos. Si una **joven es ofendida u ofende**, se arrepentirá de haber desobedecido a sus padres o de haber tomado decisiones precipitadas.

Oficial de la Fuerza Aérea: Un **sueño sobre un oficial de la fuerza aérea** es una predicción de un viaje corto o de una visita inesperada. Soñar que se **es un oficial de la fuerza aérea** predice una promoción.

Oficina: Si la **persona que sueña está trabajando en una oficina**, se predicen problemas financieros. **Dirigir una oficina** simboliza ambición y habilidad para superar obstáculos.

Oficina de Correos: Soñar con una oficina de correos indica que la persona que sueña tiene la conciencia intranquila respecto a una deuda o compromiso pendientes. Es señal de malas noticias y mala suerte.

Ofrendas: Hacer una ofrenda significa que la persona que sueña será servil y obsequiosa hasta que eleve su nivel de responsabilidad.

Oídos: Un sueño en que la persona que sueña ve oídos significa que sus conversaciones son interceptadas por un enemigo.

Ojo: Ver un ojo es una advertencia de que los enemigos de la persona que sueña la están espiando, esperando dañarla. Un **enamorado** debe vigilar que nadie le robe a su amada. Los **ojos azules** significan falta de resolución. Los **ojos cafés** significan mentiras y engaño. Los **ojos grises** significan que a la persona que sueña le encanta que la adulen. Los **ojos adoloridos** o la pérdida de un ojo significan problemas. Ver un **hombre tuerto** significa problemas graves.

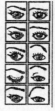

Olas: Si las **olas están limpias,** significa que la persona que sueña comprende exactamente lo que tiene que hacer en un asunto complicado. Si las **olas están lodosas o son tormentosas,** cometerá un error fatal.

Oliva: Un **sueño sobre olivas** es símbolo de felicidad y riqueza para la persona que sueña. Un **sueño sobre cosechar olivas** o sobre **olivas negras** predice un nacimiento en la familia. **Romper una botella de olivas** predice que el placer estará precedido por desilusiones. **Comer olivas** significa felicidad y buenos amigos.

Olla: Soñar con una olla significa que molestarán a la persona que sueña con controversias sin importancia. Una **olla hirviendo** en el sueño de una mujer es señal de deberes satisfactorios. Una **olla rota u oxidada** indica desilusiones.

Olor: Los **olores dulces** en un sueño indican que la persona que sueña está siendo cuidada por una mujer hermosa y está prosperando. Los **olores repelentes** predicen disputas amargas y empleados irresponsables.

Ópera: Asistir a una ópera significa que los amigos de la persona que sueña la van a entretener y sus negocios serán provechosos. Un **sueño sobre una ópera que es desagradable** para la persona que sueña es señal de crisis y fracasos, conflictos y luchas internas. Si la **persona que sueña participa en una ópera,** simboliza un deseo de revelar un talento oculto que no se expresa.

Opio: Este sueño significa que extraños sabotearán las posibilidades de éxito de la persona que sueña mediante acciones sutiles.

Oponente o Rival: Si la persona sueña con un oponente, es señal de que sus deseos pronto se harán realidad.

Opulencia: Si una joven sueña con una opulencia increíble y magnífica, debe tener cuidado de que no la engañen y se encuentre en una situación vergonzosa y negativa.

Oración: Si la **persona que sueña está orando**, es señal de que se aproxima un buen periodo, lleno de felicidad y alegría. Si la **oración tiene lugar sin la persona que sueña**, es señal de que sus acciones son dañinas para otros, y pueden conducir al fracaso.

Orador: Si la persona que sueña es influenciada por las palabras de un orador, significa que la manejarán mediante halagos y ayudará a gente que no lo merece.

Orangután: Soñar con un orangután indica que otros están utilizando a la persona que sueña para hacer avanzar sus planes egoístas. Es señal de un enamorado infiel para una **joven**.

Orden de Aprehensión: Si se **entrega una orden de aprehensión a la persona que sueña**, significa que se involucrará en una empresa de tal importancia que se preocupa al respecto. Si **entregan una orden**

de aprehensión a otro, la persona que sueña corre el riesgo de que sus acciones causen fuertes disputas o malentendidos.

Orden: Si se **da una orden a la persona que sueña,** significa que se le humillará por haber actuado en una forma insubordinada hacia sus superiores. **Dar una orden** pronostica algún tipo de honor para la persona que sueña, a menos que lo haga con tiranía, en cuyo caso, se prevén dificultades. Si **recibe órdenes**, significa que sucumbirá ante la influencia negativa de personas con mayor fuerza de voluntad.

Orden Secreta: Soñar con cualquier orden secreta advierte a la persona que sueña que no sea egoísta e intrigante. Si **muere el líder de la orden**, al final se resolverán grandes dificultades.

Ordeñar: Ordeñar una vaca con leche abundante significa que el éxito vendrá unido a muchos problemas.

Orfandad: Si la persona que sueña u otra persona queda huérfana, significa que una nueva y positiva personalidad entrará a la vida de la persona que sueña, constituyendo una fuerza muy dominante.

Organista: Ver un organista indica que la persona que sueña tendrá problemas por la conducta descuidada de un amigo. Una **joven que sueña con ser organista** debe tener cuidado de no ser demasiado exigente en el amor para que no la abandone su enamorado.

Órgano: Escuchar poderosa música de órgano indica una riqueza sólida y buenos amigos. **Ver un órgano en una iglesia** es señal de desesperación por una muerte o separación en la familia. Si la **persona que sueña toca competentemente el órgano**, gozará de eminencia y buena suerte. **Cantos melancólicos acompañando el órgano** significan que son inminentes tareas desagradables, además de pérdida de amigos o de un empleo.

Orina: Ver orina en un sueño significa que la persona que sueña será caprichosa con sus amigos, como resultado de su mala salud. **Soñar con orinar** es señal de mala suerte y amor sin éxito.

Orinal: Un sueño sobre un orinal significa un hogar caótico.

Oro: Encontrar oro en un sueño significa que la persona que sueña tendrá grandes logros y alcanzará las metas que se ha fijado. **Perder oro** significa que la persona que sueña no valora adecuadamente asuntos importantes. **Tocar oro** significa que la persona que sueña encontrará una nueva afición u ocupación. Las **monedas de oro** son señal de prosperidad y viajes agradables.

Orquesta: Escuchar a una orquesta tocar indica que la persona que sueña será muy famosa. Un **sueño sobre tocar en una orquesta** predice una promoción importante en el trabajo. **Soñar con tocar en una** orquesta es señal de eventos agradables y un cónyuge culto y fiel.

Orquídea: Demuestra los fuertes deseos sexuales de la persona que sueña.

Ortiga: Soñar con ortigas predice insubordinación de empleados o de los hijos. **Caminar a través de ortigas sin que éstas piquen** es señal de prosperidad. **Ser picado** es señal de aborrecimiento personal y de hacer infelices a los demás. Para una **mujer, soñar con caminar entre ortigas**, significa que estará ansiosa por decidir cuál proposición matrimonial aceptar.

Oruga: Soñar con una oruga es una indicación de situaciones vergonzosas y de personas poco críticas y sin valor cerca de la persona que sueña. **Ver una oruga** pronostica pérdidas en el amor y los negocios.

Oscuridad: Es una advertencia de pérdida inminente y mala suerte.

Oscuridad: La aparición de oscuridad, o caminar en lo oscuro, indica que la persona que sueña está afligida, confundida e intranquila.

Oso: Cuando un **oso aparece** en un sueño, la persona tendrá que trabajar duro antes de ver los frutos de su labor. **Matar a un oso** simboliza superar obstáculos en el camino para lograr cierta meta.

Oso Polar: Soñar con osos polares significa que van a engañar a la persona que sueña, la mala suerte parece algo positivo, incluyendo enemigos que aparentan ser amigos. Una **piel de oso polar** significa que la persona que sueña superará toda oposición.

Ostras: Soñar con comer ostras significa que la persona que sueña descartará toda su decencia y moral para perseguir placeres bajos. También buscará las ganancias financieras descaradamente. Si **comercia con ostras**, empleará cualquier método para obtener una mujer o riquezas. **Ver ostras** predice riqueza e hijos. La **sopa de ostras con leche fresca** indica disputas y problemas, pero se reconciliará. La **sopa de ostras con suero de leche** indica que la persona que sueña tendrá que realizar algunas tareas desagradables. Indica amenazas de pleitos, mala suerte y rompimiento de amistades. Sólo si la **persona que sueña se despierta mientras come la sopa** se puede prevenir lo anterior.

Otomana: Si la persona que sueña y su novia están descansando en una otomana y disfrutan de una conversación sobre el amor, es seguro que sus rivales van a hacer maldades para degradarle ante los ojos de su novia y tendrá que casarse rápidamente con ella.

Otoño: Si una **mujer sueña con el otoño**, significa que adquirirá propiedades gracias a los esfuerzos de otros. Un **matrimonio de otoño** en un sueño es una buena señal.

Ouija: Soñar con emplear una tabla ouija predice sociedades y planes fracasados. Si la **persona que sueña no emplea una,** es señal de descuidar los negocios por el placer. Si la **tabla escribe con facilidad**, tendrá buenos resultados.

Oveja: Ver ovejas significa que valdrá la pena continuar tenazmente en el camino escogido. Los **rebaños de ovejas** simbolizan buenos tiempos para los granjeros. Las **ovejas delgadas y enfermas** predicen angustia por el fracaso de planes que prometían ganancias financieras. **Comer carne de oveja** significa 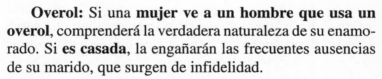 que la persona que sueña se exasperará con personas desagradables.

Overol: Si una **mujer ve a un hombre que usa un overol**, comprenderá la verdadera naturaleza de su enamorado. Si **es casada**, la engañarán las frecuentes ausencias de su marido, que surgen de infidelidad.

Óxido: El **óxido** simboliza desilusión en el campo del romance. **Ver óxido en objetos de estaño o hierro** significa que el medio ambiente de la persona que sueña está maltrecho. Por lo general, la abruman la mala salud, las preocupaciones financieras y los amigos desleales.

Padre: Cuando **su padre le habla a la persona que sueña**, pronto se presentarán sucesos jubilosos en su vida. Si el **padre sólo aparece en el sueño**, se pueden esperar preocupaciones y problemas.

Padrenuestro: Si la **persona que sueña recita el padrenuestro**, significa que enemigos secretos la están poniendo en peligro y que necesitará toda la ayuda que pueda obtener de sus amigos. Si **otro dice la oración**, significa que los amigos de la persona que sueña están en peligro.

Padres: **Ver felices a los padres** es señal de armonía y buenos amigos. **Ver a los padres muertos** es una advertencia de problemas inminentes. Si **están vivos y viven felizmente en el hogar de la persona que sueña**, están a punto de presentarse cambios positivos. Los **padres felices y saludables** significan una buena vida para la persona que sueña, mientras que los **padres tristes y enfermos** significan mala suerte.

Páginas: Las **páginas de papel** indican inquietud y falta de claridad. Entre más **ligeras y limpias las páginas**, mayor la probabilidad de desembarazarse de la situación problemática y cambiar a una página nueva.

Pagoda: Ver una pagoda significa que la persona que sueña partirá a un viaje muy esperado. Si una **joven está en una pagoda con su enamorado**, se presentarán muchos obstáculos en su camino al matrimonio. Una **pagoda vacía** es una advertencia de rompimiento.

Paja: Soñar con paja refleja los sentimientos negativos de la persona que sueña sobre la futilidad de su vida; ve su final y su destrucción. **Ver pacas de paja incendiadas** indica prosperidad. **Alimentar al ganado con paja** es señal de que la persona que sueña no abastecerá apropiadamente a quienes dependen de ella.

Pala: Ver una pala en un sueño simboliza trabajo duro pero no desagradable. Una **pala dañada o vieja** significa que las esperanzas no se van a hacer realidad. **Atizar un fuego con una pala** indica que la persona que sueña puede esperar buenos tiempos.

Palacio: Si la **persona que sueña se encuentra en un palacio**, o en un gran vestíbulo, es señal de problemas inesperados. Si la **persona que sueña no ve la entrada a este palacio**, significa que se acercan buenas noticias respecto al romance. **Vagar por un palacio y admirarlo** es señal de que la persona que sueña está avanzando.

Palangana: Si una mujer sueña con lavar en una **palangana**, significa que logrará amistades verdaderas y que avanzará mediante sus gracias femeninas. Soñar con una palangana es una indicación de nuevas carreras que interesarán a la persona que sueña. Si la **persona que sueña se lava manos y cara en una**

palangana, tendrá una relación apasionada pero vinculante con alguien por quien no siempre ha sentido pasión. Si la **palangana está sucia o rota**, sentirá remordimientos por una aventura ilícita que le proporcionó poco placer y lastimó mucho a otros.

Paleta de Pintor: Soñar con una paleta de pintor significa que la persona que sueña se preocupará por sus amoríos. Para una **joven**, una paleta de pintor es símbolo de un rival.

Palillos: Son señal de mala suerte. Soñar con palillos significa que preocupaciones y controversias sin importancia molestarán a la persona que sueña. **Usar un palillo** significa que la persona que sueña hará daño a un amigo.

Palizada: Ver palizadas significa que la persona que sueña cambiará planes preparados con cuidado para satisfacer a extraños, pero sufrirá por haberlo hecho.

Palmas (de las manos): Si las **manos están separadas del cuerpo**, muestra que la persona que sueña y quienes la rodean no se comprenden entre sí. Las **palmas peludas** indican que la persona que sueña tiene una imaginación alocada. Las **palmas sucias** indican celos. Las **manos cruzadas** significan tensión emocional. Las **manos atadas** muestran que la persona que sueña está muy reprimida.

Palmera: Las **palmeras** son un símbolo muy optimista. Si una **joven camina por una avenida con hileras de palmeras**, tendrá un hogar feliz y un buen marido. Si las **palmeras están secas**, su alegría se estropeará por culpa de un suceso triste.

Paloma: Ver una paloma atestigua una feliz vida familiar y gran éxito económico. Una **bandada de palomas** pronostica un largo viaje. Una **bandada de palomas blancas** es señal de diversiones inocentes y pacíficas, y de un futuro feliz. **Escuchar la voz solitaria y triste de una paloma** es una predicción de  tristeza y desilusión por la muerte de alguien que se suponía ayudaba a la persona que sueña. **Ver una paloma muerta** significa la separación de una pareja por infidelidad o muerte. La vista de palomas blancas presagia abundantes cosechas y amigos totalmente fieles. Ver y escuchar palomas es señal de armonía doméstica y buenos hijos. Para una **joven**, significa un matrimonio feliz a corta edad. Si **se dispara a las palomas por deporte**, muestra una tendencia cruel en la naturaleza de la persona que sueña. Debe evitar buscar placeres inmorales. Las **palomas que vuelan** predicen armonía y noticias de amistades lejanas.

Pan de Centeno: Ver o comer pan de centeno en un sueño simboliza un hogar feliz y atractivo.

Pan: Ver pan significa que la persona que sueña está satisfecha con ella misma y obtiene placer de su familia. **Comer pan** predice buena salud.

Panadería: Advierte al soñador para que tenga cuidado de peligros insospechados si cambia de profesión.

Panadero o Cocinero: Sugiere que el soñador no tiene la conciencia limpia o que está involucrado en algún tipo de chanchullo; revela el deseo de ocultar una situación a la que se está obligando a la persona que sueña.

Pandereta: Es una indicación de un suceso extraordinario que disfrutará la persona que sueña.

Panorama: Este sueño significa un cambio de trabajo o dirección.

Panqueque: Comer panqueques es un excelente sueño que indica éxito en todas las tareas. **Hacer panqueques** significa un hogar frugal y bien dirigido.

Pantalla: Indica que la persona que sueña sufre de problemas emocionales.

Pantalones: Ver pantalones significa que la persona que sueña será tentada para llevar a cabo acciones desagradables. **Invertir los pantalones** significa que la persona que sueña estará totalmente hipnotizada por algo.

Pantano: Caminar por pantanos significa mala suerte en asuntos monetarios, en especial legados, y en el amor. Si el **pantano tiene vegetación verde y agua transparente**, la persona que sueña disfrutará de dinero y buenos tiempos, pero con muchos riesgos.

Pantanos: Indican cargas y preocupaciones opresivas e insoportables. La persona que sueña puede enfermarse.

Pantera: Si la **persona que sueña ve a una pantera y está asustada**, los negocios y los acuerdos amorosos pueden fallar inesperadamente por personas que desean su caída. **Matar la pantera** significa éxito. **Ser amenazado por una pantera** significa desilusiones de negocios y promesas rotas. El **rugido amenazador de una pantera** significa malas noticias.

Pantomima: Ver una pantomima significa traición de amigos. **Participar en una** significa que van a ofender a la persona que sueña y ésta no va a tener éxito.

Paño Mortuorio: Ver un paño mortuorio es señal de pesar y mala suerte. **Levantar el paño mortuorio de un cadáver** pronostica la muerte de un ser amado.

Pañuelo: Buscar un pañuelo en un sueño es señal de separación inminente. Si un **pañuelo se encuentra con facilidad**, significa que la persona que sueña pronto recibirá un regalo. **Ver pañuelos de seda** significa que la personalidad cálida y carismática de la persona que sueña traerá alegría a otros, y en consecuencia, a sí misma. **Soñar con pañuelos sucios** advierte que la persona que sueña se corromperá por compañías inapropiadas. Los **pañuelos rotos** son señal de separación irreconciliable entre enamorados. Los **pañuelos totalmente blancos** significan que se resistirá a la adulación de personas inmorales y tendrá éxito en el amor y el matrimonio. Los **pañuelos de color** significan que los asuntos de la persona que sueña no son prístinos del todo, pero que es tan discreta y diestra para manejarlos que no se le puede censurar.

Papa: Si la **persona que sueña ve a un Papa pero no le habla,** significa que será servil con un patrón. Si **le habla al Papa,** puede esperar grandes honores. Si el **Papa se ve triste o molesto,** advierte a la persona que sueña contra el pesar y la inmoralidad.

Papalote: Volar un papalote en un sueño indica que la persona que sueña disfruta compartiendo sus sentimientos con otros y que logrará todos sus objetivos en la vida.

Papas: Soñar con papas simboliza calma, estabilidad y satisfacción con respecto a la vida. **Plantar papas** pronostica deseos que se hacen realidad. **Sacar las papas de la tierra** es señal de éxito. **Comerlas** es señal de ganancias. **Cocinarlas** implica un buen trabajo. Las **papas podridas** indican el final de cosas buenas.

Papel Atrapamoscas: Significa enfermedad y disolución de amistades.

Papel Periódico o Pergamino: Manejarlos es señal de pérdidas, como podría suceder por un pleito legal. El **papel periódico o el pergamino** a menudo predice pleitos domésticos. Para una **joven,** significa una disputa con su enamorado.

Paquebote: Ver fondear a un paquebote es señal de un placer que aguarda a la persona que sueña. Si **parte,** tendrá pérdidas y desilusiones menores.

Paquete: Recibir un paquete significa que esperan cambios positivos a la persona que sueña o a quienes están cerca de ella. Soñar con la entrega de un paquete significa que alguien querido para la persona que sueña volverá inesperadamente. **Transportar un paquete** significa una tarea desagradable que se debe llevar a cabo. **Dejar caer un paquete en el camino a entregarlo** significa que la persona que sueña descuidó algo importante.

Parábolas: Soñar con parábolas indica la inhabilidad para tomar una decisión respecto a un dilema de negocios. Las **parábolas** también son un símbolo de infidelidad y malos entendidos.

Paracaídas: Soñar con un paracaídas que flota hacia la tierra significa que la persona que sueña desea retirarse de una relación personal o profesional.

Paraguas: Un **paraguas abierto** simboliza felicidad, éxito y amor por la vida. **Sostener un paraguas nuevo** en un aguacero es señal de alegría y prosperidad. **Llevar con uno un paraguas** significa controversias para la persona que sueña. **Que otros lleven paraguas** significa que se solicitará a la persona que sueña que haga donaciones de caridad. **Pedir prestado un paraguas** indica un posible desacuerdo con un buen amigo. **Prestar un paraguas** significa que amigos falsos pueden causar daño a la persona que sueña. **Perder un paraguas** significa malentendidos con alguien en quien confía la persona que sueña. Un **paraguas rasgado o roto** significa que la persona que sueña será difamada y se tergiversarán sus palabras. Un **paraguas con hoyos** significa que la persona que sueña no se sentirá afectuosa hacia su pareja o sus amigos.

Paraíso: Soñar con el Paraíso indica amigos leales y cambios para mejorar en la vida. La transición se manifestará en un cambio de la preocupación por el mundo material a una preocupación por el mundo espiritual. Para las **madres**, significa buenos hijos. Para **enamorados**, fidelidad y riqueza.

Parálisis: Soñar con la parálisis pronostica desilusiones en los negocios y en ocupaciones literarias. Para **enamorados**, predice un rompimiento.

Pararrayos: Ver un pararrayos significa la amenaza de destrucción de un proyecto preferido de la persona que sueña. Si los **relámpagos caen en un pararrayos**, pronostican un accidente o malas noticias. Si la **persona que sueña está haciendo que instalen un pararrayos**, debe tener cuidado de  cómo empieza una nueva empresa arriesgada para que no termine en desilusión. **Desmantelar un pararrayos** significa un buen cambio en los planes. **Ver grandes cantidades de pararrayos** significa todo tipo de problemas.

Parasol: Ver mujeres jóvenes que portan parasoles es señal de buena suerte y felicidad. Un **parasol roto** es señal de mala suerte y muerte intempestiva.

Parcas, las: Un sueño sobre las Parcas predice miseria y pleitos.

Pared: Si la **pared es sólida y está erecta**, el sueño representa una advertencia contra el peligro. Si la **pared se está desmoronando y cayendo**, en realidad simboliza protección y no dañarán a la persona que sueña. **Encontrar una pared en el camino** significa que la persona que sueña recibirá influencias nega-tivas y arriesgará el éxito en los negocios. **Saltar sobre una pared** significa superar obstáculos y que los deseos se hagan realidad. **Abrir un boquete en una pared** significa éxito por pura fuerza de voluntad y determinación. **Demoler una pared** significa destruir a los enemigos. **Construir una pared** significa planes trazados con cuida-do y meditación para consolidar los bienes de la persona que sueña, sin posibilidad de fracaso. **Saltar de una pared** significa andar en tejemanejes temerarios y desilusión en el amor.

Parque de Diversiones: Ver un parque de diversio-nes es una señal de que el soñador se va a ir pronto de vacaciones. Si se sube a uno de los juegos, significa que aprenderá a disfrutar más de la vida.

Parques: Caminar a través de un parque bien con-servado significa tiempo libre feliz. Si la **persona que**

sueña está con su ser querido, predice un matrimonio feliz. Un **parque descuidado** es señal de reveces graves.

Parra: Ver una parra con uvas indica trabajo duro que producirá prosperidad y gran éxito. **Soñar con parras** es señal de éxito y alegría. Las parras en flor indican buena salud.  Las **parras muertas** son una advertencia de fracasos en una empresa importante. Las **enredaderas venenosas** significan que la persona que sueña será engañada por un complot inteligente, y su salud sufrirá.

Partera: Ver una partera es señal de enfermedad y muerte cercana. Es una mala señal de calumnias y aflicción para una **joven**.

Partida: Separarse de seres queridos predice controversias sin importancia, mientras que **separarse de enemigos** significa buena suerte en el amor y los negocios.

Parto: Un **sueño de dar a luz** predice un parto seguro y un bebé hermoso y saludable. Sin embargo, si una **mujer soltera sueña en el parto**, significa que perderá su honra.

Pasaje Estrecho: Una sensación de asfixia y falta de aire mientras se sueña, lo que indica que se está en un pasaje estrecho, manifiesta una pasión muy fuerte de la persona que sueña o sensaciones de presión y ansiedad.

Pasajeros: Ver pasajeros que llegan pronostica sucesos positivos para la persona que sueña, mientras que los **pasajeros que salen** son señal de pérdida de oportunidades de negocios. Si la **persona que sueña es uno de los pasajeros que salen**, está disgustada con lo que hace y tratará de cambiar.

Pasas: Ver pasas simboliza desperdicio y extravagancia que necesitan refrenarse. **Comer pasas** significa decepción en las esperanzas.

Pasear: Soñar con pasear predice pasatiempos agradables y provechosos. Si **otros pasean**, es señal de rivalidad.

Pasta de Pastel: La persona que sueña es afortunada en el amor y heredará una casa.

Pastel: Soñar con un pastel, en especial, uno decorado para una festividad, indica buena salud y felicidad. Si una **joven sueña con su pastel de bodas**, es señal de mala suerte. Sin embargo, **cocinar pasteles de bodas** es peor que **ver o comer pasteles de bodas**.

Pastillas: Las pastillas son una indicación de éxito menor. Si una **mujer las ingiere o las descarta**, su alegría en la vida disminuirá por las expresiones irónicas de personas celosas.

Pastinaca: Indica éxitos en los negocios pero problemas en el amor.

Pasto: Un sueño sobre el pasto indica que todo lo que la persona desea está a su alcance. No es necesario que se esfuerce ya que está a la mano. El **césped verde** indica que se satisfacerán deseos y expectativas.

Pastor (del campo)**: Soñar con un pastor** simboliza la necesidad oculta de la persona que sueña por involucrarse en asuntos espirituales. **Observar pastores que cuidan sus ovejas** es una predicción de una buena cosecha, además de felicidad y prosperidad. Los **pastores inactivos** indican muerte y enfermedad.

Patente: Soñar con obtener una patente significa que la persona que sueña tendrá muchos problemas con todo lo que haga. Si **no obtiene una patente**, fallará en empresas arriesgadas que están más allá de su capacidad. Si **compra una patente**, tendrá que realizar un viaje trivial.

Patíbulo: Si la **persona que sueña ve a un amigo a punto de ser colgado en el patíbulo,** significa que debe hacer frente a terribles emergencias con serenidad o le seguirán catástrofes. Si la **persona que sueña está en el patíbulo,** significa que tiene falsos amigos. **Rescatar a alguien del patíbulo** producirá posesiones. Si la **persona que sueña cuelga a su enemigo,** significa que tendrá éxito en todo.

Patín de Ruedas: Si la persona que sueña está patinando, es una advertencia: puede estar involucrada en un accidente en el futuro cercano y debe tener cuidado.

Patinaje: El **patinaje en hielo** predice la pérdida de un trabajo o de una posesión valiosa. Si el **hielo se rompe**, la persona que sueña recibirá consejos de amigos incompetentes. Si la **persona que sueña ve patinar a otras personas**, personas desagradables relacionarán negativamente su nombre con el de alguien que admira. **Ver patines** indica disputas entre sus conocidos. **Observar a jóvenes en patines de ruedas** es señal de salud, además de alegría por poder hacer que otros sean felices. Un **sueño sobre patinaje** advierte de adulaciones o de una relación vacilante con quien más ama la persona que sueña. Si la **persona que sueña se ve patinando**, le advierte que puede perder el trabajo.

Patio de la Iglesia: Si el **sueño es sobre caminar en un patio de iglesia en invierno**, significa que la persona que sueña tendrá una lucha prolongada con la pobreza. Vivirá muy lejos de su hogar y de sus seres amados. Sin embargo, en **primavera**, la persona que sueña tendrá compañía agradable. Si el sueño es de **enamorados en un patio de iglesia**, significa que los enamorados nunca se casarán uno con el otro.

Pato: Un **pato silvestre** simboliza la felicidad y la buena suerte, en especial en los viajes. Los **patos blancos** predicen una cosecha abundante. **Si se dispara a los patos**, es una advertencia de la interferencia de enemigos en los negocios de la persona que sueña. Los **patos que vuelan** son un símbolo de felicidad en el futuro, en el matrimonio y con los hijos.

Pavo: **Ver pavos** es señal de negocios prósperos y buenas cosechas. Los **pavos preparados para la venta** significan mejores negocios. Los **pavos enfermos o muer-**

tos son señal de dificultades. **Soñar con comer pavo** indica un suceso feliz inminente. Los **pavos que vuelan** significan una elevación meteórica a la fama. **Disparar a pavos** indica que la persona que sueña acumulará riqueza por medios inmorales.

Pavo Real: Los **pavos reales** advierten contra la vanidad y el exceso de orgullo. **Soñar con uno** advierte a la persona que sueña que la riqueza y el brillo superficiales disimulan la pobreza y el fracaso. **Escuchar el llamado de los pavos reales** significa que una persona elegante y bien vestida humillará a la persona que sueña.

Payaso: Ver un payaso muestra que la persona que sueña lleva una vida deshonesta y falsa. Las **máscaras** significan que la persona que sueña tiene dos caras.

Pecas: Si una **mujer sueña que tiene pecas en la cara,** significa que su felicidad se reducirá por muchos incidentes desagradables. Si **ella ve las pecas en un espejo,** es una advertencia de que perderá a su enamorado ante un rival.

Peces Dorados: Soñar con peces dorados es una predicción de grandes aventuras y buenos matrimonios. Sin embargo, los **peces dorados muertos** son señal de una gran desilusión y obligaciones pesadas.

Pecho: Sin importar si es de hombre o de mujer, es símbolo de una relación íntima con una persona cercana.

Pedir Prestado: Pedirle prestado a alguien es señal de problemas financieros. Si **alguien pide prestado a la persona que sueña,** significa que en tiempo de necesidad los amigos ofrecerán su ayuda al soñador. **Soñar en gastar dinero prestado** significa que se expondrá la deshonestidad y se pondrá en peligro una amistad.

Pegamento: Un **sueño sobre pegamento** significa confianza y posición más elevada en el trabajo. Si el **sueño es sobre arreglar objetos con pegamento,** es una advertencia de problemas financieros.

Peinadora: Soñar con una peinadora refleja el abatimiento y depresión de la persona que sueña. También es señal de un posible escándalo, tanto para hombres como para mujeres.

Peine: Si la persona sueña con peinarse el cabello, significa que un amigo enfermo necesita su ayuda.

Peldaños: Subir peldaños significa una mejoría de la suerte de la persona que sueña. **Bajar peldaños** significa lo opuesto. Si **cae por los escalones,** experimentará reveces repentinos en los negocios.

Pelea: Participar en una pelea representa conflictos ingratos en negocios, además de demandas legales. **Ver una pelea en un sueño** es señal de derroches, de tiempo y dinero. Advierte a las mujeres contra los chismes. **Perder una pelea** significa la pérdida del derecho a una propiedad de la persona que sueña. **Ganar una pelea** significa que la persona que sueña obtendrá riqueza y estima por su coraje y perseverancia.

Pelícano: Un **sueño sobre pelícanos** simboliza una mezcla de éxito y fracaso. El fracaso se puede superar **atrapando a uno. Matar un pelícano** significa que la persona que sueña avanza sin consideración a los derechos de los demás.

Peligro: Significa éxito: entre mayor sea el peligro en el sueño, mayor el éxito en la realidad.

Pelota: Si la **persona que sueña está jugando con una pelota,** es señal que pronto recibirá buenas noticias. Si la **persona que sueña ve a otras personas jugando a la pelota**, es señal de que alimenta celos poco sanos hacia uno de sus amigos.

Peltre: Es un sueño que indica dificultades financieras.

Peluca: Soñar con una peluca es señal de falta de confianza en su vida amorosa, y del forcejeo para hacer elecciones en el romance. **Usar peluca** significa que la persona que sueña hará un cambio infortunado. **Perder una peluca** indica que los enemigos de la persona que sueña la ridicularizarán y despreciarán. **Ver a otros usar pelucas** significa que la persona que sueña se está enredando en traiciones.

Peluquería o Salón de Belleza: Si **la persona que sueña se ve mientras le cortan el pelo**, significa que es ambiciosa. Un **sueño sobre una peluquería** también indica un carácter fuerte y una persona que disfruta apoyar sus derechos y principios.

Pene: Soñar con un pene o una vagina tiene una interpretación sexual que depende del carácter de la persona que sueña.

Penitenciaría: Soñar con una penitenciaría señala que la persona que sueña participará en empresas arriesgadas que van a causarle pérdidas. Si **es un preso**, significa un hogar infeliz y fracaso en los negocios. Si **escapa**, superará los problemas.

Pensión: Si la **persona que sueña recibe una pensión**, sus amigos la ayudarán. Si la **persona que sueña no recibe una pensión**, sus empresas arriesgadas fallarán y perderá a sus amigos.

Pepino: Ver pepinos es un sueño de salud y riqueza. Una **persona enferma que sirve pepinos** se recuperará pronto.

Peras: Ver peras indica que otros están murmurando y hablando de la persona que sueña, de sus amigos o de sus parientes, a sus espaldas. **Comer peras** significa mala salud y fracasos en los negocios. **Ver peras doradas en los árboles** predice mayores éxitos en los negocios. **Recolectar peras** significa que a las desilusiones seguirán sorpresas agradables. Las **peras horneadas** son señal de amistades poco entusiastas.

Perderse: Demuestra frustración, vergüenza, confusión e insatisfacción general con la vida, en especial respecto a relaciones románticas en las que participará la persona que sueña.

Pérdida: Las pérdidas, heridas o lesiones se interpretan como señales de advertencia. Advierte y toma en cuenta los cambios en la vida o cualquier situación cargada de peligros potenciales.

Perdiz: Ver perdices es señal de buena suerte en el futuro cercano. **Matarlas** significa acumulación de riqueza y distribuirla a otros. **Comerlas** simboliza disfrutar los frutos de una posición elevada. Las **perdices que vuelan** predicen buena suerte. **Atrapar perdices** significa que se harán realidad las esperanzas de la persona que sueña.

Perdón: Si la **persona que sueña busca el perdón por un crimen que nunca cometió**, significa que está preocupada por algún negocio, pero saldrá bien. Si **es culpable**, tendrá controversias. Si **recibe el perdón**, todo saldrá bien después de muchos problemas.

Peregrino: Soñar con peregrinos significa que la persona que sueña llevará a cabo un largo viaje, dejando atrás a sus seres queridos, con la creencia errónea de que será lo mejor para todos. Si **es una peregrina**, es señal de pobreza y amigos indiferentes. Si una **joven es abordada por un peregrino**, la van a engañar. Si **él se aleja**, ella se dará cuenta de la debilidad de su carácter y tratará de corregirlo.

Perejil: El **perejil** es señal de éxito después de una disputa. **Comer perejil** indica buena salud, pero también responsabilidad por una familia grande.

Pereza: Actuar con pereza o sentirla en un sueño significa que la persona que sueña cometerá un error en una empresa arriesgada, lo que le causará desilusión. Si una **mujer sueña que su enamorado es perezoso** no tendrá suerte para encontrar el hombre correcto.

Perfume: Un **sueño sobre inhalar perfume** es señal de buenas noticias, en especial respecto a las relaciones amorosas. **Perfumarse el cuerpo y la ropa** significa que la persona que sueña busca admiración... y la obtendrá. Si el **aroma es tan fuerte que atonta**, demuestra que la persona que sueña  se permitirá placeres excesivos en detrimento de pensar con claridad. **Derramar perfume** significa una pérdida de algo que disfruta la persona que sueña. **Romper una botella de perfume** es señal de muy mala suerte, el final de todas las esperanzas. Si una **mujer perfuma su baño**, experimentará la máxima alegría.

Periódico: Significa que la reputación de la persona que sueña está comprometida por acciones fraudulentas.

Perlas: Soñar con perlas predice negocios con éxito y buena vida social. Si el **enamorado de una joven le envía perlas,** tendrá una relación fantástica y armoniosa.

Perlesía: Si la **persona que sueña tiene perlesía**, está haciendo tratos inciertos. Si **su amigo tiene perlesía**, su fidelidad está en duda, y es posible que una enfermedad afecte la vida de la persona que sueña.

Perrera: Indica tensión emocional y falta de serenidad; advierte de problemas de salud y debilidad física.

Perro: Ver un perro significa que la persona que sueña tiene la necesidad desesperada de seguridad en sus relaciones con otros, e indica su disposición a disfrutar de la protección que le proporciona otra persona. **Poseer un perro con pedigrí** es señal de riqueza. **Soñar con una exhibición de perros** significa todo tipo de buena suerte. Los **perros que muerden a la persona que sueña** significan disputas domésticas y en los negocios. Los **perros sucios y flacos** son señal de pérdidas en los negocios e hijos enfermos. Los **perros fieros** significan mala suerte y enemigos. Los **perros que gruñen y ladran** son señal de que la persona que sueña será víctima de intrigas de otras personas, y de mala atmósfera doméstica. Los **perros que pelean** significan que la persona que sueña caerá víctima de sus enemigos. Un **perro rabioso** es una señal terrible de fracaso y desastre inminente. Si la **persona que sueña es mordida por el perro rabioso**, predice demencia y catástrofe en su familia. Si un **perro muestra afecto**, es indicación de prosperidad y buenos amigos. Si la **persona que sueña camina seguida por un perro**, sus amigos le serán fieles y tendrá éxito. Los **perros pequeños** muestran que son triviales las diver-

siones y preocupaciones de la persona que sueña. Los **perros que ladran** predicen malas noticias. Los **perros tristes y que aúllan** simbolizan la muerte o la separación. Si **aparecen perritos falderos, mimados y aseados**, es una indicación del egoísmo y estrechez de miras de la persona que sueña. Una **pelea repentina entre un perro y un gato** significa fracaso en el amor y los negocios, a menos que la persona que sueña pueda calmarlos. Si la **persona que sueña ve a un perro matar a un gato**, hará buenos negocios y la pasará bien. Si la **persona que sueña ve a un perro matar a una serpiente**, es señal de buena suerte. Un **perro blanco simpático** es una buena señal para el amor y los negocios, incluso para el matrimonio. Los **perros que nadan** indican felicidad y prosperidad.

Perro Faldero: Un **sueño sobre un perro faldero** es señal de que los amigos ayudarán a la persona que sueña a salir de un predicamento. Si el **perro está flaco y es enfermizo**, los negocios de la persona que sueña sufrirán un revés.

Perros que Ladran: Predicen malas noticias y dificultades.

Persona de Piel Oscura: Soñar con una persona de piel oscura sugiere que la persona que sueña no tiene tensión ni emoción en su vida. **Ver una persona de piel oscura** también puede indicar que tiene dificultades que se producen por tensión sexual.

Persona Incapacitada o Lisiado: Cualquier sueño sobre una persona incapacitada (es irrelevante la naturaleza o el grado de la invalidez) demuestra que la conciencia de la persona que sueña la está impulsando a ayudar a otros menos afortunados que ella.

Pesadez: Un sentimiento de pesadez significa que la persona que sueña está luchando con asuntos graves y funestos.

Pesadilla: Un **sueño sobre tener una pesadilla** indica disputas y fracaso en los negocios. Para una **joven**, predice desilusiones e insultos sin justificación. Es una advertencia sobre su salud.

Pesar: **Soñar con pesar algo** indica un periodo inminente de prosperidad; con dedicación, la persona que sueña acumulará una suma considerable. **Pesar a otros** significa que la persona que sueña manipulará a otras personas para hacer lo que desea. Si una **joven pesa a su enamorado**, éste hará lo que ella desea en todo momento.

Pesca con Caña: **Soñar en atrapar peces** es positivo. Lo **contrario** es cierto si no se atrapan pescados.

Pescadería: **Visitar una pescadería** trae alegría. Sin embargo, si la **persona que sueña ve pescado podrido**, experimentará infortunios que no se reconocerán como tales al principio.

Pescador: Significa que la persona que sueña se aproxima a un periodo de prosperidad sin precedentes.

Pesquisa: Indica mala suerte en las amistades.

Peste: Soñar con una epidemia de peste significa grandes fracasos de negocios y miseria doméstica. Si la **persona que sueña tiene peste**, tendrá que hacer enormes esfuerzos para mantener sus negocios a flote. **Tratar de huir de la peste** significa que un problema grave está siguiendo a la persona que sueña.

Petate: Un **petate** es señal de buenas expectativas y noticias de seres amados lejanos. Un **petate viejo o roto** significa preocupaciones.

Petirrojo: Por lo general, soñar con esta ave se relaciona con su color rojo (el color del sexo y el amor) o sugiere un intento por corregir la situación con la persona que se ama.

Pez: Un **solo pez** anuncia éxito o significa que la persona que sueña tiene un hijo especialmente exitoso y brillante. Un **banco de peces** significa que los amigos de la persona que sueña se preocupan por ella y están haciendo lo que pueden para ayudarla. **Pescar en un sueño** significa traición por parte de un amigo o de amigos. **Comer pescado** predice éxito después de trabajar duro y relaciones duraderas.

Pez Aguja: Soñar con peces aguja significa situaciones desagradables con amigos por razones desconocidas para la persona que sueña. **Atrapar un pez aguja** indica que la persona que sueña superará un obstáculo en su camino. **Comer un pez aguja** significa que se ha superado el obstáculo.

Piano: Ver un piano predice un suceso feliz. **Escuchar hermosa música de piano** es señal de éxito y salud. Los **sonidos cacofónicos** indican fastidio. La **música triste** indica malas noticias. Un **piano desafinado y descompuesto** significa que la persona que sueña está insatisfecha en general con sus logros y también con los de sus hijos y amigos.

Picadillo: Comer picadillo es señal de problemas e infelicidad, que dañará la salud de la persona que sueña. **Cocinar picadillo** indica que una mujer tendrá celos de su marido.

Picadura: Si **un insecto pica a la persona que sueña**, tendrá problemas y le esperan malos momentos. Si **un insecto pica a una joven**, pronostica tristeza y culpabilidad como resultado de alguna relación con un hombre.

Picaporte: Soñar con un picaporte significa que la persona que sueña no hará caso de una petición de ayuda. Un **picaporte roto** significa alejarse de amigos y también enfermedades.

Pico: Soñar con un pico indica que un enemigo está buscando la caída social de la persona que sueña. Un **pico roto** es señal de muy mala suerte.

Pie: Cuando aparece un pie de la persona en un sueño, significa que ésta tiene males físicos que tienen su origen en la mente.

Pie Hendido: Es una advertencia de que alguna mala suerte excepcional amenaza a la persona que sueña, la cual debe evitar la compañía de extraños.

Piedra de Afilar: Girar una piedra de afilar indica una vida enérgica que produce prosperidad. Si la **persona que sueña está afilando herramientas en una piedra de afilar**, escogerá un buen matrimonio. **Comerciar con piedras de afilar** significa un ingreso pequeño pero honesto. Soñar con una piedra de afilar indica a la persona que sueña la presencia de ansiedad apremiante y le advierte de poner atención a sus asuntos de negocios si desea mantenerse alejado de problemas. Puede tener que hacer un viaje desagradable.

Piedra de Molino: Representa trabajo duro que no está bien remunerado.

Piedras: Ver piedras es señal de problemas. **Caminar en un terreno rocoso** significa que el camino de la persona que sueña será escabroso. Las **piedras pequeñas** significan que la persona que sueña será atormentada por preocupaciones sin importancia. Si **lanza una piedra**, tendrá que reprender a alguien. Si **lanza una piedra a una persona violenta**, significa que el fuerte sentido de justicia de la persona que sueña impedirá que suceda algo malo.

Piel (de un animal): Es señal de un trabajo seguro y prosperidad. La **piel seca** predice riqueza, buena suerte y felicidad. La **piel húmeda** anuncia éxito sólo después de un cambio de dirección en la vida. **Comerciar en pieles** es señal de prosperidad e intereses variados.  **Estar vestido con piel** significa que se está lejos de ser pobre o desvalido. Ver **pieles buenas** simboliza riqueza y honor. Si una **mujer utiliza pieles costosas**, se casará con un hombre muy inteligente. Si la persona que sueña ve su piel, indica una personalidad no espiritual, materialista.

Pierna: Si **se enfatizan las piernas de la persona que sueña**, significa que es racional, conciente de sí misma, se tiene mucha confianza y tiene buenos amigos. Un **sueño sobre admirar hermosas piernas de mujer** significa que la persona que sueña hará el ridículo respecto a una mujer. Las **piernas deformes** son señal de malas compañías y tratos tontos. Una **pierna lesionada** significa pérdidas y enfermedades. Una **pierna de palo** significa conducta falsa hacia amigos. La **inhabilidad para usar las piernas** es señal de pobreza. **Tener tres o más piernas** significa que nunca se realizarán muchas empresas arriesgadas que ha imaginado la persona. Si una **mujer sueña con admirar sus propias piernas**, es vanidosa y su novio le parece ofensivo. Si **sus piernas son peludas**, dominará a su marido.

Pies: Soñar con los pies propios es señal de desesperación y dominio de otros. **Soñar con los pies de otros** es señal de confianza en sí misma de la persona que sueña en lo que se refiere a sus derechos y condición social. **Soñar con lavarse los pies** es señal de que se están aprovechando de uno. Los **pies adoloridos** indican una disputa doméstica. Los **pies rojos e hinchados** son señal de crisis familiar, como una separación, que es causa de murmuraciones.

Pífano: Escuchar un pífano significa defender el honor propio o el de un amigo cercano. **Tocar un pífano** significa que nuestra reputación es apropiada.

Pila de Leña: Soñar con una pila de madera predice problemas en los negocios y el amor.

Píldoras: Si la **persona que sueña ve píldoras en una caja o frasco**, significa que pronto se embarcará en un viaje. **Tomar** **píldoras** significa responsabilidades desagradables y sin provecho. **Dar píldoras a otras personas** predice que la persona que sueña será impopular.

Pimienta: Si la **lengua de la persona que sueña se quema con la pimienta**, significa que su predilección por las murmuraciones le causará angustia. Si ve **crecer pimienta roja**, significa que se casará con una mujer frugal e independiente. **Ver las vainas de la pimienta roja** significa que defenderá sus derechos celosamente. **Moler pimienta negra** significa que la van a engañar personas astutas. **Ponerla en el alimento** es señal de traición de amigos.

Pimiento: Soñar con una planta de pimiento que crece simboliza un cónyuge independiente y frugal.

Pingüino: Indica que la persona que sue-ña tiene carácter aventurero y aspira a viajar.

Pino: Ver a un pino es símbolo de éxito constante. Un **pino muerto** pronostica pri-vaciones.

Pintura o Pintar: Ver algo recién pintado indica que algo que ha deseado por largo tiempo se volverá realidad. Las **manchas de pintura en la ropa** significan que la crítica de otros lastimará a la persona que sueña. Si la **persona que sueña sostiene la brocha y las pinturas**, significa que está satisfecha con su trabajo.

Pintura y Pintar: Soñar con ver pinturas hermosas es una indicación de la falsedad de los amigos de la persona que sueña. Si una **joven sueña con pintar un cuadro**, su pareja le será infiel y la dejará por otra.

Pinzas: Un sueño sobre pinzas significa que la persona que sueña será atormentada por situaciones desagradables y el ataque de sus amigos.

Piña (de pino): Una piña cerrada simboliza una familia unida; una piña abierta, a una familia que se ha separado y está a la deriva.

Piña (fruta)**: Soñar con piñas** es una indicación de días de muy buena suerte, felicidad y alegría, en especial junto con amigos íntimos. **Picarse un dedo** al preparar una piña es una indicación de obstáculos que se superarán, lo que producirá triunfos.

Piojo: Soñar con piojos significa que la persona que sueña sufre por sentimientos de enajenación social o inferioridad, además de preocupaciones por mala salud. Los **piojos en el ganado** significan hambre y ruina. Los **piojos en el cuerpo** significan que la persona que sueña actuará mal con respecto a la gente que la rodea. **Infestarse de piojos** es una predicción de enfermedad y miedo a la muerte.

Pipa (fumar)**: Ver una pipa** significa paz después de discusiones. Si la **persona que sueña fuma una pipa**, recibirá la agradable visita de un antiguo amigo. Habrá una reconciliación.

Pirámide: Una **pirámide** es símbolo de cambios. **Trepar las pirámides** indica esperar largo tiempo antes de realizar los deseos y esperanzas. **Soñar con estudiar los misterios de las pirámides** significa que la persona que sueña disfrutará de los misterios de la naturaleza y se volverá una conocedora.

Pirata: Soñar con piratas significa que amigos falsos conspirarán contra la persona que sueña. Si la persona que sueña es **pirata**, pronostica su caída en la sociedad. Si el **enamorado de una joven es pirata**, debe darse cuenta de su traición e inutilidad. Si los **piratas la capturan**, la engañarán para que deje su hogar.

Pista de Carreras: Un **sueño sobre una pista de carreras** significa que la persona que sueña tendrá una vida de alegría y riqueza, pero su carácter moral será investigado por sus amigos más íntimos. Si ve una **pista de carreras verde**, algo de interés la fascinará.

Pistola: Si la **persona que sueña posee una pistola**, es una indicación de su naturaleza ruin. Si **escucha el disparo de una**, fallará alguna de sus empresas arriesgadas. **Disparar una pistola** significa que la persona que sueña estará celosa de alguien, sin justificación, y la acosará.

Pizarrón: Ver un pizarrón es una predicción de malas noticias inminentes sobre la enfermedad de un conocido de la persona que sueña. La **situación financiera del soñador** es inestable por los caprichos del comercio.

Plaga: Si la **persona que sueña está ansiosa por algún tipo de plaga**, significa que tendrá preocupaciones. Si las **plagas molestan a otros**, la persona que sueña se trastornará por sucesos negativos.

Planchar: Es señal de un buen periodo durante el cual la persona que sueña cooperará con éxito con quienes la rodean.

Planeta: Si la persona que sueña visita otros planetas, pronto experimentará cosas nuevas y fascinantes.

Plata: Soñar con plata advierte contra confiar en el dinero para lograr la felicidad. Si la **persona que sueña encuentra monedas de plata**, será demasiado crítica y precipitada al juzgar a otros.

Plátanos: Ver un plátano sugiere que el soñador está cansado del trabajo y no está explotando sus talentos. **Soñar con comer un plátano**, indica un problema de salud. **Comerciar con plátanos** significa desperdiciar el tiempo en asuntos periféricos e improductivos.

Platos: Manejar platos en un sueño es una buena señal. Sin embargo, **romperlos** es lo contrario. Los **anaqueles de platos limpios** indican un matrimonio exitoso, mientras que los **platos sucios** son señal de descontento y falta de esperanza. Si una **mujer sueña con platos**, es ahorrativa y se casará con un buen hombre. Si **es casada**, tendrá a su marido feliz al manejar bien la casa.

Playa o Costa: Significa que la persona que sueña necesita algo de paz y quietud, un poco de descanso de la vida intensa en que está metida.

Plomo: El **plomo** es una señal de fracaso. La **mena de plomo** predice accidentes y fracasos de negocios. El **plomo derretido** significa que la persona que sueña causará el fracaso por su impaciencia. Una **mina de plomo** significa que los amigos de la persona que sueña considerarán sus ingresos con suspicacia. El **plomo blanco** significa que los hijos de la persona que sueña están en peligro por su negligencia.

Pluma: Si la **persona que sueña está escribiendo con una pluma**, tendrá noticias de una persona con la que no ha estado en contacto por largo tiempo. Si la **pluma no escribe**, la persona que sueña enfrentará acusaciones de inmoralidad. **Ver una pluma** significa que el amor por vivir en peligro de la persona que sueña la está condiciendo a problemas.

Pluma: **Ver caer plumas** en un sueño significa que serán ligeras las cargas de la persona que sueña. Las **plumas de águila** indican la realización de sus aspiraciones. Las **plumas de pollo** significan irritaciones triviales. Las **plumas de ganso o pato** simbolizan prosperidad y economía. Las **plumas negras** indican desilusión en el amor.

Plumas de Ave: Si la **persona que sueña es una persona de letras**, este sueño significa éxito. Si las **plumas son para decoración**, los negocios van a prosperar.

Pobre: Si la persona que sueña o sus amigos son pobres, significa problemas y pérdidas.

Pobreza: Soñar con estar en la pobreza significa que la persona que sueña ha actuado tontamente, ignorando las duras realidades de la vida, y ahora la afectan la tristeza y los problemas. Si la **persona que sueña está satisfecha con hallarse en un estado de pobreza**, será estoica al enfrentar la adversidad y sus problemas desaparecerán gradualmente. **Remediar la pobreza** significa que la persona que sueña será admirada por su generosidad, pero no sentirá placer de hacer buenas acciones.

Polca: Bailar polca indica pasatiempos agradables.

Policía: Cualquier sueño que involucre a la policía en todos los niveles, liberará a la persona que sueña de la crisis en que se encuentra. Un **sueño sobre una confrontación con la policía** o **sobre un arresto** significa que la persona que sueña pronto recibirá ayuda, lo que demuestra que está pasando por confusión y culpabilidad. **Ser arrestado aunque se sea inocente** significa que la persona que sueña vencerá las rivalidades. **Ver oficiales de policía patrullar** significa vacilaciones en los negocios que preocupan.

Polilla: Ver una polilla significa que la relación con alguien cercano a la persona que sueña será forzada, lo que causará pleitos. La persona que sueña permitirá que ansiedades poco importantes la atrapen en situaciones no deseadas. Una **polilla blanca** es señal de enfermedad inevitable. Si una **mujer ve una polilla blanca volando en su habitación en la noche**, es señal de deseos no satisfechos que arruinarán la alegría de otras personas. **Ver una polilla volar y después aterrizar o desaparecer** es una predicción de la muerte de un amigo o pariente.

Político: Soñar con un político indica malos amigos y eventos que desperdician tiempo y dinero. Si la **persona**

que sueña se mete a la política, sus amigos van a actuar con enojo y en forma desagradable hacia ella. Para una **joven**, soñar con estar interesada en la política es una advertencia de que la quieren engañar.

Pollos: Para las personas relacionadas con la agricultura y la crianza de pollos, este sueño predice daños. **Para otras personas**, indica que deben contar sus pollos antes de que los maten y deben ser más realistas. Un **sueño sobre comer pollo** significa que la reputación de la persona que sueña se está echado a perder por su egoísmo. Los asuntos de negocios y el amor serán inciertos.

Polvo: El **polvo que cubre a la persona que sueña** significa que la falta de éxito de otros también tiene repercusiones en ella. Si la **persona que sueña usa la inteligencia**, se recuperará de este revés y continuará su camino al éxito. Es señal de personas amorales que están en contacto con la persona que sueña. Puede vencerlas en su propio campo si está alerta.

Ponche: Soñar con beber ponche indica una preferencia por una vida egoísta e inmoral a una respetable. También puede significa que el estilo de vida de la persona que sueña se alterará gracias a sucesos fascinantes.

Pony: Es señal de éxito en los negocios arriesgados.

Póquer: Soñar con jugar póquer es una advertencia contra andar con malas compañías. Las **jóvenes que sueñan con póquer** comprometerán su integridad moral.

Porcelana china: Si una mujer sueña sobre acomodar su porcelana china, significa que será la ahorradora matrona de una próspera casa.

Porcelana: Soñar con porcelana significa condiciones favorables para los negocios. La **porcelana rota o sucia** es señal de errores que tendrán graves consecuencias.

Portaféretro: Soñar con un portaféretro significa que un enemigo está tratando de provocar una explosión de ira al dudar de su honestidad. **Ver a un portaféretro** significa que la persona que sueña se volverá una molestia para instituciones y amigos.

Portapliegos: Indica disgusto con el trabajo de la persona que sueña, y su deseo de hacer un cambio.

Portero (en un hotel o edificio lujoso): Indica el feroz anhelo de la persona que sueña por salir de viaje a otros países; en forma alterna, muestra el deseo por hacer cambios de largo alcance a su vida.

Pórtico: Soñar con estar en un pórtico significa que un asunto preocupante tendrá un desenlace exitoso. Si una **joven y su enamorado están sentados en un pórtico**, es señal de matrimonio pronto y feliz. Un **pórtico viejo** significa esperanzas que se desvanecen, además de desilusión en el amor y los negocios.

Pórtico: Soñar con un pórtico indica que la persona que sueña empezará nuevos negocios arriesgados que la harán sentir muy insegura. **Permanecer en un pórtico** significa que las preocupaciones cotidianas la están fastidiando. **Construir un pórtico** es señal de asumir nuevas responsabilidades. Si una **joven está en un pórtico con su enamorado,** significa que sospecha de la pureza de las intenciones de alguien.

Posada: Una **posada bien amueblada y cómoda** significa prosperidad y vida que vale la pena. Una **posada miserable** es señal de fracaso, trabajos indeseables y viajes no deseados.

Poste de Alumbrado: La **persona que sueña que ve un poste de alumbrado** recibirá la ayuda de un extraño en tiempos de necesidad. Si la **persona que sueña choca con un poste de alumbrado,** está en peligro de que la estafen sus enemigos. **Ver un poste de alumbrado en su camino** significa que tendrá muchas controversias en su vida.

Potro: Indica nuevas empresas en que la persona que sueña tendrá mucho éxito.

Potro de Tormento: Soñar con un potro de tormento significa que la persona que sueña no está segura del resultado de algo que la preocupa mucho.

Pozo: Caer en un pozo es señal de desesperación abrumadora. Si un **pozo se derrumba,** los enemigos de la

persona que sueña se aprovecharán de ella.
Sacar agua de un pozo indica la satisfacción
de deseos urgentes. Si el **agua no es pura**, le
seguirán sucesos negativos. **Ver un pozo vacío** significa que la persona que sueña será
asaltada si confía en extraños. **Ver un pozo
con una bomba** predice el avance de las expectativas de
la persona que sueña. **Soñar con un pozo artesiano** significa que la inteligencia de la persona que sueña le permitirá
entrar a los reinos del conocimiento y la alegría. **Trabajar
en un pozo** significa que la persona que sueña tendrá
problemas porque no se ha concentrado en los aspectos
correctos. Ver un pozo profundo indica que la persona que
sueña correrá riesgos de negocios ridículos. **Caer en un
pozo** es señal de pesar y desastres, a menos que la persona
que sueña se despierte mientras cae. Si **desciende en el
pozo**, arriesga a sabiendas salud y propiedades por mayores ganancias.

Pradera: Es una predicción de reuniones jubilosas y
expectativas de prosperidad.

Prados: Caminar en prados recortados simboliza
riqueza y felicidad. Una **fiesta en un prado** indica citas de
negocios y entretenimiento ligero. Una **mujer** que sueña
en **esperar a un amigo o a un enamorado en un prado verde** significa que sus deseos de matrimonio se volverán
verdad. Si el **prado está lodoso o seco**, puede esperar una
separación.

Precipicio: Pararse junto a un precipicio es señal de catástrofe. **Caer en un precipicio** significa desastre para la persona que sueña.

Predicador: Soñar con un predicador significa que la persona que sueña no es perfecta y tendrá problemas. **Soñar con ser predicador** pronostica pérdidas en los negocios. **Escuchar a un predicador** es un augurio de mala suerte. Una **disputa con un predicador** significa perder una competencia. Si un **predicador deja a la persona que sueña**, los negocios serán más activos. Si el **predicador se ve triste**, harán recriminaciones a la persona que sueña.

Premio: Ganar un premio indica lo opuesto: se pueden esperar fuertes pérdidas financieras.

Preparación de Cerveza: Soñar con la preparación de la cerveza predice que después de ser perseguido por las autoridades, la persona que sueña demostrará ser inocente. En general, los **sueños sobre preparación de cerveza** significan éxito después de una ansiedad inicial.

Presentes: Recibir presentes indica que la persona que sueña es en extremo afortunada.

Presidente de los Estados Unidos: Soñar con hablar al presidente de los Estados Unidos significa que la persona que sueña tiene inclinaciones y ambiciones políticas.

Presidente: Cuando aparece el **presidente de algún grupo público**, significa que la persona que sueña buscará y recibirá una posición más elevada con un salario más alto. No es bueno ver a un **presidente de mal temperamento**. Si la **persona que sueña se ve a sí misma como presidente**, sí serán famosas su rectitud y amabilidad.

Préstamo: Si **alguien pide un préstamo a la persona que sueña**, significa que ésta pronto tendrá importantes pérdidas financieras. Si la **persona que sueña no logra pagar un préstamo**, es una buena señal, pronostica una mejoría en su situación económica.

Prestar: Prestar dinero en un sueño es una indicación de incapacidad para pagar las deudas. **Prestar otras cosas significa** que el exceso de generosidad conducirá a la pobreza. Un **rechazo a prestar cosas** es señal del dogmatismo de la persona que sueña. Si **otros ofrecen prestar objetos o dinero a la persona que sueña**, es señal de buena amistad y riqueza.

Prestidigitación: Si la **persona que sueña practica la prestidigitación** o **ve a otros llevarla a cabo**, se enredará en una situación difícil de la que le costará trabajo liberarse.

Primavera: Soñar con la llegada de la primavera es señal de buena suerte y vida social feliz. Si la **primavera llega en el momento equivocado del año**, es una predicción de problemas y pérdidas.

Primaveras: Recolectar primaveras predice una terminación desdichada de una amistad íntima. Las **primaveras en plena floración** indican una crisis en la vida de la persona que sueña, incluso hasta el punto de destruir un hogar armonioso.

Primo: Ver a un primo predice tristeza, pesar y desilusión. Si existe una **relación cálida entre los primos**, es señal de separación irreparable en la familia.

Prímula: Es un pronóstico de felicidad, comodidad y serenidad.

Príncipe o princesa: Indica que la persona que sueña posee la habilidad oculta para satisfacer su necesidad urgente de mejorar su nivel social.

Prisión: Soñar con encarcelamiento advierte de un cambio negativo en la salud física. Un **sueño sobre un intento fallido por escapar de prisión** es una indicación de un obstáculo que se debe superar en la vida. Un **sueño sobre un escape exitoso de la prisión** sugiere éxito y cumplimiento de las esperanzas. **Ver a alguien que liberan de la prisión** es señal de superar obstáculos.

Prisionero: Si la **persona que sueña es tomada prisionera**, puede tener que enfrentar traiciones. Si no es así, tendrá infortunios y lesiones. Un **sueño sobre tomar prisionero a otro** significa que la persona que sueña se está aliando con personas y cosas de un nivel social inferior.

Que una **mujer sueñe con que la tomen prisionera** indica un marido celoso.

Procesión o Desfile: Una **procesión o desfile festivos** indica cambios que llegarán en un periodo de ansiedad por esperanzas que no se han alcanzado, además de pena y sucesos tormentosos. Una **procesión con antorchas encendidas** es una indicación de pasatiempos frívolos.

Programa de Preguntas de TV: Si la **persona que sueña participa en un programa de preguntas de la televisión,** pronto tendrá que contestar preguntas desagradables. Si **gana en el programa,** su reputación seguirá siendo excelente. Si **pierde en el programa,** su reputación estará en peligro.

Promesa Solemne: Soñar con una promesa solemne es señal de mejoría en los negocios y en la situación financiera. **Hacer o escuchar votos** significa que la persona que sueña será acusada de deshonestidad en los negocios o en el amor. **Tomar los votos clericales** significa que la persona que sueña exhibirá una honestidad inquebrantable durante alguna situación difícil. **Romper o ignorar un voto** significa que un desastre sucederá a los negocios de la persona que sueña.

Propiedad: Soñar con poseer una gran propiedad es señal de éxito financiero y social. Un **sueño sobre heredar una propiedad** indica que la persona que sueña recibirá un legado un día, pero no lo que espera. Una **mujer**

que sueña con una propiedad pronostica una herencia muy modesta para ella.

Prostituta: Estar con una prostituta significa problemas sociales y financieros. **Casarse con una prostituta** significa poner en peligro la vida de la persona a manos de un enemigo. Si la **persona que sueña está con una prostituta,** significa que sus amigos estarán enojados con ella justificadamente. Una **mujer casada que sueña con una prostituta** sospechará de su marido y reñirá con él. Si una **joven tiene este sueño,** indica que no será honesta con su enamorado.

Prótesis Auditiva: Usar una prótesis auditiva significa que la persona que sueña no presta suficiente atención a algo que sería de gran importancia para ella.

Psiquiatra: Soñar con un psiquiatra significa que la persona que sueña pronto recibirá consejos y asesoría. Si la **persona que sueña es el paciente de un psiquiatra,** pronostica agitación emocional.

Pueblo: Soñar con estar en un pueblo es señal de buena salud y prosperidad. Si la **persona que sueña se ve en el pueblo de su infancia,** se presentarán cambios positivos en su vida, en el futuro cercano, además de buenas noticias de amigos lejanos. Un **pueblo ruinoso** significa preocupaciones y aflicciones inminentes.

Puente: Cruzar un puente indica preocupaciones exageradas que pronto pasarán. Un **puente que se colapsa** es una advertencia de problemas económicos. Un **puente interminable** significa amor no correspondido. **Pasar bajo un puente** significa que la persona que sueña debe ser paciente si va alguna vez a resolver sus problemas.

Puerco: Comer puerco es señal de problemas terribles, pero **verlo** pronostica triunfo para la persona que sueña.

Puercoespín: Ver un puercoespín indica la falta de disposición de la persona que sueña para realizar nuevos negocios arriesgados o hacer nuevos amigos. Si una **joven sueña con un puercoespín**, tendrá miedo a su enamorado. **Ver un puercoespín muerto** significa que la persona que sueña descarta el enojo y cede sus posesiones.

Puerta trasera: Si el **soñador se ve a sí mismo entrando y saliendo por la puerta trasera,** indica una necesidad urgente de efectuar cambios en su vida. Si ve **a otra persona saliendo por la puerta trasera**, puede esperar una pérdida financiera, y no es aconsejable que entre a una sociedad de negocios.

Puerta: Una **puerta cerrada** advierte de desperdicios y extravagancias. Una **puerta abierta**, por la que puede entrar y salir gente, sugiere que la persona que sueña pronto experimentará dificultades por mala administración de los negocios. Una **puerta giratoria** indica sorpresas y nuevas experiencias.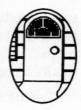

Puerto Marítimo: Si la persona que sueña va a un puerto marítimo, significa que tendrá la oportunidad de viajar y estudiar, pero alguien tratará de impedírselo.

Puerto: Simboliza preocupaciones, conflictos con otros, falta de satisfacción y de serenidad.

Puesto Público: Si la **persona que sueña tiene un puesto público,** su ambición la obligará a arriesgarse en ocasiones, pero tendrá éxito. Si **sueña con no lograr que se le comisione para cierto puesto,** significa que sufrirá serias desilusiones en su negocio. Si se le **despide de un puesto,** perderá posesiones valiosas.

Pulgar: Ver un pulgar significa que la persona que sueña será popular con personas desagradables. Un **pulgar adolorido** es señal de pérdidas de negocios y socios desagradables. **No tener pulgar** es señal de aislamiento y pobreza. Un **pulgar muy pequeño** significa placeres temporales. Un **pulgar exageradamente grande** significa un éxito meteórico. Un **pulgar sucio** simboliza la gratificación de impulsos bajos. Una **uña de pulgar larga** advierte contra meterse en hábitos perversos como resultado de la búsqueda de placeres desnaturalizados.

Pulgas: Significan que la vida de la persona que sueña es caótica y muy desorganizada.

Pulir: Si la persona que sueña pule algo, sus logros la conducirán a posiciones elevadas.

Púlpito: Un **púlpito** es señal de problemas y tristeza. Si la **persona que sueña está en un púlpito**, se le advierte de una enfermedad y mala suerte en los negocios.

Pulso: Soñar con el pulso de uno advierte a la persona que sueña de vigilar su salud y sus negocios, ya que ambos están en peligro. **Sentir el pulso de otro** es señal de libertinaje.

Puñetazo: Si la **persona que sueña da un puñetazo a alguien**, debe esperar perder un juicio. Si le **dan un puñetazo a la persona que sueña**, debe esperar ganar.

Quemadura: Si la **persona que sueña se quema**, significa que pronto tendrá una suma de dinero grande. Si ve **a otra persona quemarse**, significa que pronto tendrá un nuevo amigo. Una **mano quemada** significa que la búsqueda de riqueza y fama de la persona que sueña está fuera de control y fracasará. Si la **persona que sueña camina a través de un lecho de carbones ardiendo**, significa que es capaz de lograr lo que sea, sin importar lo difícil que parezca. Si **sucumbe en las flamas**, significa que la están dañando amigos traicioneros.

Querubines: Ver **querubines** es un buen sueño que predice alegría que llenará la vida de la persona que sueña. Sin embargo, si los **querubines se ven tristes**, las desgracias golpearán a la persona que sueña.

Queso (duro, amarillo): Indica que la persona que sueña tiene carácter difícil y obstinación inflexible que hace que sus amigos se alejen de ella.

Queso Suizo: Soñar con queso suizo es señal de gran riqueza que está a punto de obtener la persona que sueña, además de diversiones sanas.

Quinina: Un **sueño sobre quinina** es señal de gran felicidad, pero no de riqueza. Si la **persona que sueña toma quinina**, mejorará su salud, así como su vida social y de negocios.

Quiquiriquí de un Gallo: Soñar con el quiquiriquí de un gallo en la mañana es señal de buena suerte. Para una **persona soltera**, significa matrimonio en el futuro cercano y una hermosa casa. Un **gallo que canta en la noche** es una mala señal, de lágrimas y desesperación.

Quiromancia: Si una **joven sueña con la quiromancia**, las sospechas de algo se dirigirán hacia ella. **Tener rojas las palmas de las manos** significa popularidad en los hombres, pero condena en las mujeres. Si una **mujer lee las palmas de las manos**, es una indicación de sagacidad.

Rábano Picante: Soñar con rábanos picantes predice buenas amistades con personas agradables e inteligentes; también es señal de prosperidad. **Comer rábanos picantes** en un sueño significa que los demás se burlarán amablemente de la persona que sueña.

Rábano: Soñar con un sembrado de rábanos es señal de buena suerte desde el punto de vista de amigos y negocios. **Comer rábanos** significa que alguien cercano a la persona que sueña la ofenderá. **Ver o plantar rábanos** es indicación de deseos que se hacen realidad.

Rabia: Ve **Hidrofobia. Soñar con perros que tienen rabia,** significa que a pesar de los esfuerzos de la persona que sueña, va a fracasar en sus ocupaciones y puede enfermarse gravemente. Si el **perro rabioso la muerde,** significa demencia o catástrofe inminente para ella o para alguien cercano. **Ver un perro rabioso** es señal de ataques de enemigos a la persona que sueña y a sus amigos. Si **logra matar al perro,** tendrá éxito en la vida.

Rabino: Ve **Santo.**

Radio: Prestar atención a la radio significa que la persona que sueña tendrá un agradable amigo nuevo con el que podrá divertirse. **Escuchar un radio** significa buena suerte.

Raíces: Ver raíces de árboles o plantas es señal de mala suerte en la salud y los negocios. **Tomar raíces como medicina** advierte de pesar y enfermedad repentinos.

Rama: Las **ramas con hojas verdes brillantes** indican amistades fecundas. Las **ramas marchitas y secas** producirán tristes noticias de amigos y padres que viven lejos.

Ramillete (de flores): Indica que la persona que sueña siente que no se aprecian sus talentos.

Ranas: Las **ranas en el pasto** simbolizan una buena vida, feliz y sin problemas, con buenos amigos. **Atrapar ranas** significa que la persona que sueña descuida su salud y esto causa ansiedad a su familia.

Rancho: Ve **granja**.

Rapé: Soñar con rapé significa que los enemigos de la persona que sueña están predisponiendo en su contra a sus amigos. Si una **mujer usa rapé**, predice una situación que causará que se pelee con un buen amigo.

Rápidos: Si la persona que sueña es arrastrada por los rápidos, significa que está descuidando sus negocios por dedicarse a placeres superficiales y lo pagará con enormes pérdidas financieras.

Rascarse: Simboliza preocupaciones sin fundamento.

Rascarse la Cabeza: Extraños adularán a la persona que sueña, lo que la molestará mucho, ya que sabe que están tratando de sacarle algo.

Rastrillo: Ver un rastrillo es una indicación de gran esfuerzo y trabajo duro que se debe esperar en el camino a la gloria. **Emplear un rastrillo** significa que la persona que sueña no puede confiar en otros para hacer el trabajo que les delegó. Un **rastrillo roto** predice enfermedad y accidentes. Si **otros están empleando el rastrillo**, la persona que sueña será feliz por su buena suerte.

Rasurada: Si la persona que sueña considera que la rasuren, significa que tiene grandiosos planes para desarrollar su negocio, pero que no podrá reunir las energías para llevarlos a buen término.

Rata: Soñar con ratas es señal de que una persona muy cercana a la persona que sueña está conspirando contra ella y engañándola. Si **aparece un grupo de ratas**, significa que la salud de la persona que sueña es muy mala. **Matar una rata** significa éxito. **Atrapar ratas** significa vencer a los enemigos mediante una excelente conducta.

Ratón: Advierte de daño potencial a la persona que sueña como resultado de interferencia innecesaria y traición de enemigos en su vida.

Ratonera: Ver una ratonera significa que se debe tener cuidado con personas que desean aprovecharse de la persona que sueña. Si la **rato-**

nera contiene ratones, es probable que la persona que sueña caiga en manos de sus enemigos. Al **preparar una ratonera** derrotará a sus rivales.

Ratones: Un **sueño sobre ratones** predice pleitos domésticos, problemas de negocios y amigos falsos. **Matar ratones** es un símbolo de vencer a enemigos. Si una **joven sueña con ratones**, tiene enemigos secretos y la están engañando. Un **ratón en su ropa** predice un escándalo en el que ella participará.

Rayos X: Soñar con una radiografía significa miedo a la mala salud o graves problemas financieros. **Soñar con que se le saquen rayos X** significa que alguna autoridad tratará de revelar algo que sería dañino para la persona que sueña y su familia. La persona que sueña debe averiguar qué es con el fin de protegerse.

Rebuzno: El **rebuzno de un asno** es señal de malas noticias. El **rebuzno de un burro** significa que la persona que sueña será insultada en público por una persona repugnante. El **rebuzno distante y triste** es señal de herencia de alguien cercano a la persona que sueña.

Recepción: Soñar con estar en una recepción predice eventos sociales amenos. Si se presenta **un incidente desagradable en una recepción**, la persona que sueña tendrá ansiedades.

Recetas: Soñar con un libro de recetas indica que la persona que sueña tiene la bendición de buena salud física y mental.

Recoger Espigas: Ver recolectores de espigas en un sueño es señal de prosperidad para la persona que sueña y de cosechas abundantes para el granjero. Si la **persona que sueña participa en la recolección de espigas**, recibirá una propiedad por la que tendrá que luchar.

Reconciliación: Si la persona que sueña se reconcilia con una persona a la que ha combatido y con la que rompió relaciones, sugiere buenas noticias.

Red de Pescar: Una **red de pescar en buen estado** significa muchos placeres y ganancias menores. Una **red rota** significa problemas y desilusiones.

Redes: Si la **persona que sueña atrapa algo en una red**, significa que no tiene escrúpulos en sus tratos con los demás. Si **sueña con una red rota y vieja**, significa que su propiedad está hipotecada o vinculada de alguna manera, una señal de problemas. Soñar con estar envuelto en una red significa que la persona que sueña será atacada por enemigos. Si una **joven sueña esto**, se alejará del camino angosto y recto y al final la abandonarán. Si **tiene éxito en liberarse sola**, no será el objeto de murmuraciones maliciosas.

Refrigerador: Si la **persona que sueña pone hielo en el refrigerador**, tendrá una discusión con la gente. **Soñar con un refrigerador** significa que la persona que sueña actuará de forma ofensiva y egoísta con alguien que no lo merece.

Refugio: Buscar un refugio significa que la persona que sueña tiene mucho miedo a sus enemigos. **Construir un refugio** indica el deseo de escapar de los enemigos. **Buscar refugio** significa que atraparán haciendo trampas a la persona que sueña y tratará de justificarse.

Regalo: Si la persona que sueña recibe un regalo, significa que la persona está tramando algo contra ella, intentando engañarla y debilitarla.

Regalos de Día de Novios: Soñar con enviar regalos de día de novios predice que la persona que sueña desaprovechará la oportunidad de aumentar su riqueza. Si una **joven recibe un regalo de día de novios**, se casará con un enamorado ansioso pero débil contra el consejo de otras personas.

Regalos de Navidad: Es un buen sueño, de sorpresas felices, avances y logros.

Regazo: Sentarse en el regazo de alguien es señal de estar protegido de controversias. Una **mujer con alguien en el regazo** puede esperar que la critiquen. Si **sostiene un gato en su regazo**, está en peligro de que la seduzca un enemigo astuto.

Regla de una Yarda: Soñar con una regla de una yarda indica que los negocios de la persona que sueña serán extraordinariamente animados y se abrumará por la preocupación.

Regla: Indica la necesidad de la persona que sueña de ser objetiva y honesta cuando juzga a otros, aunque en realidad, no es posible.

Reina: Soñar con una reina indica que la persona pronto recibirá ayuda de personas cercanas a ella. Si la **reina es vieja o está cansada,** la persona que sueña no disfrutará sus actividades de entretenimiento.

Relámpagos: Los **relámpagos** anuncian noticias particularmente buenas, en especial respecto a la agricultura y labranza de la tierra. Si los **relámpagos caen cerca de la persona que sueña,** la lastimará la buena suerte de un amigo. Los **relámpagos sobre la persona** son un símbolo de felicidad y prosperidad. Los **relámpagos que proceden de nubes oscuras** son un mal presagio, pronostican pérdidas, en los negocios y en la familia.

Religión: Soñar con un evento religioso indica un futuro positivo y exitoso: la persona que sueña disfrutará de buenos tiempos. Sin embargo, **discutir de religión** o **sentirse religiosa** en un sueño significa que van a trastornar la serenidad de la persona que sueña y los negocios no prosperarán. Si una **joven sueña con ser muy religiosa,** su falsa piedad y santurronería ahuyentará a su enamorado. Si **no es religiosa,** pero es una persona decente y honesta, todos la amarán. **Si no es religiosa** y tampoco es decente, la condenarán al ostracismo. Si la **persona que sueña ve reducirse el poder de la religión,** su vida será más armoniosa y con menos prejuicios.

Reloj: Soñar con un reloj significa que la persona que sueña tendrá éxito como resultado de estrategias de negocios bien planeadas. **Mirar un reloj para ver la hora** significa que sus rivales derrotarán a la persona que sueña. **Romper un reloj** predice una amenaza de pérdida y problemas. Si el **vidrio se cae**, es señal de descuido de socios desagradables. Si una **mujer pierde un reloj**, habrá falta de armonía doméstica. **Robar un reloj** indica un enemigo peligroso que calumniará a la persona que sueña. **Dar un reloj como regalo** significa que la persona que sueña descuidará su área de interés más importante con el fin de dedicarse a pasatiempos sin importancia ni valor. Un **sueño sobre cualquier tipo de reloj** demuestra el carácter orientado a los logros de la persona que sueña, o a sus logros actuales; un **reloj** también simboliza riqueza y abundancia.

Remendar: Si la **persona que sueña remienda ropas sucias**, escogerá el momento inoportuno para corregir una injusticia. Si **está remendando ropas limpias**, será próspera. Si una **joven sueña con remendar**, será una valiosa ayuda para su marido.

Remiendos: Tener remiendos en la ropa propia significa que la persona que sueña hará sus deberes con humildad. Si **otros tienen remiendos**, son inminentes la pobreza y la miseria. Si una **mujer remienda la ropa de su familia**, significa mucho amor pero falta de dinero. Si una **joven trata de esconder sus remiendos**, significa que tratará de ocultar errores en su carácter a su enamorado.

Remo: Manejar remos es señal de desilusión para la persona que sueña, ya que tendrá que hacer muchos sacrificios por el bienestar de otros. Un **sueño sobre perder un remo** pronostica que la persona que sueña no podrá lograr sus ambiciones. Un **remo roto** significa que se aplazará algún suceso que estaba esperando la persona que sueña.

Renacuajos: Ver renacuajos significa que la persona que sueña ha hecho tratos que le causan ansiedad. Si una **joven ve renacuajos nadando**, se relacionará con un hombre rico pero sin escrúpulos.

Reno: Un **sueño sobre un reno** significa que la persona que sueña hace bien sus labores y es una amiga fiel y constante. Si la **persona que sueña está conduciendo un tiro de renos**, tendrá muchas controversias, pero sus amigos la ayudarán a superarlas.

Renunciar o Dimitir: Soñar con renunciar a un empleo, en especial, si la persona que sueña tiene una posición elevada, indica que sus planes se harán realidad en el futuro cercano.

Repisas: Las **repisas vacías** indican que habrá pérdidas y fracasos. Las **repisas llenas** son señal de gran éxito financiero y material.

Reportero de Periódico: Si la **persona que sueña no está feliz por ver reporteros en su sueño**, la molestarán pleitos necios y murmuraciones. Si la **persona que sueña es reportera de periódico**, experimentará diversas aventuras y viajes, no todos buenos, pero, en general, logrará respeto y provecho.

Repostería: Soñar con repostería significa que la persona que sueña va a ser engañada por un artista de la estafa. Si **come pasteles**, tendrá amistades verdaderas. Si una **joven cocina el pastel**, sus intenciones serán claras para los demás.

Represa: El **agua cristalina que se vierte de una represa** es señal de éxito social o de negocios. El **agua lodosa** implica pérdidas y problemas en lugar de alegría. Una **presa seca** significa reducción de los negocios.

Reptiles: Por lo general, **cualquier tipo de reptil** es señal de conflictos u obstáculos que aguardan a la persona que sueña. Si un **reptil la ataca**, enfrentará graves problemas. Si **mata al reptil**, superará las dificultades. Si la **persona que sueña sostiene reptiles sin que la lastimen**, sufrirá por la conducta nega- 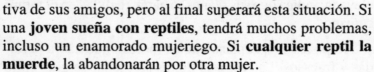 tiva de sus amigos, pero al final superará esta situación. Si una **joven sueña con reptiles**, tendrá muchos problemas, incluso un enamorado mujeriego. Si **cualquier reptil la muerde**, la abandonarán por otra mujer.

Resbalar: Un **sueño sobre resbalar** advierte de una caída en los negocios e infidelidad en el amor. **Resbalar por una pendiente con pasto** significa que la persona que sueña se arruinará por adulaciones y falsas promesas.

Rescate: Si **rescatan a la persona que sueña**, indica que estaba despistada o equivocada y le adviente contra tomar cualquier decisión trascendental. Si **rescata a otros**, sus buenas acciones se reconocerán y apreciarán. Si **se paga rescate por la persona que sueña**, es señal de decepción. Para una **mujer, soñar con un rescate** es señal de algo maligno, a menos que se pague el rescate.

Restaurante: Por lo general, un **sueño sobre un restaurante** simboliza amor y romance. **Ver un restaurante** también puede indicar que la persona que sueña carece de relaciones familiares cálidas. Además, un **restaurante** puede simbolizar hedonismo y amor por la buena vida.

Restirador: Si **aparece un restirador en un sueño**, predice malas noticias. Si la **persona que sueña está usando un restirador**, significa que tendrá que hacer trabajos ingratos.

Restos de Cerámica: Pronostican un periodo de felicidad y alegría, además de prosperidad económica.

Resucitación: Si **se resucita a la persona que sueña**, sufrirá fuertes pérdidas, pero las superará y logrará la prosperidad y la felicidad. Si **resucita a otro**, experimentará amistades nuevas y satisfactorias.

Resurrección: Soñar con la resurrección de entre los muertos es señal de enormes preocupaciones que la persona superará. Si **la resurrección es de otros**, significa que los amigos de la persona que sueña la ayudarán a superar sus preocupaciones.

Retraso: Si la persona que sueña se retrasa en un sueño, a pesar de intentos de llegar a tiempo, esto demuestra que la gente valora la opinión de la persona que sueña y están esperando oír lo que tenga que decir. Un retraso significa conjuras deliberadas de enemigos contra el progreso de la persona que sueña.

Retrato: Soñar con ver el retrato de una persona hermosa advierte a la persona que sueña que ciertas alegrías tienen un lado traicionero. Este sueño trae mala suerte.

Reumatismo: Si la **persona que sueña cae víctima de reumatismo**, sus planes sufrirán un retraso imprevisible. Si **otros sufren de reumatismo**, la persona que sueña sufrirá desilusiones.

Reuniones Religiosas: Estar presente en una reunión religiosa pronostica mala suerte en los negocios y en los asuntos familiares. Si la **persona que sueña participa en una reunión religiosa**, hará enojar a sus amigos como resultado de su conducta caprichosa.

Revelación: Una **revelación positiva** pronostica buenas cosas en los negocios y el amor, mientras que una **revelación negativa** es señal de preocupaciones y mala suerte.

Revólver: Si una joven sueña que su enamorado sostiene un revólver, tendrá una riña
fuerte con un amigo y bien podría terminar
con su enamorado.

Rey: Si un rey aparece o habla con la persona que
sueña, significa sucesos buenos o un cambio para mejorar
en la vida de la persona que sueña.

Rifa: Por lo general, es señal de decepción. En una **rifa
de iglesia**, la persona que sueña se desilusionará. Para una
joven, puede olvidar sus esperanzas.

Rifle o Pistola: Soñar con el disparo de una pistola
sugiere falta de progreso en los negocios, además de estancamiento. La persona que sueña debe cambiar su forma de
actuar con el fin de alterar la tendencia.

Rincón: Si la **persona que sueña se esconde en un
rincón** porque tiene miedo, es un mal sueño. Si **ve a
personas congregadas en un rincón**, significa que sus
enemigos están conspirando para arruinarla. Un amigo
íntimo puede demostrar ser desleal.

Rinoceronte: Soñar con un rinoceronte indica un
anhelo de la potencia masculina, como resultado de problemas sexuales. **Ver un rinoceronte** advierte de la amenaza de enormes pérdidas y controversias secretas. **Matar
un rinoceronte** es un símbolo de superar obstáculos.

Riña: Si la **persona que sueña participa en una riña**,
significa que alguien está muy celoso de ella. Es una señal
de infelicidad. Para una **mujer**, significa disputas y
separación.

Riñón: **Soñar con riñones** es una advertencia de enfermedad grave o problemas maritales para la persona que sueña. Un sueño de **riñones excesivamente activos** indica que la persona que sueña participará en un asunto picante. Los **riñones poco activos** significan que surgirá de repente un escándalo, que no favorecerá a la persona que sueña.

Río: Si la **persona que sueña ve un río de corriente uniforme**, tendrá una existencia próspera y agradable. Si está sentada en el banco de un río con **agua cristalina**, pronto saldrá a un largo viaje. Un **río tempestuoso con agua lodosa** indica obstáculos en el camino al éxito de la persona que sueña, y también indica celos. Si un **río atrapa a la persona que sueña al desbordarse de su cauce**, tendrá reveces temporales en los negocios, además de disputas causadas por murmuraciones. Los **lechos secos de río** son señal de verdadera mala suerte y enfermedad.

Riqueza: Si la **persona que sueña es muy rica**, significa que tiene determinación y empuje para enfrentar y resolver los problemas de la vida. Si **otros son ricos**, los amigos de la persona que sueña la sacarán de situaciones peligrosas. Si una **joven sueña que pertenece a un círculo de personas ricas**, tiene ambiciones elevadas y encontrará a alguien que puede ayudarla a ponerlas en práctica. Si la persona sueña con poseer riqueza, significa que avanzará mucho gracias a su diligencia y trabajo duro.

Risa: La **risa de la persona que sueña** es en realidad una indicación de sucesos tristes que es posible que experimente. Si **otros están riendo,** es señal de que la vida de la persona que sueña será feliz y estará llena de alegría. La **risa feliz de niños** en un sueño es una indicación de la alegría y la salud de la persona que sueña. **Reír por la vergüenza de otras personas** significa que la persona que sueña lastimará a sus amigos con el fin de satisfacer sus propios deseos. **Escuchar risa burlona** es señal de desilusión y mala salud.

Rival: Si la **persona sueña con un rival,** no será lo bastante firme y la pasarán por alto personas importantes. Para una **joven,** es una advertencia para que continúe con su enamorado actual y no arriesgue hacer elecciones equivocadas. Si un **rival engaña a la persona que sueña,** significa que no está prestando suficiente atención a sus negocios. Si la **persona que sueña tiene éxito como rival,** tendrá suerte en su carrera y en su vida amorosa.

Robar: Si la **persona que sueña, o alguien más, roba,** es señal de mala suerte y mala reputación. Una **acusación de robo** significa que se malinterpretarán las acciones de la persona que sueña, pero la situación después se invertirá en su beneficio. Si la **persona que sueña acusa a alguien de robar,** significa que no tendrá consideración alguna con cierta persona.

Roble: El **roble** es símbolo de salud, prosperidad y buena calidad de vida. SI **el roble está lleno de bellotas**, significa una promoción profesional.

Robo: Soñar con que **fuercen la entrada a un lugar o un robo** significa que alguien en quien tiene confianza clara no merece la misma. Después de este sueño pueden presentarse accidentes. Es una indicación de miedos y ansiedades que brotan de dificultades económicas.

Roca: Una **roca** simboliza desacuerdos, peligro y dificultades. Entre **mayor sea la piedra**, mayor el peligro. Una **roca escarpada** indica dificultades inminentes e infelicidad.

Rocío: Si el **rocío cae en la persona que sueña**, es señal de fiebre y enfermedad. Si **ve el rocío brillar en el césped**, recibirá honores y riqueza. Puede tener pronto un matrimonio muy apropiado.

Rodilla: Una **rodilla lisa y sin manchas** significa éxito y felicidad. Una **rodilla lastimada** sugiere la necesidad de encargarse de dificultades que pondrán a prueba la paciencia de la persona que sueña. Una **rodilla adolorida** significa desastre. Las rodillas que son **demasiado grandes** indican mala suerte inminente.

Ron: Beber ron predice riqueza sin gusto. Es señal de tosquedad moral.

Ropa de Boda: Ver **ropas de boda** es señal de que la persona que sueña participará en acciones agradables y diferentes, y hará nuevas amistades. Las **ropas sucias o arrugadas** significan que la persona que sueña se alejará de una persona por la que tiene gran estima.

Ropa de Cama o Sábanas: La **ropa de cama limpia** significa que la persona que sueña pronto recibirá buenas noticias de lejos. La **ropa de cama sucia** indica pérdidas financieras o problemas de salud.

Ropa: Un **armario lleno de ropa** significa que en el futuro cercano la persona que sueña puede esperar problemas en diferentes áreas. Si la persona que sueña está vestida parcialmente, tiene la habilidad para lograr su objetivo. **Vestirse** en un sueño significa progreso. **Desvestirse** significa retrocesos. Si la persona que sueña está **vestida excéntricamente**, indica éxito considerable.

Rosa de Damasco: Un **arbusto de rosas de Damasco en plena floración** indica que una boda tendrá lugar pronto en la familia de la persona que sueña, y que se materializarán las esperanzas. Si una **mujer recibe un ramillete de rosas de Damasco en primavera**, su enamorado será fiel, pero no en **invierno**.

Rosal: Un **rosal con hojas y sin capullos** es señal de que se aproxima la prosperidad. Un **rosal muerto** es mala señal, predice mala suerte y enfermedad.

Rosas: Ver rosas es señal de prosperidad y éxito en todas las áreas de la vida, en especial, en el romance. Una **joven que sueña con recoger rosas** pronto recibirá una proposición de matrimonio que desea mucho. Las **rosas secas** significan falta de amor. Las **rosas blancas**, oscuras y secas, son señal de una enfermedad grave.

Rotura: Cualquier forma de rotura en un sueño (sin importar quién es el causante) pronostica malas cosas, principalmente problemas de salud y domésticos. **Romper ramas** significa mala administración y fracaso.

Rubí: Soñar con un rubí es señal de buena suerte en el amor y las finanzas. Si una **mujer pierde uno en un sueño**, indica que su enamorado ya no está interesado en ella.

Ruborizarse: Una **mujer que sueña con ruborizarse** experimentará turbación y preocupación como resultado de acusaciones sin fundamentos. **Ver a otros ruborizarse** significa que está actuando en una forma que desagrada a sus amigos.

Ruibarbo: Ver un ruibarbo crecer significa eventos amenos para la persona que sueña. Si la **persona que sueña lo cocina**, se peleará con un amigo. **Comerlo** significa descontento con el trabajo actual de la persona que sueña.

Ruedas: Ver ruedas que giran rápidamente significa que la persona que sueña trabajará duro y con frugalidad, y disfrutará de una feliz vida doméstica. Las **ruedas inmó-**

viles o rotas son señal de ausencia o de una muerte en la casa de la persona que sueña.

Ruido: Si existe **mucho ruido en torno a la persona que sueña**, significa que tendrá que adoptar el papel de árbitro y pacificador en una disputa entre dos personas cercanas a ella. Si escucha un **ruido extraño**, es señal de malas noticias. Si el **ruido la despierta**, habrá un cambio repentino en su vida.

Ruinas: Soñar con ruinas es una mala señal: cosechas arruinadas, mala salud, rompimiento de relaciones amorosas, fracaso en los negocios. Un **sueño sobre ruinas de la antigüedad** indica muchos viajes, pero junto con la emoción se encuentra la tristeza por la ausencia de alguien cercano.

Ruiseñor: Un **sueño sobre un ruiseñor** causa una asociación inmediata con melodías y sonidos agradables. Significa que el romance dominará la vida de la persona que sueña por poco tiempo. La persona que sueña tendrá una vida agradable y próspera. Un **ruiseñor silencioso** indica desacuerdos menores entre amigos.

Rumbo: Si la persona que sueña pierde el rumbo, puede olvidarse de tratos exitosos, a menos que dirija su negocio con el máximo cuidado.

Sábanas: Ve **Ropa de Cama**.

Sabiduría: Si la **persona que sueña posee sabiduría en un sueño,** significa que será valerosa en circunstancias difíciles, superándolas y elevándose a un plano más elevado de vida. Si **carece de sabiduría,** indica que de ninguna forma está explotando sus talentos.

Sabor Dulce: Si la **persona que sueña tiene un sabor dulce en la boca,** actuará con control y bondad durante un periodo de agitación y la gente apreciará esto. Si **trata de disipar un sabor dulce,** significa que actuará con desdén y tiranía con sus amigos.

Sabuesos: Un **sueño sobre sabuesos cazando** pronostica cambios y placeres positivos. Si una **mujer sueña con sabuesos,** amará a un hombre de clase social inferior. Si **la siguen los sabuesos,** tendrá muchos admiradores que se sentirán poca cosa para ella.

Sacacorchos: Es una advertencia para la persona de controlar su impulso por satisfacer sus deseos, ya que la conducen por un camino peligroso.

Sacerdote: Es señal de mala suerte. Si una **mujer está enamorada de un sacerdote,** su enamorado no tiene conciencia ni moral. **Confesarse con un sacerdote** predice pesar y humillación. **Cualquier sueño con un sacerdote** significa que la persona que sueña será la causa de situaciones poco agradables para los que la rodean.

Sagrada Comunión: Tomar la comunión advierte que la persona que sueña desechará sus principios con el fin de conseguir algún placer superficial. Si la **persona que sueña se siente digna de tomar la comunión**, pero se le niega, significa que recibirá una posición que nunca había considerado posible. Si **se siente indigna**, tendrá problemas.

Sal: Soñar con sal es un sueño muy positivo que anuncia buena suerte y éxito en muchas áreas de la vida. Sin embargo, si la **carne está salada**, la persona que sueña tendrá problemas de dinero. Si una **joven sueña con comer sal**, su enamorado la dejará por una mujer más hermosa.

Sala: Si la **persona que sueña está en una sala bien amueblada**, significa que está a punto de entrar en posesión de una fortuna repentina, ya sea por herencia o por especulación. Para una **mujer**, significa que está a punto de recibir una proposición matrimonial de una persona adinerada. Si la **sala es modesta**, vivirá una vida muy común.

Salchicha: Soñar con hacer salchichas es una indicación de éxito en la mayoría de las actividades de la persona que sueña. **Comer una salchicha** es señal de una casa modesta pero atractiva.

Salmón: El **salmón** puede simbolizar un obstáculo que la persona que sueña va a encontrar, pero que al final podrá vencer por su fuerza de voluntad. **Ver un salmón** significa felicidad para la persona que sueña. Para una **joven**, significa que se casará con un hombre agradable que la puede apoyar bien.

Salón de Belleza: Ve **Peluquería.**

Salsa: Comer salsa significa mala salud y negocios improductivos.

Saltar: Saltar en un sueño no es buena señal: significa que la persona que sueña puede esperar penalidades, desilusiones o frustraciones. **Saltar la cuerda** es señal de que los socios de la persona que sueña se deslumbrarán con una exhibición temeraria. Si **salta la cuerda con niños**, significa que es despótica y autoritaria, y sus hijos no la tratan con respeto. Si el **ganado salta una cerca** a la propiedad de la persona que sueña, recibirá ayuda imprevista. Si **salta saliendo de su propiedad**, puede esperar pérdidas.

Salvaje: Ver a un salvaje significa que los enemigos de la persona que sueña van a intentar descaradamente de sabotear sus ocupaciones. Si la **persona que sueña es una salvaje**, sus planes no van a avanzar bien.

Salvia: Soñar con salvia simboliza la recuperación de una enfermedad grave, que puede ser de la persona que sueña o de alguien cercano a ella. Si una **mujer sueña con usar demasiada salvia** al cocinar, se dará cuenta que es demasiado espléndida con el dinero y con el amor.

Sanciones: Si se **imponen sanciones a la persona que sueña**, significa que se está revelando contra los deberes que tiene que hacer. **Pagar una multa** es señal de enfermedad y pérdidas financieras. **Sobreponerse a una sanción** es señal del triunfo de la persona que sueña.

Sandía: Simboliza la superstición, y refleja miedos ocultos y ansiedad encubierta.

Sangre: Ver sangre indica una relación no deseada, una disputa, enojo, desacuerdos o desilusiones (en especial, en el contexto emocional). La r**opa manchada de sangre** indica que los enemigos de la persona que sueña destruirán su exitosa carrera. El soñador debe ejercer su discreción en la elección de amigos. La **sangre en las manos de la persona que sueña** o una nariz sangrante significa infortunios inmediatos si no actúa con gran cuidado. **Sangre que mana de una herida** es señal de enfermedad y ansiedad, además de reveses en los negocios.

Sanguijuelas: Soñar con sanguijuelas significa ataques por parte de los enemigos de la persona que sueña. Si las **sanguijuelas muerden a la persona que sueña**, advierte de peligros desde puntos sorprendentes.

Santo: Indica que la persona que sueña confía en un poder superior para que la ayude.

Sapo: Soñar con un sapo es un símbolo de corrupción y contratiempos. El sueño advierte contra dejarse tentar para participar en actos impuros. Si una **mujer sueña con un sapo,** advierte contra quedar enredada en un escándalo. **Matar a un sapo** significa que el juicio de la persona que sueña será cuestionado mordazmente. **Tocar un sapo** significa que la persona que sueña causará la caída de un amigo.

Sarampión: Soñar con tener sarampión es una indicación de preocupaciones y ansiedad en los negocios. Si **otros tienen sarampión**, la persona que sueña estará ansiosa por su estado de salud.

Sardinas: Comer sardinas indica que de la nada se presentarán problemas. Si una **joven pone sardinas en la mesa**, la molestarán las atenciones indeseables de alguien.

Sardónice: Soñar con sardónice significa que la persona que sueña mejorará su medio ambiente miserable al mejorar su situación financiera. Una **mujer que sueña con sardónice** gozará de una mayor riqueza. Si **arroja o pierde sardónices**, ignorará las oportunidades para mejorar su destino.

Sastre: Ver un sastre es señal de que la persona que sueña es indecisa y es fácil que otros influyan en ella. **Soñar con un sastre** indica ansiedad respecto a un viaje.

Discutir con un sastre pronostica la desilusión de la persona que sueña respecto a una de sus ocupaciones.

Satán: Soñar con Satán indica acciones peligrosas que pondrán en peligro la respetabilidad de la persona que sueña. **Matar a Satán** significa abandonar compañías dudosas para seguir metas más morales. Si **Satán está disfrazado como riqueza o poder**, la persona que sueña abusará de ello más que explotarlo por el bien de otros. Si **Satán aparece como música**, seducirá a la persona que sueña. Si **adopta la forma de una mujer hermosa**, la persona que sueña sucumbirá a sus caricias a costa de lo mejor en ella. Si la **persona que sueña trata de escapar de Satán**, superará su egoísmo para ayudar a otros.

Sauce: Ver un sauce tiene un significado doloroso: errores en el contexto familiar que no se pueden corregir. **Soñar con sauces** predice un viaje triste con la consolación de buenos amigos.

Secundaria: Soñar con la secundaria significa progreso en el amor y en asuntos sociales y de negocios.

Sed: Soñar con estar sediento significa que las aspiraciones de la persona que sueña son demasiado elevadas. Si **sacia su sed**, hará realidad sus aspiraciones. Si **otros están sedientos y sacian su sed**, la persona que sueña se beneficiará del patrocinio de personas adineradas.

Seda: Soñar con usar ropa de seda significa la realización de aspiraciones y reconciliaciones. Si una **mujer sueña con seda**, simboliza que es feliz con su familia y su vida amorosa. Si la **persona que sueña es hombre**, es señal de que tendrá mucho éxito en los negocios. Si una **joven sueña con seda vieja**, estará orgullosa de sus ancestros y la cortejará un hombre viejo y rico. La **seda sucia o rasgada** significa que traerá la desgracia a su respetable familia.

Seductor: Si un **hombre sueña con seducir a una mujer**, le advierte que vigile a personas que están ansiosas de tenderle una trampa para incriminarla. Si **sueña con tratar de seducir a su novia**, y ésta protesta enojada, significa que ella es pura y sin culpa. Si **consiente**, lo están explotando por su dinero. Una **joven que sueña con ser seducida** puede caer con facilidad bajo influencias dudosas.

Segadoras: Ver **trabajar segadoras en un sueño** es señal de felicidad y prosperidad. Si el **campo está lleno de troncos y seco**, los negocios serán malos. Si las **segadoras no están trabajando**, se presentará un revés en los negocios. Si una **segadora mecánica se descompone**, se despedirá a varias personas.

Sembrar: Si un **granjero siembra semillas en un terreno recién arado**, se predice una buena cosecha. **Sembrar lechuga** significa que la persona que sueña será responsable de su enfermedad o muerte a temprana edad.

Semillas: Un sueño sobre cualquier tipo de semilla siempre indica algo bueno. La persona que sueña encontrará la felicidad y bendiciones gracias a su trabajo.

Semillas (para plantar): Soñar con semillas significa que los elaborados planes de la persona que sueña para el futuro en verdad se harán realidad y se tendrá prosperidad, a pesar de las dificultades actuales.

Semilla de Cáñamo: Es una indicación de amistad profunda y paciente, además de la oportunidad para hacer dinero.

Sendero: Un **sendero estrecho, escabroso y rocoso** significa adversidad para la persona que sueña. Si **está buscando su camino**, significa que no puede lograr una tarea que deseaba completar. **Caminar por un sendero de pasto y rodeado de flores** indica libertad emocional.

Seno: Una **lesión en el seno** es una advertencia de problemas. Un **seno blanco y abundante** es señal de buena fortuna, mientras que un **seno hundido y con manchas** es una indicación de desilusiones en el amor. Si **el enamorado de la mujer examina en secreto su seno a través de ropa transparente**, significa que ella se encontrará bajo la influencia desagradable de alguien.

Separación: Soñar con una separación indica que la persona que sueña tendrá que hacer concesiones en la vida.

Septiembre: Predice buena suerte.

Sequía: Es un sueño muy negativo, ya que predice guerra y matanzas entre naciones, además de desastres en el mar y en tierra, contiendas familiares y enfermedad. Los asuntos de negocios de la persona que sueña también zozobrarán.

Serenata: Si la **persona que sueña escucha una serenata**, recibirá buenas noticias de amigos lejanos, y sus esperanzas se harán realidad. Si **está dando una serenata**, le esperan sucesos maravillosos en su vida.

Serpiente: Soñar con una **serpiente** indica la mala suerte de los amigos de la persona que sueña y sus propias amenazas de pérdida. Una **joven que sueña con una serpiente** está en peligro por una persona traicionera. Si **la serpiente huye**, ella triunfará en este ataque.

Serpientes: Soñar con serpientes es una indicación de sentimientos y entorno melancólicos y de depresión, y por lo general, precede a desilusiones. **Escuchar a Eva conversando con la serpiente** significa que las mujeres causarán que la persona que sueña pierda dinero y reputación. **Soñar con serpientes de bronce** es una predicción de destrucción y envidia. **Ver serpientes arrastrarse en el pasto** significa que la persona que sueña estará abrumada por la traición y la difamación. Una **joven que ve a una serpiente en su regazo** está en peligro de que la humillen enemigos peligrosos.

Servilleta: Soñar con una servilleta es una predicción de sucesos felices en que participará la persona que sueña.

Para una **mujer, soñar con servilletas sucias** significa que será víctima de circunstancias embarazosas.

Setos Vivos: Los **setos de plantas perennes** pronostican prosperidad y felicidad. Los **setos sin hojas** pronostican infelicidad y errores en los negocios. **Quedar atrapada en un seto espinoso** significa que colegas o subalternos retendrán a la persona que sueña en el trabajo.

Sexo: Soñar con sexo agradable es señal de felicidad y satisfacción en la vida personal de la persona que sueña. **Observar a otras personas tener sexo** indica que la persona que sueña es incapaz de tener una buena relación. **Consentir en tener sexo superficial y sin sentido** advierte a la persona que sueña de hacer algo que producirá vergüenza y culpabilidad.

Shakespeare: Soñar con Shakespeare significa que se estropearán importantes empresas por la melancolía y la tristeza, y desaparecerá la pasión del amor. **Soñar con leer las obras de Shakespeare**, es señal de que la persona que sueña participará en ocupaciones literarias.

Sidra: Si la **persona que sueña bebe sidra**, indica que será capaz de amasar una fortuna si puede resistir las diversiones materiales. **Ver a otras personas beber sidra** significa que la persona que sueña es susceptible a la influencia de amigos desleales.

Sierra: Si un **hombre sueña que está aserrando** algo, es señal de que es confiable, enérgico y feliz. Si una **mujer esta aserrando algo** en un sueño, significa que uno de sus amigos le dará pronto consejos útiles. **Ver grandes sierras industriales** significa que la persona que sueña va a manejar un negocio  grande. **Para una mujer**, es señal de que la respetarán y escucharán. **Las sierras rotas u oxidadas** son señal de mala suerte y problemas. **Encontrar una sierra oxidada** significa recuperar una propiedad. **Llevar una sierra** significa responsabilidades importantes acompañadas de riqueza. **Escuchar una sierra** indica economía y prosperidad.

Signos Celestes: La persona que sueña llevará a cabo viajes inesperados como resultado de eventos tristes. El amor puede evaporarse, pueden haber problemas en el trabajo y pueden presentarse disputas domésticas.

Silbar: Soñar con silbar significa que personas con malas intenciones están esparciendo rumores maliciosos sobre la persona. **Escuchar un silbato en un sueño** significa que la persona que sueña se va a sorprender por algunas malas noticias, que destruirán sus planes para hacer algo agradable. Si **está silbando**, es una predicción de un suceso alegre en que será la figura central. Para una joven, **soñar con silbar** predice conducta desenfrenada y no poder alcanzar sus objetivos.

Silla: Si **alguien está sentado en la silla,** anuncia la llegada de otra persona trayendo dinero. Una **silla vacía** significa que la persona que sueña está a punto de recibir noticias de un amigo en el extranjero.

Silla de Montar: Soñar con sillas de montar es un sueño magnífico, predice buenas noticias, además de un viaje exitoso acompañado por una sorpresa, como un huésped inesperado.

Sillero: La persona que sueña tendrá que enfrentar la ansiedad por algo que le gusta hacer.

Simios: Soñar con simios es signo de humillación y mala salud de un buen amigo. Un **simio pequeño** que se aferra a un árbol es una advertencia de traición y engaño.

Simulacro de Incendios: Es una señal de pleitos respecto a un asunto financiero.

Sinagoga: Soñar con una sinagoga es una indicación de enemigos poderosos que están impidiendo el avance de la persona que sueña. Si **sube a la cima de la sinagoga por el exterior**, derrotará a los enemigos y será exitosa. **Leer las palabras en hebreo** en una sinagoga es una advertencia de catástrofe financiera que al final se superará.

Sinfonía: Es un sueño excelente de diversiones agradables.

Sirena: Soñar con algo que no existe en la realidad indica la búsqueda de un amor imposible.

Siseo: Un **sueño sobre siseo** significa que la persona que sueña estará furiosa por el tratamiento desconsiderado a que la someten nuevas amistades. Si **sisean a la persona que sueña**, corre el riesgo de perder a un amigo.

Sistema Digestivo: Cualquier sueño que trate sobre el sistema digestivo (incluyendo vómito y diarrea), es señal de problemas nutricionales o de salud.

Soberano: Es señal de mejoría en la situación financiera, además de la vida social.

Sobre: Un **sobre sellado** indica privaciones, complejos, frustración y dificultades. Un **sobre abierto** significa que la persona que sueña superará obstáculos que no son demasiado formidables.

Sobrina: Si una mujer sueña con su sobrina, es una predicción de problemas no previstos y ansiedad trivial.

Sobrino: Soñar con un sobrino bien parecido es una predicción de suerte inesperada. Si el **sobrino no es bien parecido**, la persona que sueña sólo tendrá situaciones desagradables y desilusiones.

Socialista: Si la persona que sueña ve a un socialista, perderá el afecto de sus amigos. Se lanzará a hacer tareas con las que fantasea a costa de su verdadero negocio.

Sociedad: Formar una sociedad con un hombre predice asuntos de dinero inestables, mientras que **formar una sociedad con una mujer** significa que la persona que sueña querrá ocultar alguna empresa arriesgada de sus amigos. **Disolver una sociedad desagradable** pronostica felicidad, pero si tiene una **buena sociedad**, tendrá mala suerte.

Socio: Si el **socio de la persona que sueña rompe mercancías,** significa que causará daño al negocio. Si la **persona que sueña lo regaña por romper mercancías**, la pérdida se resarcirá en cierta medida.

Sofá: Sentarse relajado en un sofá significa que las esperanzas de la persona que sueña no son realistas. Si no presta especial atención a todo matiz de su negocio, sus esperanzas no se harán realidad.

Sofocación o Ahogo: Soñar con sofocarse expresa agresión además de miedo por ser humillado por la conducta de la persona amada. Si la **persona que sueña está ahogando a otro,** significa que siente odio contra él. Si **otro está sofocando a la persona que sueña,** significa que teme profundamente a la persona que la está ahogando en el sueño.

Soga: Si la **persona que sueña se ve atada con una soga,** es señal de que ha roto una promesa (o está a punto de hacerlo) a un amigo, o de traicionar una confidencia. **Trepar una cuerda** sugiere dificultades o enemigos en el camino al éxito, pero al final el triunfo. **Atar una cuerda** es una indicación de la necesidad de controlar a otros. **Bajar por una cuerda** es señal de desilusión. **Caminar por una cuerda** indica riesgos seguidos por éxito. **Que otros caminen por una cuerda** significa que la persona que sueña se beneficiará de otros. **Saltar la cuerda** con niños es señal de egoísmo, naturaleza autoritaria y padres crueles.

Sol: Soñar con un amanecer brillante y transparente es una señal de felicidad y riqueza. El **sol de mediodía** simboliza a ambiciones que se hacen realidad satisfactoriamente. El **ocaso** es un símbolo de haber pasado el mejor momento de uno, con las concomitantes preocupaciones por la salud. Si el **sol brilla a través de las nubes,** los problemas de la persona que sueña desaparecerán pronto y los remplazará la buena suerte. Un **sol de apariencia extraña o un eclipse** pronostica sucesos peligrosos en el futuro pero que son temporales.

Soldado: Soñar con un soldado indica que la persona que sueña está involucrada en conflictos o riñas. **Ver soldados que marchan** predice extravagancias, pero también promoción a una posición elevada. Si la **persona que sueña ve soldados heridos,** va a sentir lástima por los problemas de otros hasta el punto de perder su criterio. Si **es un buen soldado,** cumplirá con sus aspiraciones morales más elevadas. Si una **mujer sueña con soldados,** su reputación está en peligro. Una **mujer casada que sueña con estar en el campamento de los soldados** puede deshonrar a su marido, quien podría divorciarse de ella.

Soltería: Si una persona casada sueña con la **soltería**, significa que en secreto desea traicionar a su pareja.

Soltero: A un hombre que sueña que es **soltero** se le está advirtiendo que se aleje de las mujeres. Si una persona casada sueña con ser soltera, predice que su matrimonio no es muy feliz.

Sombras: Soñar con sombras indica que habrá una gran mejoría en el nivel económico de la persona que sueña además de ganancias monetarias significativas.

Sombrero: Si la **persona que sueña usa sombrero**, significa desilusión inminente. Si **pierde un sombrero**, significa que pronto recibirá un regalo. **Encontrar un sombrero** en un sueño es señal de que la persona que sueña pronto perderá un objeto pequeño. La **inhabilidad para quitarse el sombrero** es una advertencia de enfermedad.

Sombrilla: Ver una sombrilla, si la persona que sueña está casada, es señal de placeres ilícitos. Si una **joven sueña con una sombrilla**, tendrá muchos amoríos secretos, y disfrutará ocultándolos a su enamorado.

Sonaja: Si un **bebé juega con una sonaja en un sueño**, es señal de una casa próspera y feliz. Si una **joven sueña con una sonaja**, se casará joven. **Dar una sonaja a un bebé** significa tratos infructuosos.

Sonambulismo: Indica que la persona que sueña puede estar de acuerdo en un plan, con total inocencia, que después le causará preocupaciones y mala suerte.

Sonido de Localizador: Soñar que se escucha el sonido de un localizador significa que es inminente una crisis. **Soñar con usar un localizador** significa que alguien cercano al soñador pronto se volverá una carga, que requerirá atención y cuidados constantes.

Sopa: Soñar con sopa es una predicción de buenas nuevas y sucesos agradables. Si la **persona que sueña ve a otros comiendo sopa**, es muy probable que se case. Si una **joven sueña con hacer sopa**, se casará con un hombre rico y no tendrá que encargarse de los detalles mundanos de gobernar la casa.

Soplador de Vidrio: Significa que la persona que sueña hará un cambio cosmético en su negocio que no le ayudará.

Sordera: Un símbolo: ¡Lo que no sabemos no puede dañarnos!

Sortija Matrimonial: Si la **sortija matrimonial de una mujer es brillante**, significa que estará protegida de preocupaciones e infidelidades. Si **su sortija se rompe o pierde**, tendrá pesar por desamparo e incompatibilidad. **Ver una sortija matrimonial en el dedo de otro** significa que la persona que sueña no respetará sus votos y buscará placeres inmorales.

Sótano: Un sueño sobre un **sótano** significa que se pierden buenas oportunidades y el placer se convierte en problemas y preocupaciones. Ver un sótano indica dudas y pérdida de confianza en sí misma de la persona que sueña. También existe la posibilidad de pérdida de propiedad. **Soñar con un sótano para vinos** representa una advertencia para las jóvenes en contra de casarse con un jugador. **Ver un sótano lleno de vino** significa que se ofrecerá a la persona que sueña la participación en los beneficios que se originen de un negocio de mal gusto.

Sotavento: Navegar hacia sotavento para un marino es señal de un viaje feliz. Para **otras personas** significa un viaje agradable.

Subasta: Si un **hombre sueña con una subasta**, es señal de que sus negocios van a prosperar. Si una **mujer sueña con una subasta,** significa que será rica y tendrá una vida de bienestar económico.

Submarino: Soñar con un submarino simboliza un secreto desagradable que se revelará inesperadamente y dañará a la persona que sueña. Si la **persona que sueña está en un submarino,** por accidente revelará malas noticias, causando caos.

Subterráneo: Soñar con vivir bajo tierra significa una amenaza de perder dinero y la reputación. **Ver un tren subterráneo** significa que la persona que sueña tomará parte en un trato extraño que le causará preocupaciones y tensión.

Suciedad: Soñar con suciedad, en especial si aparece en la ropa, significa que ciertos problemas de salud deben atenderse. **Soñar con caer en suciedad o basura** predice que la persona que sueña se cambiará de casa en el futuro cercano (Ve **Manchas**).

Suegra: Si la **persona que sueña discute con una suegra,** significa que quiere paz en su hogar. Habrá una reconciliación después de una disputa. Si una **mujer sueña con reñir con su suegra,** encontrará personas desagradables y discutidoras.

Suegro: Un **sueño sobre un suegro** es una indicación de desacuerdo con padres o amigos. Si el **suegro está sano y feliz,** es señal de una situación doméstica armoniosa.

Sueldo: Recibir el sueldo en un sueño indica que sin el conocimiento de la persona que sueña, alguien le está causando daño y debilitándola. **También significa** buena suerte inesperada en empresas nuevas. **Pagar sueldos** es señal de fuerte insatisfacción. Una **reducción del sueldo** es una advertencia de acciones hostiles contra la persona que sueña. Una **aumento en el sueldo** significa ganancias sin precedentes en un trato. Si una persona sueña con recibir un aumento, es una advertencia de un incidente próximo.

Sueño: Si la **persona que sueña se ve durmiendo,** advierte de otros que tienen la meta de dañarla. **Dormir en una cama limpia** es señal de amor y armonía. **Dormir en lugares peculiares** predice rompimientos y enfermedades. **Dormir junto a un niño** significa armonía doméstica y amor. **Ver dormir a otros** significa que la persona que sueña ganará el corazón de una mujer, a pesar de la desaprobación de otros. **Soñar con alguien repugnante** significa que la persona que sueña sufrirá como resultado de su conducta lasciva cuando desaparezca el amor por su compañera. Si una **joven sueña con dormir con su enamorado**, debe precaverse de no entregarse a él.

Suero de Leche: Si la persona que sueña **bebe suero de leche**, un placer mundanal será seguido por pesar, y una acción imprudente dañará su salud. Es una señal muy negativa **alimentar a los puercos con suero de leche**.

Sufrir: Al contrario de lo que se podría esperar, soñar con dolor o sufrimiento es, en realidad, una indicación de felicidad, alegría y risa para la persona que sueña en el futuro cercano.

Suicidio: Soñar con suicidio indica el deseo de la persona que sueña de liberarse de una situación difícil. Si la **persona que sueña comete suicidio**, tendrá mala suerte. Si otros cometen suicidio, las pérdidas de otros afectarán a la persona que sueña. Si el **enamorado de una joven comete suicidio**, ella se da cuenta clara de su infidelidad.

Suma: Esforzarse con una suma predice dificultades para superar situaciones problemáticas, en especial en los negocios. Descubrir **errores en una suma** significa que la persona que sueña se dará cuenta de las intenciones malignas de sus enemigos antes de que las puedan poner en práctica. Una **máquina sumadora** indica que la persona que sueña tiene un poderoso aliado.

Suspiro: Un sueño en que la **persona suspira por algo malo o problemático**, es indicativo de tristeza repentina que se mitigará por algo bueno. Significa que la persona que sueña no debe nada a otras personas. Si la **persona que sueña escucha suspirar a otros**, la trastornará la mala conducta de amigos íntimos.

Sumas (adición): Una suma incorrecta advierte contra negociaciones comerciales desafortunadas.

Susurrar: Soñar con susurrar es señal de que la persona que sueña va a estar sometida a murmuraciones malignas de personas cercanas. Si **escucha un susurro que tiene la finalidad de advertirle o darle consejo**, significa que necesita buscar consejos.

Tabaco: El **tabaco en cualquier forma** indica que los problemas de la persona que sueña se resolverán pronto y que su carácter es conciliador y moderado. **Soñar con tabaco** significa éxito en los negocios, pero no en el amor. **Usar tabaco** es una advertencia contra los rivales y el desperdicio. **Ver crecer el tabaco** es señal de empresas con éxito. El **tabaco seco** es una buena señal para granjeros y comerciantes. Si la **persona que sueña u otra persona está fumando,** significa amistades agradables.

Tabla de Lavar: Ver una tabla de lavar en un sueño es señal de turbación. **Ver a una mujer usar una tabla de lavar** significa que la mujer va a disipar la fortuna y la energía de la persona que sueña. Una **tabla de lavar rota** significa la caída de la persona que sueña como resultado de una vida impura y decadente.

Tachuelas: Soñar con tachuelas es señal de controversias y disputas. Si una **mujer pone una tachuela con un martillo,** vencerá a sus oponentes. Si **se golpea el dedo en el proceso,** se trastornará por las cosas desagradables que tiene que hacer.

Taciturna: Si la **persona que sueña parece taciturna**, todo marchará mal cuando se despierte. Si **otros están taciturnos**, le tocarán tareas y socios desagradables.

Tacón: Un tacón roto significa que la persona que sueña tendrá que confrontar problemas y privaciones en el futuro cercano.

Talar un árbol, o desenterrarlo, es señal de energía y dinero malgastados. Si **se talan árboles verdes**, significa que los sucesos felices pronto serán remplazados por tristeza.

Talismán: Usar un **talismán** indica buenos amigos y patrocinio de personas adineradas. Si una **joven recibe un talismán de su enamorado**, se casará con el hombre que quiere.

Tallarines: No es un buen sueño ya que indica deseos y apetitos que no son normales.

Taller: Soñar con un taller indica que la persona que sueña podrá lograr lo que aspira. Cualquier tarea que realice será un éxito. **Ver un taller** significa que la persona que sueña recurrirá a estratagemas increíbles para vencer a sus enemigos.

Tambor: El **toque indistinto de un tambor** pide a la persona que sueña que ayude a un amigo lejano que está en desgracia. **Ver un tambor** atestigua una naturaleza sociable y aborrecimiento a desacuerdos y pleitos. **Soñar**

con un tambor es una señal positiva para tenderos, granjeros y marinos.

Tamiz: Soñar con un tamiz significa que la persona que sueña está a punto de hacer un trato que le será perjudicial. Si el **tamiz es muy fino,** la persona que sueña puede ser capaz de evitar que suceda algo que es perjudicial para ella. Si el **tamiz es de agujero grande,** la persona que sueña perderá recursos recién obtenidos.

Tanque (de agua): **Soñar con un tanque** es una predicción de satisfacción sin precedente y prosperidad para la persona que sueña. Un **tanque que gotea** es símbolo de pérdidas en los negocios.

Tañido de un Reloj: Esta imagen siempre anuncia buenas cosas; entre más fuerte el tañido, más feliz será la vida.

Tapiz: Soñar con un tapiz espléndido significa que la persona que sueña disfrutará de una vida de riqueza y comodidad. Si los **tapices están en buenas condiciones,** hará realidad sus deseos. Si una **joven sueña con tapices que decoran su habitación,** se casará con alguien rico y de nivel social alto.

Tarántula: Matar una tarántula significa éxito después de un enorme fracaso. **Ver una tarántula** significa derrota total a manos de los enemigos de la persona que sueña.

Tarde: Si una **mujer sueña con una tarde,** significa que formará amistades duraderas. Una **tarde nublada y lluviosa** es una señal de descontento y decepciones. Un **sueño sobre la tarde** es señal de falta de esperanza y tratos desafortunados. Si las **estrellas son muy brillantes**, se presentarán problemas, pero le seguirá buena fortuna. **Para enamorados que caminan en la tarde,** este sueño significa que uno de ellos morirá pronto. **Soñar con una tarde agradable** predice que la persona que sueña pronto disfrutará de un periodo de tranquilidad y calma.

Tarima: Si una joven está cruzando agua oscura sobre una tarima podrida, sufrirá por un enamorado poco atento, tendrá muchos problemas y estará en peligro de arriesgar su buena reputación.

Tarjeta de Crédito: Es indicación de un cambio significativo para mejorar en la fortuna de la persona que sueña, ya sea mediante nuevos canales de ingreso o mediante una herencia.

Tarjeta Postal: Soñar con recibir una tarjeta significa que las noticias repentinas serán, por lo general, malas.

Tartamudear: Si la **persona que sueña tartamudea**, significa que su alegría en la vida estará en peligro por controversias y mala salud. Si **otras personas tartamudean**, significa que personas desagradables molestarán y exasperarán a la persona que sueña.

Tatuaje: Si la **persona que sueña tiene un tatuaje**, tendrá razones para hacer un viaje largo y desagradable. Si

ve tatuajes en otros, le tendrán envidia por el amor. Si **es un artista de tatuajes**, sus amigos la rechazarán por su predilección de experiencias extrañas.

Taxi: Ver un taxi indica una carrera agradable y prosperidad razonable. **Viajar en taxi** con otras personas, en la noche, significa que la persona que sueña tiene un secreto. **Soñar con conducir un taxi** significa que la persona que sueña está involucrada en labores manuales y tiene poca oportunidad de avanzar.

Taza: Una **taza llena de líquido** es señal de buena suerte. Una **taza vacía** significa escasez. Una **taza de color oscuro** indica problemas en el trabajo o en los negocios. Una **taza de color claro** simboliza un brillante futuro. Una **taza de la que se ha derramado el líquido** predice peleas y tensión en la familia.

Taza de Té: Ver tazas de té predice sucesos agradables. **Romper tazas de té o verlas rotas** significa la interrupción de la buena suerte y la felicidad por algún problema. **Beber vino en una taza de té** significa que la persona que sueña pronto tendrá riqueza y placeres.

Tazón: Un **tazón lleno** predice disputas o desacuerdos con un socio. Un **tazón vacío** es señal de tranquilidad, calma y descanso.

Té: Ver té sugiere que la persona que sueña podría ser más decidida en sus opiniones y más firme en su forma de ser. **Hacer té** indica que la persona que sueña no será circunspecta y por eso la molestará su conciencia. **Beber té** advierte de problemas en el amor y la vida social. **Escupir té** es señal de disputas domésticas. Si la **persona que sueña está sedienta y desea una taza de té**, significa que llegarán huéspedes inesperados.

Tea: Este sueño es favorable si la persona que sueña no se quema ni se asusta.

Teatro: Soñar con un teatro muestra que la persona tiene un fuerte deseo de interrumpir su rutina y poner por delante sus talentos y creatividad. **Estar en el teatro** significa que la persona que sueña está disfrutando de nuevas amistades y buenos negocios. Si **está actuando**, su alegría no será duradera. Si **sueña con aplaudir y reír durante una actuación**, olvidará asuntos serios y se dedicará a placeres superficiales. **Ver una ópera** es señal de éxito y aspiraciones satisfechas. Si un **incendio u otro desastre ocurre en un teatro,** y la persona que sueña intenta escapar, simboliza algo peligroso que la persona que sueña emprenderá.

Techo: Si la **persona que sueña está en un techo**, es señal de gran éxito. Si **teme caer**, puede no conservar ese éxito. Si la **reparación o la construcción de un techo** aparece en un sueño, muestra progreso y prosperidad en su vida. **Trepar a un techo** es señal de que sus ambiciones se cumplirán. **Trepar rápidamente a un techo** indica que el éxito llegará más rápido. Soñar con un **techo que se hunde** significa un desastre repentino. **Dormir en un techo** indica seguridad respecto a los enemigos y buena salud. Un **apartamento de azotea** indica éxito y prosperidad.

Techo de Paja: Soñar con un techo cubierto con paja que gotea significa que existe una posibilidad de peligro, pero si la **persona que sueña es lo bastante perspicaz,** podrá  evitarlo. Si el **techo está cubierto de materiales deficientes**, la persona que sueña experimentará infelicidad.

Tejer: Soñar con tejer significa que la persona que sueña se resistirá vigorosamente a cualquier intento de evitar que acumule riqueza. **Ver a otros tejer** significa que el entorno de la persona que sueña será saludable y cómodo.

Tejido: Una **mujer que sueña** con tejer es señal de buena vida y un hogar armonioso. Si **cae la aguja de tejer o la bola de algodón**, es una advertencia de enemigos.

Tejido de Ganchillo: Advierte de enredarse en algún asunto ridículo como resultado de la curiosidad de la persona que sueña sobre los asuntos de otras personas. Es una advertencia para no confiar demasiado en otras personas.

Tejo: Soñar con un tejo es señal de enfermedad y desilusión. Si un **tejo está muerto y sin hojas**, es una predicción de muerte trágica en la familia de la persona que sueña, para la que ninguna posesión material compensará. Si una **joven se sienta bajo un tejo**, la atormentarán las dudas sobre la fidelidad de su enamorado. Si **su enamorado está parado cerca de un tejo**, ella se enterará de que está enfermo o en desgracia. Si **ella admira un tejo**, su familia la condenará al ostracismo por haber escogido el hombre incorrecto.

Tejón: Indica el miedo a que otra persona esté cosechando los frutos del trabajo de la persona que sueña.

Telar: Ver un **telar operado por un extraño** indica problemas, pero con cierta anticipación alegre. Si una **mujer bonita está operando el telar**, es buena señal para los enamorados, ya que indica compatibilidad y muchos intereses comunes. Si una **mujer está tejiendo en un telar anticuado**, significa que tendrá un buen marido e hijos encantadores. Si el **telar está inactivo**, la persona que sueña tendrá que tratar con una persona petulante y que desperdicia el tiempo.

Telaraña: Ver telarañas es una predicción de tratos lucrativos y buena vida social. Una **telaraña que se teje en torno de la persona que sueña** significa que logrará sus objetivos a pesar de los obstáculos en el camino.

Teléfono: Soñar con un teléfono significa que la persona que sueña entrará en contacto con factores desconocidos que causarán estragos en su negocio. Si la **persona que sueña está hablando por teléfono**, puede esperar éxito en el área en discusión. Un **teléfono que repiquetea** en un sueño significa que un amigo necesita ayuda. Un **teléfono silencioso** indica que la persona que sueña se siente discriminada. Si una **mujer sueña que está hablando por teléfono**, le tendrán mucha envidia pero ella la desviará. Si **ella tiene problemas para escuchar a la persona en el otro extremo de la línea**, debe cuidarse de murmuraciones maliciosas.

Teléfono Celular: Significa que la persona que sueña pronto encontrará la solución a un problema que la está importunando. Tendrá más control sobre su vida profesional.

Telegrama: Recibir un telegrama pronostica malas noticias inminentes respecto a la distorsión por parte de un amigo de los hechos sobre algo importante para la persona que sueña. Si **envía un telegrama**, se peleará con alguien íntimo y sufrirá pérdidas en los negocios. Si la **persona que sueña está en una oficina de telégrafos**, tendrá encuentros desafortunados.

Telescopio: Soñar con un telescopio indica la posibilidad de cambios negativos en la vida profesional de la persona que sueña, además de problemas domésticos. **Mirar por un telescopio** a los cielos significa que la persona que sueña hará viajes entretenidos, por los que tendrá que pagar caro más adelante. Un **telescopio que no funciona** significa que no todo marchará bien y habrá problemas.

Televisión: Si la **persona que sueña ve la televisión** y no se siente feliz con lo que está viendo, significa que otros pueden influir en ella con demasiada facilidad. **Soñar con estar en la televisión** significa que la persona que

sueña está muy preocupada por su apariencia y la lastimarán como resultado de esta superficialidad.

Temer: Sentir temor en un sueño indica problemas domésticos y fracasos en los negocios. Soñar que **otros tienen temor** significa que la gente no podrá ayudar a la persona que sueña por sus propias preocupaciones.

Tempestad: Pronostica sucesos catastróficos para la persona que sueña y amigos desinteresados.

Tenacillas para Azúcar: La persona que sueña llegará a escuchar de malas acciones de otros.

Tenacillas: Si **pellizcan a la persona que sueña con una tenacillas**, tendrá que enfrentar preocupaciones exasperantes. **Soñar con tenacillas** es una mala señal.

Tenedor: La persona que sueña debe darse cuenta de que sus enemigos están actuando para dañarla.

Tenias: Soñar con ver o tener una tenia es señal de que está próxima la mala salud y de placeres arruinados.

Tenis: Es señal de que la persona que sueña siente la necesidad de ser popular y tener éxito social.

Tentación: Si la **persona que sueña es tentada por otra persona para realizar un acto criminal,** el sueño es una prueba y una advertencia. ¡No te dejes tentar para seguir caminos prohibidos en la vida real! Si **logras resistir la tentación**, al final triunfarás en una ocupación a la que se oponen muchas personas.

Terciopelo: Tocar terciopelo señala problemas, discusiones y pleitos domésticos. **Soñar con terciopelo** es señal de éxito en los negocios. **Usar ropa de terciopelo** significa que la persona que sueña alcanzará un alto nivel de fama y honor. El **terciopelo viejo** significa que su prosperidad va a disminuir por su tonto orgullo. Si una **joven usa ropa de terciopelo**, recibirá favores y honores, además de que podrá escoger entre varios enamorados apropiados.

Terminación: Soñar con terminar una tarea significa que la persona que sueña pronto se volverá tan competente en su trabajo que tendrá que escoger cómo pasar el tiempo.

Termo: Es señal de un desastre inminente.

Termómetro: Mirar un termómetro en un sueño es señal de negocios deficientes y disputas domésticas. Si el **mercurio está cayendo**, los negocios se deteriorarán. Si el **mercurio está subiendo**, la persona que sueña superará las dificultades. Si el **termómetro está roto**, se acerca una enfermedad.

Terneras: Es señal de festividades y diversión, además de aumento de la prosperidad.

Terremoto: Es una indicación de fracaso financiero además de guerra destructiva y de la miseria que le sigue.

Terror: Experimentar terror en un sueño predice reveces y desilusiones. Si **otras personas tienen terror,**

los problemas de los amigos de la persona que sueña la afectarán adversamente.

Tesoro: Soñar con descubrir un tesoro significa que la persona que sueña recibirá ayuda en su camino a la riqueza de una fuente imprevista de generosidad. **Perder tesoros** significa malos negocios y amigos infieles.

Testamento: Escribir un testamento en un sueño es en realidad una señal de vida larga y feliz. **Soñar con hacer nuestro testamento** predice problemas. Si una **esposa o alguien más piensa que un testamento será desventajo- so para ellos**, significa que pronto habrá disentimientos y alboroto en algún suceso. **No poder verificar un testa- mento** significa que la persona que sueña correrá el riesgo de que la calumnien. **Perder un testamento** es una mala señal para los negocios. **Destruir un testamento** advierte a la persona que sueña que está a punto de ser cómplice en un acto de traición y fraude.

Testigo: Soñar con dar testimonio contra otras personas, significa que incidentes triviales causarán gran aflicción a la persona que sueña. Si **otros dan tes- timonio contra la persona que sueña**, no tendrá otra elección que rehusarse a ayudar a amigos con el fin de preservar sus propios intereses. Si **es testigo de alguien que es culpable**, es señal de que estará implicado en algún asunto deshonroso.

Tétanos: Problemas que se producen por la traición de alguien esperan a la **persona que sueña en tener tétanos**.

Si una **mujer ve a alguien con tétanos**, su felicidad disminuirá ya que sus amigos le darán a hacer tareas desagradables. Si el **ganado tiene tétanos**, la persona que sueña perderá a un amigo.

Tetera: Ver teteras en un sueño significa que la persona que sueña tiene mucho trabajo por delante. Si la **tetera no ha hervido,** advierte contra la pérdida de recursos. Si el **agua ha hervido,** predice cambios, éxito y buena suerte. **Ver una tetera** es una indicación de malas noticias. **Verter agua simple y fría de una tetera** es señal de buena suerte repentina.

Texto: Escuchar a un clérigo leer un texto pronostica una disputa y rompimiento con un amigo. **Discutir sobre un texto** significa mala suerte. **Tratar de recordar un texto** es señal de problemas no previstos. **Estudiar, volver a leer y pensar en un texto** indica superar muchos peligros insospechados en el camino a realizar nuestros deseos.

Tía: Una **mujer que sueña con una tía** puede esperar que la critiquen fuertemente por algo que ha hecho. Si la **tía está sonriendo,** todo se arreglará y todos serán felices.

Tiburón: Soñar con tiburones es un símbolo de enemigos aterradores. Si un **tiburón persigue y ataca a la persona que sueña,** la atormentarán preocupaciones graves. Si **ve tiburones nadando en agua cristalina,** significa que la envidia de otras personas por su felicidad le causará daño. **Ver un tiburón muerto** significa recuperar la riqueza y compensar a la gente de la que se alejó.

Tienda: Significa que a cada momento van a obstruir a la persona que sueña amigos que envidian su progreso.

Tienda de Campaña: Ver una tienda de campaña simboliza protección y seguridad. En el futuro, la persona que sueña no enfrentará preocupaciones o desilusiones. **Estar en una tienda de campaña** es señal de cambio en la vida de la persona que sueña. Las **tiendas de campaña rotas o deshilachadas** simbolizan problemas. **Ver varias tiendas de campaña** advierte de viajes con personas desagradables.

Tienda de Porcelana China: Si un mercader de porcelana china sueña que su tienda parece vacía, significa que los negocios marcharán mal y sufrirá pérdidas.

Tierra: La **tierra fértil** es una buena señal, pero la **tierra árida** es señal de fracaso y desilusión. **Ver tierra mientras se navega el océano** pronostica gran riqueza y alegría. La **tierra** simboliza la abundancia y todo lo bueno que espera a la persona que sueña. La **tierra árida** indica falta de respeto para los demás y la necesidad de un examen de conciencia.

Tifoidea: Si la **persona que sueña está enferma de tifoidea**, debe tener cuidado con su salud y vigilar a sus enemigos. Si hay una **epidemia de tifoidea**, los negocios y la salud caerán a un nivel inferior.

Tigre: Si un **tigre acecha a la persona que sueña**, la acecharán sus enemigos. Si el **tigre ataca**, el fracaso de la persona que sueña causará que se hunda en la depresión. **Ahuyentar al tigre o matarlo** indica éxito en todas las empresas de la persona que sueña. Si un **tigre huye de la persona que sueña**, vencerá a sus oponentes y logrará un nivel social elevado. Si los **tigres están enjaulados**, la persona que sueña burlará a sus oponentes.

Tijeras de Podar: Ver tijeras de podar significa que la persona que sueña se volverá pendenciera y tacaña con el dinero. Las **tijeras de podar dañadas** pronostican la pérdida de amigos por la conducta peculiar de la persona que sueña.

Tijeras: Un **sueño sobre tijeras** es una mala señal. Pronostica disputas entre esposos y entre enamorados. Los negocios no prosperarán. **Soñar con hacer que afilen las tijeras** indica trabajo repugnante. Las **tijeras rotas** indican rompimientos y peleas. Las **tijeras perdidas** significan que la persona que sueña trata de evitar algo que no quiere hacer.

Timbre: Pronostica noticias inesperadas o una cita para visitar a un padre enfermo.

Timón: Un **sueño sobre un timón** simboliza un viaje agradable al extranjero y nuevas amistades. Un **timón roto** es señal de enfermedad y desilusión.

Tina: Es una señal muy negativa, predice el sufrimiento de la persona que sueña a manos de personas sádicas que se han apoderado de ella.

Tinta: Si **se vierte tinta en la ropa de la persona que sueña**, la someterán a muchas pequeñas burlas desagradables. Si **tiene tinta en los dedos**, sus celos causarán que lastime a alguien, a menos que se controle. La **tinta roja** es señal de problemas graves. **Hacer tinta** es una indicación de trabajo humilde, y las **botellas de tinta** significan enemigos y fracaso en los negocios.

Tinte: Teñir tela en un sueño pronostica buena o mala suerte, dependiendo del color: **Azul, rojo** y **oro** indican prosperidad, mientras que el **blanco** y el **negro** son señal de todo tipo de pesar.

Tintero: Los **tinteros llenos** son señal de calumnias malignas que esparcen los enemigos. Los **tinteros vacíos** significan un escape por un pelo a la crítica pública por alguna supuesta injusticia.

Tiña: Soñar con ver tiña en el propio cuerpo significa que la persona que sueña pronto sufrirá una enfermedad leve y pugnas irritantes. Si la **persona que sueña ve tiña en otras personas**, la atormentarán con solicitudes de caridad.

Tío: Es señal de malas noticias en el futuro cercano.

Tipografía de Imprenta: Ver tipografía de imprenta en un sueño es una predicción de desacuerdos con amigos. **Mecanografiar sin errores** es señal de amor y prosperidad.

Tiro: Si la **persona sueña que está muriendo después de que le disparan,** significa que sus amigos le mostrarán animosidad repentina. Si **burla a la muerte y se despierta,** se reconciliará con sus amigos.

Tobillo: Si **el tobillo de la persona que sueña,** aparece en el sueño, significa éxito y solución de problemas. Si aparece el **tobillo de su cónyuge,** indica que el soñador le está siendo infiel o lo **opuesto.**

Tocadiscos: Indica felicidad y prosperidad, además de vida doméstica pacífica.

Tocado: Un **tocado lujoso** es señal de éxito y fama. Un **tocado viejo y gastado** significa que la persona que sueña tendrá que ceder sus posesiones a otro.

Tocino: Si el **soñador está comiendo tocino** con alguien, y sus manos están limpias, es una buena señal. El **tocino rancio** indica que las percepciones de la persona que sueña no son claras y que está preocupada.

Tocones: Soñar con un tocón significa problemas y cambio en el estilo de vida. Los **campos de tocones** demuestran la impotencia de la persona que sueña ante un ataque. **Desenterrar tocones** muestra la determinación práctica de la persona que sueña para acabar con la pobreza, vencer a los rivales y avanzar en la vida.

Topacio: Ver un topacio significa excelente suerte y buenos amigos. Si una **mujer pierde un topacio**, sufrirá lesiones a manos de amigos envidiosos. Si **recibe un topacio**, se involucrará en una fascinante aventura amorosa.

Topo: Soñar con topos es una adverten-cia de peligro que ronda sobre la cabeza de la persona que sueña como enemigos secretos. **Atrapar un topo** es señal de la victoria de la persona que sueña y de alcanzar el poder.

Torbellino: Si la **persona que sueña está en el cami-no de un torbellino**, significa que está enfrentando un cambio que puede ser desastroso para ella. Si una **joven es atrapada por un torbellino y no puede evitar que le levante la falda**, se involucrará en una aventura amorosa clandestina que todos llegarán a saber y causará que la condenen al ostracismo.

Tormentas: Si la **persona que sueña ve y escucha una tormenta que se aproxima**, tendrá mala suerte en to-do: negocios, salud y amistades. Si la **tormenta pasa**, todo mejorará un poco.

Tornado: Soñar con estar en un tornado significa que la persona que sueña estará devastada porque no se mate-rializarán planes para enriquecerse.

Tornillo: Ver tornillos es señal de tareas aburridas y socios de mal genio. Los **tornillos también advierten a la**

persona que sueña que sea frugal y preste atención a los detalles.

Toro: Si una **mujer sueña con un toro**, es señal de que no está satisfecha en lo sexual. Si un **hombre sueña con un toro**, significa que se relaciona con brutalidad con las mujeres. Si un **toro persigue a la persona que sueña**, significa que la atormentarán los ataques de los rivales. Si una **joven encuentra a un toro**, rechazará una propuesta de matrimonio en favor de otra mejor. Si el **toro clava los cuernos en alguna persona**, la persona que sueña sufrirá por haber usado mal las posesiones de otra persona. Un **toro blanco** es señal de superar el mero reino material.

Toronja: Es una indicación de problemas de salud y falta de energía y vitalidad.

Torre: Ver una torre es símbolo de gran ambición. Si la **persona que sueña se ve parada en la parte superior de un edificio alto**, significa que sufrirá dificultades financieras, pero tendrá una vida llena de felicidad. **Trepar una torre** en un sueño indica la satisfacción de deseos, mientras que una **torre que se colapsa** es una indicación de problemas en los negocios y esperanzas arruinadas. **Descender con cuerda de una torre** significa éxito económico y prosperidad.

Torrente: Observar un torrente rápido significa infortunio y controversias notables.

Tortilla de Huevos: Ver servir una tortilla de huevos en un sueño es una advertencia de falsa adulación y engaño a costa de la persona que sueña. Si **come la tortilla de huevos**, la demandará alguien en quien creía confiar.

Tortuga: Un sueño sobre tortugas predice desilusiones en la vida amorosa. **Ver tortugas** significa que un suceso excepcional mejorará los negocios de la persona que sueña y le proporcionará placer. **Comer sopa de tortuga** significa que la persona que sueña prosperará en algún asunto picante.

Tortura: Soñar con tortura expresa un vago miedo o sentimientos desenfrenados de celos. **Ser torturado** significa sufrir angustia y desilusión a manos de falsos amigos. Si la **persona que sueña tortura a otros**, indica su fracaso para poner en vigor sus planes para lograr la riqueza. **Intentar impedir que se torture a otros** predice éxito en el amor y los negocios después de superar obstáculos.

Tos: Si la **persona que sueña sufre de tos constante**, es una indicación de mala salud que puede mejorar con el cuidado adecuado. Si **otra persona tiene tos**, significa que la persona que sueña se encontrará de repente en una situación desagradable de la que al final se podrá liberar.

Tostada con Queso Derretido: Soñar con preparar o comer una tostada con queso derretido significa que los asuntos de la persona que sueña se complicarán como resultado de que la distraigan mujeres astutas y diversiones superficiales.

Tostador: Significa que un deseo se hará realidad pronto.

Trabajo: Soñar con trabajar duro significa que la persona que sueña tendrá éxito al concentrar su voluntad y energía en la meta deseada. **Ver a otros trabajar** significa que existe una atmósfera de optimismo en torno a la persona que sueña. **Buscar trabajo** significa que la persona que sueña se beneficiará de algún suceso inexplicable.

Tragamonedas: Soñar con una máquina tragamonedas predice buena suerte y riqueza. Si la **persona que sueña usa una máquina tragamonedas,** pronto tendrá problemas financieros que no podrá resolver.

Trampa para Ratas: Si la **persona que sueña queda atrapada en una trampa para ratas,** será asaltada. Una **trampa para ratas rota** indica el final de relaciones desdichadas. Una **trampa para ratas vacía** significa libertad de rivalidades y murmuraciones. Si la **persona que sueña pone una trampa para ratas,** se dará cuenta de las malas intenciones de sus enemigos y podrá frustrarlas.

Tragedia: Soñar con una tragedia significa desilusión y malos entendidos. **Estar mezclada en una tragedia** pronostica una catástrofe que causará pesar y peligro para la persona que sueña.

Traidor: Ver a un traidor en un sueño indica que amenazan a la persona que sueña enemigos que buscan causar su destrucción. Si **acusan a la persona que sueña de ser traidora o ésta considera serlo**, no tendrá mucha diversión.

Trampa para moscas: Soñar con una trampa para moscas es señal de conspiraciones contra la persona que sueña. Una **trampa para moscas llena** significa que vergüenzas menores ahorrarán a la persona otras mayores.

Trampa: Si la **persona que sueña cae en una trampa**, indica que es de carácter receloso, incluso con personas que no lo justifican. Si la **persona que sueña puso la trampa**, es señal de que pronto perderá un caso en la corte y empleará medios furtivos para poner en práctica sus planes. **Quedar cautiva en una trampa** significa que sus rivales serán más astutos que ella. Si la persona que sueña agarra animales en una trampa, gozará de éxito profesional. Una **trampa vacía** advierte de una desgracia inminente. Una **trampa gastada o que no funciona** es señal de reveces en los negocios y quizá enfermedad en la familia.

Transfiguración: Si la persona que sueña se ve transfigurada, gozará de una excelente opinión de personas de honor y estimación.

Transpiración: Si la persona que sueña está transpirando, significa que superará algún escándalo con un éxito total.

Tranvía: Ver tranvías significa que están conspirando contra la persona que sueña y saboteándola. **Pasear en tranvía** significa que los celos y la envidia minarán el bienestar de la persona que sueña. Si la **persona que sueña viaja en la plataforma**, significa que se arriesgará enormemente en algún negocio. Si **viaja sin desgracias**, tendrá éxito. Una **plataforma alta** significa peligro más serio, pero una **baja** significa un nivel muy bajo de éxito.

Trasbordador: Esperar un bote en un trasbordador cuando el agua está turbulenta y lodosa indica frustración de los deseos de la persona que sueña. Un **trasbordador que cruza agua calmada y clara** es señal de buena suerte y del logro exitoso de los planes.

Travesía: Una **travesía buena y agradable** significa cosas positivas, mientras una **travesía mala e incómoda** significa lo opuesto. Si una **travesía larga se recorta**, significa que la persona que sueña terminó un proyecto largo en poco tiempo, pero se le pagó lo mismo, así que fue lucrativo.

Trébol: Por la forma de sus hojas, el trébol simboliza una bifurcación en el camino de la persona que sueña.

Trementina: Soñar con trementina indica que en el futuro inmediato la persona que sueña tendrá citas sin importancia ni valor.

Tren: Si la **persona que sueña se encuentra en un tren de movimiento uniforme que no usa vías**, tendrá preocupaciones que se resolverán en su beneficio. Los **trenes de carga** indican cambios positivos. Los **carros dormitorio** indican que el deseo de la persona que sueña de lograr riqueza está motivado por lujuria y otros impulsos impuros. Si la **persona que sueña está durmiendo en la parte de arriba de un tren dormitorio**, significa que tiene compañeros desagradables en los que está perdiendo tiempo y dinero. Si la **persona que sueña está en el tren equivocado**, se le advierte ha escogido el camino equivocado en la vida y debería rectificar el error.

Tren de Carga: Un buen sueño que presagia progreso para la persona que sueña.

Triángulo: Ver un triángulo muestra que existe un conflicto en la mente de la persona que sueña, por lo general, relacionado con escoger una pareja para el matrimonio. **Soñar con un triángulo** es una predicción de amistades que terminan en separación y disputas de enamorados.

Trigo: Ver grandes campos de trigo significa que los intereses de la persona que sueña están adquiriendo dimensiones nuevas y positivas. Si el **trigo está maduro**, simboliza abundancia, éxito, riqueza material y amor. Los **granos grandes de trigo que pasan por la trilladora** son señal de prosperidad. **Ver trigo en barriles o sacos** significan que se harán realidad las aspiraciones de la persona que sueña en los negocios y el amor. Si el **trigo se humedece porque no se cubrió bien**, significa que la riqueza acumulada por la persona que sueña no se protegió adecuadamente y va a disminuir. **Frotar el trigo con las manos y comerlo** simboliza trabajar duro para tener éxito y asegurar nuestros derechos.

Trillar: Un **sueño sobre trillar granos o trigo** es señal de negocios prósperos y alegría doméstica. Si tiene **mucha más paja que trigo**, se presentarán fracasos en los negocios. Si hay un **accidente o paro** al trillar, la persona que sueña sufrirá una tragedia.

Trillizos: Ver trillizos es señal de éxito en una empresa que parece condenada al fracaso. Si un **hombre sueña que su esposa da a luz a trillizos**, indica un resultado positivo para un asunto complicado. Si la **persona que sueña escucha llorar a trillizos recién nacidos**, se tendrá una solución rápida y satisfactoria a alguna discusión. Una **joven que sueña con tener trillizos** significa que será rica, pero no tendrá suerte en el amor.

Trinchar: Trinchar carne de aves de corral significa que la persona que sueña no tendrá prosperidad y la irritarán otras personas. **Trinchar carne de res** es señal de malas inversiones que se pueden evitar con un cambio de dirección.

Trincheras: Ver trincheras en un sueño es una advertencia de traición. La persona que sueña debe tener cuidado cuando se embarque en empresas nuevas o haga nuevas amistades. Si las **trincheras han sido rellenadas**, significa una acumulación de preocupaciones.

Trineo: Ver un trineo es señal de fracaso en el amor y una pelea con un amigo. **Manejar un trineo** es señal de reuniones imprudentes. Una **joven que está en un trineo** encontrará desaprobación por su elección de un enamorado.

Tripas: La **aparición de tripas** en un sueño anuncia enfermedad y peligro. **Comer tripas** significa una amarga desilusión.

Tripulación: Si la **persona que sueña ve la tripulación de un barco** a punto de hacerse a la mar, significa que cancelará un viaje inesperadamente en perjuicio de ella. Una **tripulación luchando por salvar un barco** durante una tormenta es señal de desastre.

Tristeza: Una sensación de tristeza, e incluso de depresión, en realidad significa exactamente lo opuesto: la persona que sueña puede esperar un periodo lleno de felicidad y alegría en el futuro cercano.

Trofeo: Ver trofeos significa que la persona que sueña tendrá suerte o placer gracias a alguien que apenas conoce. Si una **mujer presenta un trofeo**, es una insinuación de placeres ofensivos y ganancias dudosas.

Trompeta: Si una **trompeta se escucha en un sueño**, significa un cambio inesperado para mejorar. Si la **persona que sueña está tocando la trompeta**, significa que tendrá éxito en superar las dificultades que enfrenta, y sus deseos se harán realidad.

Trompo: Indica que la persona que sueña experimentará confrontaciones sin importancia.

Tronco para Fogata de Navidad: Soñar con un tronco para fogata de Navidad significa que la persona que sueña asistirá a eventos alegres y festivos que estaba esperando.

Trono: Si la **persona que sueña está sentada en un trono,** disfrutará un aumento en la riqueza y el nivel social. **Dejar un trono** significa desilusiones. **Ver a otros en un trono** significa que la persona que sueña prosperará como resultado de la intervención de otras personas.

Tropezar: Tropezar mientras se corre o camina pronostica desaprobación hacia la persona que sueña, además de obstáculos en su camino y daño a bienes o a su reputación. **Evitar tropezar** significa superar obstáculos.

Trucha: Soñar con truchas es un símbolo de prosperidad. **Comer trucha** significa una vida cómoda. **Atrapar una trucha con caña de pescar** significa alegría y buena vida. Si la **trucha se resbala de regreso al agua,** será de breve duración. **Atrapar una trucha con una red** es señal de progreso financiero sin paralelo. Si las **truchas están nadando en agua lodosa,** el triunfo de la persona que sueña en el amor se volverá amargo y melancólico.

Trueno: Escuchar un trueno es señal de reveces en los negocios. **Estar fuera en una tormenta de rayos** predice infortunios y pesar. **Escuchar tronidos ensordecedores** es señal de desilusiones y pérdidas.

Tuberculosis: Soñar que se tiene esta enfermedad significa que la persona que sueña se está poniendo en peligro, y que debe mantenerse cerca de sus amigos.

Tubos (drenaje, etc.): **Diversas tuberías** son la indicación de una comunidad interesada y próspera. Si las **tuberías son viejas y están rotas**, son señal de enfermedad y falta de avance en los negocios.

Tuerto: Es una vasta advertencia de intrigas y complots contra la felicidad de la persona que sueña y su suerte en la vida.

Tumba: Soñar con una tumba simboliza todo lo que le falta a la persona que sueña: salud para el enfermo, dinero para alguien con medios limitados, matrimonio para el soltero, etc. **Caminar en una tumba** es una indicación de un mal matrimonio o muerte prematura. Una **tumba vacía** significa desilusión y pérdida de amigos. **Ser enterrada viva** significa  que la persona que sueña está a punto de cometer un error terrible que explotarán sus enemigos. Si **la rescatan**, el error se rectificará al final. **Ver tumbas** indica infelicidad y disgustos en los negocios. Si las **tumbas están desgastadas y rotas**, es señal de enfermedades graves y muerte. Si la **persona que sueña ve su propia tumba**, sufrirá enfermedades o desilusiones. **Leer las lápidas** es una predicción de enfermedad de la persona que sueña.

Tumulto: Ve **Disturbio**.

Túnel: Cruzar por un túnel no es una buena señal para el amor y los negocios. **Conducir por un túnel en un**

automóvil indica falta de confianza, además de negocios insuficientes y muchos viajes desgastadores. Si la **persona que sueña se ve atrapada en un túnel**, significa que está tratando de evitar las responsabilidades. Un **tren que viene hacia la persona que sueña**, en un túnel, significa enfermedad y cambio de profesión. Un **túnel que se colapsa** es señal de enemigos malévolos y de fracasos.

Turista: Soñar con ser un turista significa que algún asunto agradable sacará a la persona que sueña de su rutina. **Ver turistas** significa controversias en el amor y negocios erráticos.

Turquesa: Un **sueño sobre una turquesa** significa que uno de los deseos de la persona que sueña se hará realidad, para gran alegría de su familia. Si a una **mujer le roban una turquesa**, estará frustrada en el amor. Si **se apodera de una turquesa en forma deshonesta**, pagará por tomar decisiones apresuradas en el amor.

Úlceras: Las **úlceras en cualquier parte** son señal de mal, prediciendo muerte y compañías no confiables para personas jóvenes, y muerte y pesar para las personas de edad avanzada. Si la **úlcera crece en la carne**, es señal de honor en el futuro.

Úlcera (estomacal): **Ver una úlcera** significa negocios deficientes, perder amigos y rompimiento con alguien que ama la persona que sueña. Si la **persona que sueña tiene una úlcera**, es una indicación de la insatisfacción de los amigos de la persona por su conducta necia.

Ungüento: A pesar de condiciones negativas, la persona que sueña prosperará, y sus enemigos se volverán sus amigos. Un sueño sobre ungüentos indica que la persona que sueña formará amistades cálidas y provechosas.

Unicornio: **Soñar con un unicornio** es una señal de buena suerte y vida cómoda. **Ver este animal mítico** está relacionado con la virginidad y la sexualidad en la vida de la persona que sueña.

Uniforme: Si un **uniforme aparece en un sueño** (con la condición de que *no* es la persona que sueña la que usa el uniforme), significa que ha sido bendecida con paz, tranquilidad y verdadero amor de la gente que la rodea. **Ver**

un uniforme en un sueño significa que la persona que sueña tiene poderosos amigos que la ayudarán en el camino al éxito. **Ver a personas que usan uniformes extranjeros** advierte de rompimientos de relaciones diplomáticas con otros países, o desacuerdos en las familias. Una **joven que sueña con usar un uniforme** se enamorará de un hombre que corresponderá su amor. Si **desecha el uniforme**, se expondrá a murmuraciones y calumnias por su conducta atrevida. Si la **persona que sueña ve a un conocido que parece triste mientras está uniformado**, es señal de mala suerte o separación prolongada.

Universidad: Es un sueño que presagia algo bueno: indica ambición y el deseo de logros, además de un alto nivel de éxito en todas las áreas de la vida. **Soñar con la universidad** significa que la persona que sueña pronto recibirá una promoción que ha buscado por largo tiempo. Si **sueña que está de vuelta en la universidad**, significa que está a punto de que se le otorgue un premio por algún logro extraordinario.

Untar Grasa o Mantequilla (en carne, al asar): La persona que lo sueña arruinará sus objetivos por estupidez y egoísmo.

Uñas: Las **uñas sucias** en un sueño son señal de desgracia inminente en la familia de la persona que sueña como resultado de mala conducta de los miembros más jóvenes. Las **uñas bien cuidadas** son indicación de tendencias y logros culturales, además de economía.

Urgente: Si la persona que sueña abandera alguna causa urgente, significa que se involucrará en un asunto que requerirá respaldo financiero serio con el fin de tener éxito.

Urna: Soñar con una urna indica una mezcla de buena y mala suerte. Las **urnas rotas** significan pesar.

Urraca: Es señal de disputas e infelicidad. Es una advertencia para la persona que sueña.

Urticaria: Si la **persona que sueña ve urticaria en su hijo**, significa que el niño será obediente y saludable. Si **niños extraños tienen urticaria**, la persona que sueña estará preocupada por sus propios hijos.

Usurero: Si la **persona que sueña es usurera**, significa que sus colegas la tratarán con frialdad, y sufrirá reveces alarmantes en los negocios. Si **otras personas son usureras**, la persona que sueña dejará a un amigo por una traición.

Usurpador: Soñar con ser un usurpador significa que la persona que sueña tendrá problemas para demostrar su derecho a una propiedad. Si **otros tratan de usurpar sus derechos**, tendrá una batalla con sus rivales, pero al final ganará. Para una **joven, soñar con usurpadores** significa que se involucrará en una rivalidad en la que al final triunfará.

Uvas: Simbolizan hedonismo y búsqueda del placer.

Vacaciones: Indica que la vida de la persona que sueña está a punto de cambiar para mejorar, volviéndose cada vez más tranquila y pacífica.

Vacas: Ver una manada de vacas en el momento de ordeñarlas es señal de riqueza que se ha acumulado mediante trabajo duro. Si la **persona que sueña ordeña una vaca con ubres llenas**, es señal de buena suerte. Sin embargo, si un **ternero ya ha bebido la leche**, significa que la persona que sueña está a punto de perder a su ser amado por indiferencia, o su propiedad por descuido de sus negocios.

Vacío: Un recipiente vacío o una sensación de vacío advierte de una amarga desilusión que tendrá que enfrentar la persona que sueña y que la debilitará gravemente, tanto en lo físico como en lo mental.

Vacuna: Soñar con ser vacunada significa que la debilidad de la persona que sueña por las mujeres será explotada cruelmente. **Soñar que vacunan a otros** significa que la persona que sueña fallará en su búsqueda de la felicidad y se producirán pérdidas en los negocios. Si una **joven es vacunada en la pierna**, sufrirá como resultado de la conducta traicionera de otras personas.

Vadear: Vadear en agua clara es señal de placeres maravillosos pero transitorios. **Vadear en agua lodosa** es una advertencia de enfermedad y pesar. **Ver a niños vadear en agua clara** es señal de buena suerte en los negocios. Si una **joven vadea en agua limpia y espumosa**, pronto se hará realidad su sueño más anhelado.

Vagabundo: Soñar con ser vagabundo es una predicción de pobreza y miseria. **Ver vagabundos** es señal de una epidemia en el entorno de la persona que sueña. **Dar algo a un vagabundo** significa que la generosidad de la persona que sueña será reconocida y aprobada.

Vagina: Ve **Pene**.

Vajilla de Plata: Soñar sobre vajillas de plata es señal de ansiedad y anhelos no cumplidos. **Usar una vajilla de plata** representa un matrimonio en la familia o de un amigo íntimo de la persona que sueña.

Valle: Soñar con un valle es señal de que habrá un cambio en el lugar de residencia. **Caminar por un hermoso valle verde** es señal de negocios prósperos y amor feliz. Un **valle yermo** es señal de pérdidas financieras y amor infeliz. Si el **valle es pantanoso**, se presentarán enfermedades y controversias.

Vals: Observar danzar a la gente significa una amistad llena de diversión con una persona alegre. Si una **joven baila con su enamorado**, será muy admirada pero nadie se querrá casar con ella. Si **ve a su enamorado bailar con una rival**, empleará su inteligencia

para superar los obstáculos. Si **baila con otra mujer**, la admirarán por su bondad y encanto. Si **ve una confusión desenfrenada de personas que bailan**, estará tan abrumada con su deseo que no podrá resistirse a cualquier hombre que la desee.

Vampiro: Ver un vampiro indica la falta de confianza en sí misma de la persona que sueña. **Soñar con un vampiro** significa que la persona que sueña debe precaverse contra alguien que trata de lastimarla o explotarla. **Ser mordida o atacada por un vampiro** significa que la persona que sueña debe estar alerta a los falsos amigos. Si la **persona que sueña está luchando con un vampiro o atravesando su corazón con una estaca**, significa que la persona que sueña vencerá a sus enemigos. Si un **conocido de la persona que sueña es vampiro**, la persona que sueña deberá tener cuidado de las acciones e intenciones de esa persona.

Varita Mágica: Es un presagio de mala suerte.

Vasos: Soñar con vasos significa que los negocios de la persona que sueña sufrirán cambios causados por extraños, y que la secuestrarán. Los **vasos rotos** señalan disputas que se producen por dedicarse a pasatiempos ilegales.

Vaticano: Soñar con el Vaticano significa que la persona que sueña recibirá beneficios inesperados. Si **ve figuras regias conversando con el Papa**, se relacionará con personas de alto rango.

Vecino: Ver un vecino en un sueño significa perder el tiempo en disputas y murmuraciones. Si los **vecinos están enojados o molestos**, es una predicción de pleitos.

Vegetación: Soñar con vegetación verde es una buena señal: La persona que sueña puede esperar sorpresas emocionantes o buenas noticias.

Vehículo: Conducir un vehículo es señal de pérdida o mala salud. **Que arrojen a la persona de un vehículo** significa malas noticias repentinas. Un **vehículo descompuesto** significa fracasos en empresas importantes. **Comprar un vehículo** significa resarcirse de las pérdidas. **Vender un vehículo** significa un revés en los negocios.

Vejiga: Este sueño advierte de descuidar los problemas de salud, los cuales pueden causar problemas en los negocios.

Vela para Candelabro (delgadas y de colores vivos): **Prender velas para candelabro** significa reunirse con amigos separados por largo tiempo en un suceso agradable. **Apagar las velas para candelabro** es señal de desilusión y oportunidades perdidas de reunirse con amigos estimados por enfermedad.

Vela Romana: Ver una vela romana significa un ascenso meteórico al éxito y los placeres. **Encontrar que la vela romana está vacía** indica desilusiones con un objeto que se ha deseado por largo tiempo.

Velas: Las **velas que arden con firmeza** en un sueño indican estabilidad en quienes rodean a la persona que sueña, y una fortuna sólida. Una **chica que enciende una vela** en un sueño se está encontrando con su enamorado en secreto, contra los deseos de sus padres. Una **vela que arde en una corriente** **de aire** significa que los enemigos de la persona que sueña están esparciendo calumnias malignas. **Soñar con apagar una vela** pronostica la desgracia o la muerte de amigos.

Velo: **Soñar con un velo** significa que la persona que sueña no será totalmente honesta con su pareja y tendrá que emplear pequeños engaños para conservarla. Si **otros usan velos**, supuestos amigos la calumniarán y difamarán. Un **velo viejo o roto** es una advertencia de engaño que rodea a la persona que sueña. Si una **joven pierde su velo**, su enamorado descubrirá su engaño y se desquitará del mismo modo. **Ver un velo de novia** predice un cambio inminente, positivo y jubiloso en la vida de la persona que sueña. Si una **joven usa un velo de novia**, tendrá mucho éxito y prosperidad en alguna empresa. Si el **velo se suelta** o algo le sucede, ella tendrá dolor y preocupaciones. **Desechar un velo** significa separación o vergüenza. **Ver velos de luto** es señal de tristeza y pérdidas en los negocios.

Velorio: Si la **persona que sueña asiste a un velorio**, significa que rechazará una cita importante para asistir a una reunión desagradable. Si una **joven ve a su enamorado en un velorio**, significa que se entregará a los ruegos apasionados de algún hombre y perderá así su honra.

Vena: Si la **persona que sueña ve sus venas,** y están como deben estar, esto la hace inmune a la calumnia. Si **sus venas están sangrando,** le espera pesar ineludible. Las **venas hinchadas** significan un rápido ascenso al honor y los puestos de responsabilidad.

Venado: Simboliza la figura paterna o el deseo de parecerse a alguien cercano a la persona que sueña y que constituye una figura de autoridad.

Vendado: Alguien con los ojos vendados sugiere que la persona está muy desilusionada de sí misma y de quienes la rodean.

Vendajes: Traer un **vendaje** es señal de que la persona que sueña tiene amigos leales de los que puede depender.

Vendedor Ambulante: Predice éxito financiero que sucede de manera poco común.

Vendedor de Frutas: Es una advertencia de pérdida financiera e incapacidad para recuperarse de las pérdidas.

Vendedor de Seguros de Vida: Ver a un vendedor de seguros de vida en un sueño significa que la persona que sueña pronto conocerá a alguien que será benéfico para su negocio. Si el **hombre está algo distorsionado,** el sueño no es bueno.

Vender: Un **sueño sobre vender la propiedad privada de ella,** es señal de que la persona que sueña tendrá dificultades financieras en el futuro cercano. **Vender man-**

tequilla o **fruta** significa muy pocas ganancias. **Vender hierro** significa muy poco éxito y amigos indignos.

Vendido: Si la persona que sueña ha vendido algo, predice confrontaciones como resultado de tratos fracasados.

Veneno: Si la **persona que sueña, sus hijos o sus parientes son envenenados,** la van a lastimar. Si **quiere envenenar a la gente,** todo va a salir mal. **Desechar veneno** o **soñar que envenenan a un enemigo** significa obstáculos superables. **Manejar veneno** significa estar rodeado por cosas malas. Si la **persona que sueña se recupera después de ser envenenada,** tendrá éxito después de una disputa. Si un **médico receta algún veneno,** significa que la persona que sueña va a efectuar un negocio muy arriesgado.

Venganza: Cualquier tipo de venganza en un sueño indica que la persona será culpable de causar una disputa. **Soñar con vengarse** muestra el carácter mezquino y débil de la persona que sueña, que puede causarle problemas a sí misma, además de perder a sus amigos. Si la persona que sueña **sufre la venganza de otros,** tiene mucho qué temer de sus enemigos.

Ventana: Si la **persona que sueña está viendo por una ventana,** significa que se reconciliará con alguien con quien había discutido. Si **otra persona está viendo a la persona que sueña por una ventana,** advierte de murmuraciones maliciosas. **Ver ventanas** significa que las esperanzas de la

persona que sueña se truncarán, y sus empresas fallarán. Las **ventanas cerradas** significan abandono. Las **ventanas rotas** significan que la persona que sueña estará atormentada por la sospecha de la infidelidad de sus seres queridos. **Sentarse en una ventana** significa que la persona que sueña caerá víctima de la estupidez de otra persona. Si la **persona que sueña entra a una casa a través de la ventana,** es señal de que la atraparán empleando medios deshonestos para lograr un fin honorable. **Escapar a través de una ventana** indica que la persona que sueña se enredará en un problema que no la soltará con facilidad. **Mirar por una ventana y ver objetos peculiares** predice fracasos en la profesión seleccionada por la persona que sueña, seguidos por la pérdida del respeto duramente ganado de sus colegas.

Ventarrón: Quedar atrapado en un ventarrón significa pérdidas en los negocios y problemas para los trabajadores.

Ventrílocuo: Soñar con un ventrílocuo significa que algún asunto traicionero va a ser dañino para la persona que sueña. Si la **persona que sueña piensa que es ventrílocua,** significa que su conducta hacia la gente que confía en ella no será honorable. Si una **joven está confusa por la voz de un ventrílocuo,** significa que la engañarán en un asunto ilícito.

Verde: Ropa verde: prosperidad y felicidad; **campos verdes:** prosperidad y abundancia para todos; **fruta verde:** esfuerzos fallidos, acción apresurada; **pasto verde con zonas secas:** enfermedad o problemas en los negocios; **árboles verdes recién cortados:** placer perdido por infelicidad.

Verduras: Ver verduras en un sueño refleja la naturaleza cuidadosa de la persona que sueña: no le gusta tomar riesgos innecesarios. **Comer verduras** predice suerte excéntrica. Al principio, pensará que ha tenido mucho éxito, pero, de hecho, la habrán engañado. Las **verduras podridas o marchitas** son señal de pesar y miseria. Si una **joven prepara verduras**, se casará con un hombre bueno y leal.

Verja: Una **verja cerrada** indica problemas sociales. Una **verja rota** significa problemas al subir la escala de promociones en el trabajo. Si la **persona que sueña se ve balanceándose en una verja**, significa que prefiere descansar a trabajar.

Verrugas: Si la **persona que sueña tiene verrugas en el cuerpo**, no podrá impedir ataques a su reputación. Si las **verrugas desaparecen**, superará los obstáculos en su camino a la riqueza. **Ver verrugas en otras personas** indica la presencia de enemigos implacables cerca de ella. Si la **persona que sueña atiende las verrugas**, luchará vigorosamente para impedir los peligros para sí y para su familia.

Vértigo: Soñar con respecto al vértigo significa que disminuirá la felicidad doméstica de la persona que sueña, y las perspectivas de su negocio no serán prometedoras.

Vestido Camisero: Si una **joven sueña con un vestido camisero**, significa que su conducta amena hará que la estimen. Si su **vestido camisero está desgarrado**, se meterá en problemas por su conducta inmoral. Si **se prueba un vestido camisero**, tendrá un rival para el hombre que ama. Si **logra que le ajuste bien**, ganará al hombre que ama.

Vestido: La interpretación de este símbolo depende del tipo, condición, color y estilo del vestido. Por ejemplo, un **vestido elegante pero que no está a la moda** significa que la persona que sueña será afortunada, pero se mofa de las ideas progresivas. Un **vestido blanco**, excepto en mujeres jóvenes y niñas, es una señal de tristeza. El **negro** predice discusiones, fracasos en los negocios y amigos equivocados. El **azul** simboliza el éxito y el apoyo leal de amigos. El **verde** es una señal de prosperidad y alegría. El **amarillo** es una señal de ganancia financiera inminente y alegría. **Soñar una tela amarilla** es afortunado.

Vestirse: Dificultades al vestirse indica que la persona que sueña está siendo molestada por personas malignas. Si **no puede vestirse a tiempo para alcanzar un tren**, significa que sufrirá por la incompetencia de otros. Debe depender sólo de sí misma.

Viajar: Soñar con viajar es señal de eventos lucrativos y agradables. Si la **persona que sueña está viajando por una zona desconocida y áspera**, se le advierte de enfermedades y enemigos. Si **su viaje la lleva a precipicios rocosos y desnudos**, al éxito seguirá de inmediato la desilusión. Si el **terreno**

es verde, con colinas y poco inclinado, es señal de alegría y prosperidad. **Soñar con viajar sola en automóvil** significa que la persona que sueña puede partir a un viaje emocionante pero que la preocupa. **Viajar en un automóvil atestado** es señal de amigos nuevos y divertidos, y de buenas experiencias.

Viaje: Hacer un viaje significa que la persona que sueña recibirá una herencia. Un **viaje catastrófico** significa amor falso y dificultades financieras.

Vías férreas: Soñar con vías férreas es una advertencia para que la persona que sueña proteja sus negocios de los enemigos. Si las **vías están bloqueadas**, es señal de un negocio sucio. Si una **joven sueña con vías férreas**, partirá en exitoso viaje.

Víbora: Soñar con una víbora es señal de catástrofes inminentes. Si una **víbora de muchos colores ataca a la persona que sueña**, significa que sus enemigos están totalmente determinados a arruinarla.

Vicario: Soñar con un vicario significa actuar estúpidamente mientras se tiene un arrebato de celos. Si una **joven se casa con un vicario**, sufrirá por amor no correspondido; no se casará o se casará por conveniencia.

Vicio: Si la persona que sueña se permite vicios, significa que está sucumbiendo a tentaciones que le costarán su reputación. Si **otros se están entregando a vicios**, la mala suerte recaerá en uno de los parientes o conocidos de la persona que sueña.

Víctima: Soñar con ser víctima de algún complot significa que la persona que sueña será aplastada por sus enemigos y faltará la armonía doméstica. Si **se victimiza a otros**, significa que la persona que sueña hará dinero en forma vergonzosa y se permitirá amoríos inmorales, para mortificación de su familia.

Victoria: Soñar con lograr una victoria significa vencer a los enemigos y éxito con las mujeres. **Exigir la victoria** es una advertencia contra tomar partido en una discusión en que la persona que sueña tiene muy poco conocimiento del tema tratado.

Vidrio: Mirar a través del vidrio pronostica un amargo desengaño. **Romper platos de vidrio** es señal de mala suerte en los negocios. El **cristal cortado** es símbolo de la inteligencia y el talento de la persona que sueña. **Mirar a través de cristal transparente** significa que la persona que sueña encontrará empleo con jefes, pero **mirar a través de cristal empañado** significa un mal trabajo.

Viento: Un **viento fuerte**, que cause ansiedad a la persona que sueña, es señal de que encontrará difícil hacer frente a la vida diaria. Si el **viento fuerte no la asusta**, demuestra que será capaz de hacer frente a los problemas con facilidad y buenos resultados. **Soñar con que el viento sopla suave y tristemente** significa que la persona que sueña se volverá rica partiendo de un pesar. Un **viento**

suspirante advierte a la persona que sueña contra alejarse de una persona que la necesita. **Caminar contra un viento rápido** significa que la persona que sueña tratará de alcanzar sus metas con determinación, resistiendo las tentaciones en el camino. Si el **viento sopla sobre la persona que sueña en la dirección incorrecta,** es señal de fracaso en los negocios y el amor. Si el **viento sopla sobre la persona que sueña en la dirección correcta,** la persona que sueña encontrará de repente aliados y vencerá con facilidad a un rival.

Vientre: Un **sueño sobre un vientre distendido** es una indicación de enfermedad. Un **vientre sano** es señal de deseos irracionales.

Vinagre: Cualquier **sueño sobre vinagre** simboliza falta de armonía o celos: una de las principales características de la persona que sueña es la envidia, que causará que sufra durante toda su vida. **Beber vinagre** significa que van a forzar a la persona que sueña a asistir a una reunión sobre la que tiene malas sensaciones. **Rociar vinagre en verduras** significa que los problemas actuales serán más graves.

Vino: La interpretación del vino en un sueño depende de la cultura en que sucede: **algunas interpretan al vino** como señal de abundancia, mientras que otras como símbolo de embriaguez y fracaso. Por lo general, **soñar con vino** significa que la persona que sueña puede esperar celebraciones familiares. **Beber vino** pronostica felicidad y amistad. **Romper botellas de vino** significa que el amor y la pasión de la persona que sueña serán casi excesivos. Los **barriles de vino** son símbolo de lujo. **Verter vino de un contenedor a otro** predice diversidad de placeres y viajes para la persona que sueña. Si **comercia con vino**, su profesión será lucrativa. Si una **joven sueña con beber vino**, se casará con un hombre rico y respetable.

Viñedo: **Soñar con un viñedo** indica éxito en el campo económico y en especial en el campo del romance. **Visitar un viñedo mal mantenido y apestoso** significa que las esperanzas de la persona que sueña serán truncadas brutalmente.

Violación: Si una **mujer sueña que la violan**, indica una relación deformada con su compañero. Si la **persona sueña con una violación en su círculo de amistades**, recibirá terribles noticias de algunas de ellas.

Violencia: **Soñar con violencia** es una indicación de presión, ansiedad o miedo a la persona o factor que encuentra en su sueño. Si la **persona que sueña es la víctima de la violencia**, la derrotarán sus enemigos. Si **ella es violenta hacia otra persona**, perderá su reputación y la admiración de la gente por su conducta sin escrúpulos en los negocios. Ve **Brutalidad**.

Violetas: **Soñar con violetas** indica un amor a la buena vida, hedonismo y búsqueda de placer. **Ver o reunir violetas** significa sucesos felices que causarán que una persona importante favorezca a la persona que sueña. Si una **joven recoge violetas**, pronto conocerá

al hombre con quien se casará. Las **violetas secas y marchitas** indican que su amor va a ser despreciado.

Violín: Es un sueño positivo, que predice armonía doméstica y felices sucesos. Si **ve o escucha un violín en un sueño,** significa que la persona que sueña es cada vez más popular en círculos sociales, disfrutará de armonía doméstica y asuntos financieros sin problemas. Si **una cuerda de violín se rompe con  un chasquido,** indica que la persona que sueña es pacificadora. **Afinar un violín** indica una aventura amorosa inminente. Si una **joven toca el violín,** se ganará el respeto y recibirá valiosos regalos. Si su **ejecución no es bien recibida,** perderá la aprobación de otras personas, y sus esperanzas nunca se harán realidad. Un **violín roto** es señal de desamparo y separación.

Virgen: Soñar con una virgen significa tratos de negocios bastante apropiados. Si una **mujer casada sueña que es virgen,** le dará vueltas a su pasado y perderá toda esperanza en el futuro. Si una **joven sueña que ya no es virgen,** se le advierte contra perder su reputación por conductas indiscretas. Si un **hombre sueña con una relación ilegítima e íntima con una virgen,** fallará en alguna empresa y lo atormentarán las súplicas de ayuda de otros. Sus esperanzas se truncarán por andar en malas compañías.

Viruela: Ver personas enfermas con viruela indica una enfermedad repentina y terrible, quizá contagiosa, además de desilusión en las aspiraciones.

Visión: Soñar con ver una visión especial significa mala suerte en los negocios y mala salud. Si **aparecen individuos a la persona que sueña en visiones**, habrá insurgencia y lucha en el país y en la familia. Si el **amigo de la persona que sueña está en un estado de decadencia en la vida real**, el amigo podría aparecer de repente en una visión, vestido de blanco. **Cualquier tipo de visión en los sueños** pronostica avances extraños en los negocios y cambios en la vida privada de la persona que sueña, a menudo, empeoran temporalmente, pero al final, mejoran.

Visita: Si la **persona que sueña visita a alguien**, es señal de un suceso agradable en el futuro cercano. Si **no disfruta la visita**, su placer se arruinará gracias a las acciones de personas rencorosas. Si un **amigo visita a la persona que sueña**, pronto arribarán buenas noticias. Si el **amigo llega triste y afligido**, la visita no será un éxito profundo. Si el **visitante está vestido de blanco o negro, o se ve lívido**, es una predicción de una enfermedad o accidente grave.

Visón: Soñar con un visón indica que la persona que sueña tratará de vencer a enemigos astutos. Si **los mata**, será victoriosa. Si una **mujer sueña con hermosas pieles de visón**, se enamorará de un hombre excesivamente celoso.

Vitriolo (ácido sulfúrico): **Ver vitriolo** significa que la persona que sueña está regañando a alguien sin justificación. **Lanzar vitriolo a la gente** significa que la persona que sueña actuará desagradecidamente con quienes tratan de ayudarla. Si un **rival celoso lanza vitriolo a la cara de una joven,** significa que ella será la víctima inocente del odio de alguien. Para un **hombre de negocios**, el sueño significa enemigos y persecución.

Viuda: Si la **persona sueña con enviudar de su cónyuge,** se garantiza una larga vida para su pareja. **Soñar con ser viuda** predice que personas malignas causarán muchas pugnas a la persona que sueña. Una **persona soltera que sueña con ser viuda** puede esperar un matrimonio en el futuro. Si un **hombre sueña con casarse con una viuda,** significa que se colapsará y fracasará un proyecto que le es muy querido.

Voces: Escuchar voces en un sueño (sin ver su origen) significa que la persona que sueña pronto experimentará sentimientos de aflicción, tristeza o depresión. **Soñar con escuchar voces tranquilas y agradables** significa terminar pacíficamente con discusiones. Si las voces son chillonas y enojadas, le seguirán situaciones desagradables y decepcionantes. Las **voces que se lamentan** predicen que la persona que sueña lastimará a un amigo en un arranque de ira. **Escuchar la voz de Dios** significa que la persona que sueña se esforzará por adoptar estándares morales más elevados, y la admirarán personas excelentes. Si una **mujer escucha su voz de niña,** es señal de miseria y dudas agónicas. **Escuchar una voz de dolor o advertencia** significa la mala suerte de la persona que sueña o la de alguien cercano a ella. Si **la voz se identifica**, podría indicar una enfermedad o un accidente.

Volantes: Soñar con distribuir volantes pronostica pleitos legales y disputas. **Imprimir volantes** es señal de malas noticias.

Volar: Un **sueño en que la persona que sueña se ve volando en el cielo** indica que no tiene ambos pies bien plantados en el piso. No está consciente de su grave situación financiera y debería ahorrar más y reorganizar sus estrategias económicas. **Volar alto** indica problemas conyugales. **Volar con alas negras** es señal de amargas desilusiones. **Volar con alas blancas** sobre vegetación verde significa éxito en los negocios y el amor. Si una **mujer vuela de un lugar a otro**, tendrá que resistirse a falsas declaraciones de amor, y enfrentará el peligro de enfermedad y muerte de alguien cercano. Si le **disparan a una joven mientras vuela**, significa que sus enemigos están haciendo todo lo posible para impedir su avance en su camino al progreso y a la promoción.

Volcán: Ver un volcán significa que la persona que sueña tiene la urgente necesidad de controlar sus emociones, en especial durante discusiones, ya que se reducen su credibilidad y fiabilidad. Si una **joven ve un volcán**, indica que su egoísmo y hedonismo la conducirá a asuntos secretos y complicados.

Vómito: Ver vómito refleja una conciencia intranquila: la persona que sueña está atormentada porque sus acciones no fueron puras. Si la **persona que sueña vomita**, es una advertencia de una enfermedad debilitante, o de estar involucrada en un escándalo. **Al ver vomitar a otras personas**, la persona que sueña se dará cuenta del hecho de que la gente que quiere ayudarla la está engañando. Si la **persona que sueña vomita sangre**, se enfermará de repente y esto la llevará a tener depresión general e infelicidad en el hogar.

Votar (en una caseta electoral): **Votar con una papeleta** demuestra la necesidad de participación social de la persona que sueña y su deseo de ser poderosa. **Votar fraudulentamente** significa que la deshonestidad de la persona que sueña vencerá a su ética.

Voto: Si el **voto de la persona que sueña es el decisivo**, significa pérdida de confianza, poca confianza en sí misma y naturaleza impráctica. Si **vota en cualquier tema**, se enredará en el caos, para detrimento de su medio ambiente.

Voz de Bajo: Si la persona que sueña tiene **voz de bajo en el sueño**, significa que uno de sus empleados la ha estado engañando. **Escuchar una voz de bajo** es mala señal para los enamorados, ya que pronostica disputas.

Whiskey: Por lo general, **soñar con whiskey** es señal de desilusión. Si un **sueño trata de whiskey en botellas**, significa que la persona que sueña protegerá sus intereses cuidadosamente y el resultado será que van a incrementarse. **Beber whiskey solo** significa que el egoísmo de la persona que sueña alejará a sus amigos. **Destruir whiskey** es señal de perder amigos por una conducta ruin. **Ver o beber whiskey** significa tratar de alcanzar un objetivo después de muchos reveces. **Sólo ver whiskey** significa que el objetivo nunca se va a alcanzar.

Xilófono: Soñar con tocar un xilófono predice una experiencia deliciosamente feliz. Un **xilófono roto** significa que la persona que sueña ignoró consejos y oportunidades durante momentos problemáticos y se le aconseja no volver a hacerlo.

Yanqui: Soñar con un yanqui predice que la persona que sueña seguirá siendo leal y obediente; sin embargo, si no tiene cuidado, la engañarán en algún trato.

Yate: Ver un yate significa un día de descanso para el trabajo y las preocupaciones. Si un **yate está varado**, significa que no se materializarán diversos planes para divertirse.

Yegua: Las **yeguas que pastan en pastizales** significan prosperidad en los negocios y compañía agradable. Un **pastizal seco** significa buenos amigos pero pobreza. Si una **joven sueña con una yegua**, significa un buen matrimonio e hijos encantadores.

Yema de Huevo: Están por llegar buenos tiempos. Si una persona que juega por dinero sueña con la yema de un huevo, significa que tendrá éxito en el juego.

Yeso: Las **paredes de yeso sin decorar** significan un éxito frágil. Si **caen pedazos de yeso en la persona que sueña**, es señal de una catástrofe total. **Ver yeseros trabajar** significa suficiente dinero para vivir con bastante comodidad.

Yunque: El **yunque** significa trabajo fructífero o abundantes cosechas para un granjero. La persona que sueña será recompensada con el éxito si trabaja duro. Un **yunque roto** significa que se ha desperdiciado una oportunidad.

Yugo: Ver un yugo significa que la persona que sueña se ajustará a los deseos y costumbres de otros contra su voluntad. Los **bueyes uncidos** significan que los subordinados de la persona que sueña aceptarán y obedecerán todo lo que diga o sugiera. **No poder uncir los bueyes** significa que la persona que sueña se preocupará por un amigo que actúa mal.

Zafiro: Indica buena suerte en los negocios y al escoger a quién amar.

Zanahoria: Significa que la persona que sueña no está haciendo frente a sus problemas y decide ignorarlos.

Zancos: Si la **persona que sueña camina en zancos,** significa que su situación financiera es vacilante. Si **cae o se rompen,** tendrá graves problemas como resultado de confiar sus problemas a otras personas.

Zanja: Caer en una zanja es indicación de pérdida y humillación personal. Sin embargo, si la **persona que sueña brinca sobre la zanja,** superará cualquier acusación de culpabilidad que le hagan.

Zapatero: Ver un zapatero en un sueño significa que la persona que sueña no tendrá una promoción. Si una **mujer sueña que su marido o enamorado es zapatero,** obtendrá todo lo que anhela.

Zapatillas: Soñar con zapatillas significa que la persona que sueña está a punto de enredarse en alguna intriga o asociación negativa, quizá con una persona casada, que tal vez conduzca a controversias y escándalos. Si la **gente**

admira las zapatillas de la persona que sueña, se mezclará en un asunto amoroso que le producirá humillación.

Zapatos: Si los **zapatos de la persona que sueña están sucios y rasgados**, hará enemigos por su naturaleza crítica. Si la **persona que sueña tiene los zapatos lustrados**, los negocios se recobrarán. Los **zapatos nuevos** son señal de cambio para mejorar. Si los **zapatos aprietan**, la persona que sueña será

víctima de las bromas de sus amigos. Los **zapatos con agujetas sin amarrar** indican riñas, enfermedades y pérdidas. **Perder los zapatos** significa abandono y divorcio. Si **admiran los zapatos de una joven mientras los usa**, debe precaverse de la gente que conoce, en especial, de los hombres.

Zarzamoras: Advierten de desilusiones financieras o pérdida del nivel económico.

Zarzas: Ver zarzas es un mal sueño, que significa pleitos legales sin éxito y enfermedad en la familia. Ser **atrapado en zarzas** en un huerto es una indicación de rivalidad amarga o discusiones domésticas.

Zinc: Trabajar con zinc o verlo significa un buen progreso y negocios animados. **Soñar con una mena de zinc** significa un éxito próximo.

Zodiaco: Soñar con el zodiaco es símbolo de paz, prosperidad y éxito económico y financiero, después de muchos esfuerzos y trabajo duro. Un **zodiaco raro** significa que la persona que sueña tendrá que combatir una pena inminente. **Estudiar el zodiaco** significa que la persona que sueña será muy conocida por su relación con extraños.

Zorro: Ver un zorro significa que la persona que sueña es estimada por quienes la rodean y disfruta de una gran reputación. Si la **persona que sueña caza a un zorro**, significa que está divorciada de la realidad.

Zuecos: Soñar con un zueco indica vagabundeo solitario y pobreza. En el **amor**, es señal de infidelidad.

Zumbido: Simboliza la lucha de la persona que sueña por liberarse de una carga y cambiar su medio ambiente.

Los Sueños

Sin duda, los sueños están entre los fenómenos más misteriosos, místicos e incomprensibles que experimenta una persona durante su vida. La existencia de sueños es, en realidad, uno de los pocos fenómenos de su tipo que encontramos documentado en todo periodo histórico y en toda cultura.

Los sueños han inspirado un verdadero torrente de artículos, interpretaciones y referencias en todas las culturas y en todos los idiomas. Mientras que existe una cantidad sorprendente de aspectos comunes en las actitudes hacia los sueños, existen diferencias importantes entre diversas culturas y eras. Incluso más inesperado es el descubrimiento de que a pesar de que el sueño es uno de los fenómenos más investigados y estudiados en los campos de la psicología y el misticismo, en realidad sabemos muy poco sobre los sueños, su interpretación y la razón de que existan. Cuando entramos en detalles, sabemos más sobre la atmósfera de Marte, por ejemplo, que sobre los sueños. Lo que es más, este fenómeno extraordinario y extraño ocurre en unión con otro fenómeno sin explicación que también experimenta el hombre todos los días, es decir, ¡el dormir!

Sigmund Freud, al que se conocía como el "Gran Soñador", publicó su extensa obra sobre la interpretación de los sueños en 1899. Desde entonces, en cada edición posterior de su libro, existen cambios esenciales en su contenido. El mismo Freud afirmó que cada vez que examinaba otra gota del gran océano de los sueños, encontraba nuevos principios para añadir a su teoría.

En la antigua Babilonia, quizá la cultura más primitiva en producir "índices" o guías en diversa esferas de la vida, había libros que abordaban la interpretación de los sueños. Al principio de cada libro de este tipo se encontraba la advertencia: "No alteres el contenido de este libro".

En China, los libros sobre la interpretación de los sueños se extendieron por todos lados durante la era del Gran Imperio. Como cada libro difería en sus interpretaciones, el Emperador Amarillo ordenó que se preparara un libro "oficial" de interpretación de los sueños.

Cerca de la tercera parte de todos los días se emplea en dormir, de manera que acumulativamente pasamos durmiendo cerca de la tercera parte de toda nuestra vida. (Las excepciones a esta "regla" son la Bella Durmiente, Rip Van Winkle y la figura talmúdica "Honi Hame'agel"; y su descanso, por supuesto, ¡no lo interrumpían sueños!) Con el fin de comprender cuánto tiempo dedicamos a dormir, ¡considera que una mujer que se retira a la edad de 60 años ha pasado más años durmiendo que toda la vida de su hijo que acaba de completar la preparatoria!

Aproximadamente una cuarta parte del tiempo en que se duerme (cerca de dos horas de cada secuencia de dormir) se dedica a soñar. En otras palabras, esta misma mujer, para el momento en que alcanza la edad de retirarse, ha dedicado al menos cinco años de su vida a soñar, ¡suficiente tiempo para obtener un título de maestría o incluso un doctorado, de cualquier universidad!

Un sueño es el espectáculo más grande de la vida de una persona, el teatro máximo, y que cada uno de nosotros experimenta. ¿Dónde más puede una persona ser simultáneamente espectador y participante en una obra en que el escenario cambia de un momento a otro y los caracteres reales se mezclan con héroes del pasado, personajes imaginarios... y la persona que sueña misma, en miles de papeles diferentes? Una obra en la que el tiempo no tiene significado y un momento puede abarcar cien años de historia; una obra que se borra de su memoria sólo un momento después de que "emerge" de ella, aunque su impacto en la persona que sueña puede ser demasiado grande para soportarlo.

A veces pensamos que un sueño es irreal, o "de ensueño", lo que quiere decir que sólo la imaginación trabaja mientras que la persona física no participa para nada; pero no es así.

Sabemos muy poco de los sueños, pero sabemos que existen fenómenos físicos que los acompañan: erección o eyaculación, movimiento de los párpados, transpiración, tragar saliva, acciones reflejas del intestino, estiramiento

de la piel, el cabello que se eriza y numerosos fenómenos
más relacionados con las ondas del cerebro, e impulsos
eléctricos y electromagnéticos en el cuerpo.

Un sueño contiene gran cantidad de etapas que nos son
conocidas y se pueden definir; sin embargo, el movimiento
de una etapa a otra durante el sueño (como sucede con
dormir y soñar en conjunto) no se entiende con claridad en
relación con la velocidad, el propósito y la naturaleza de
esas transiciones.

Dormir empieza con un "embotamiento" de los
sentidos, durante el cual el cerebro o los procesos de
pensamiento, cede su control sobre la realidad y se hunde
en un torbellino negro de "privación sensoria"; termina al
emerger de este estado de oscuridad. Al despertar, el individuo apenas es conciente del hecho de que durante las
ocho horas de dormir, ¡pasó a través de siete u ocho ciclos
de sueños que casi se han borrado por completo de su
memoria!

Cuando una persona se sumerge en el sueño, pasa a
través de un estado alucinatorio (en realidad, una ilusión
hipnótica). Durante esta etapa, que es como un "preámbu-
lo" para el sueño, ve imágenes ante sus ojos (como las que
se ven cuando cerramos con fuerza los ojos). Estas imágenes, que continúa viendo a través de los "ojos del espíritu",
se atribuyen a estímulos que se absorben o transmiten a las
terminales del nervio óptico; durante la etapa de ilusión
hipnótica, pasan al cerebro, como si fuera para "limpiar"
los nervios ópticos.

A veces, durante la ilusión hipnótica, el cerebro, o el proceso del pensamiento, trata de recuperar el "control"; en esos momentos, el cuerpo siente un temblor o una sacudida intensa, y, por lo general, la persona se mueve o gime.

Como con dormir y soñar, también sucede con la ilusión hipnótica al principio del sueño y con el temblor pasa por el cuerpo antes de que se quede dormido, hace falta una explicación que se acepte ampliamente. Si nos familiarizamos con dormir y con los sueños, que son nuestra área de interés, quizá también lleguemos a comprender el fenómeno de la ilusión hipnótica, que todos hemos encontrado al dormir.

En la actualidad, los investigadores de los sueños hacen muchas preguntas diferentes, que abordan con la ayuda de diversas herramientas de investigación. ¿Qué es un sueño?, ¿por qué soñamos?, ¿qué sección del cerebro participa en los sueños?, ¿a qué grado afectan los estímulos internos o externos un sueño?, ¿cuántas veces soñamos mientras dormimos?, ¿todos soñamos?, ¿sueñan los ciegos?, ¿hay diferencia en la sensación de soñar entre hombres y mujeres, jóvenes y viejos?, ¿los recién nacidos sueñan?, ¿el feto sueña dentro del seno de su madre?, ¿los animales sueñan? Y, lo más importante, ¿cuál es el significado de los sueños para la existencia física y espiritual de una persona? Muchas otras preguntas están involucradas en el estudio e interpretación de los sueños, pero nos limitaremos a las principales.

Una gran parte de las herramientas de investigación en este campo son las que se relacionan con la investigación "física". Examinamos fenómenos que se pueden medir, cuantificar y representar gráficamente, como la transpiración, las ondas cerebrales y la velocidad del pulso durante el sueño, junto con las posiciones y cambios de éstas.

Sabemos que el cerebro está activo eléctrica y electromagnéticamente al dormir y al soñar, pero no en la misma forma que al estar despierto. Con los aparatos de electroencefalograma, hemos aprendido que ondas de frecuencia alta, conocidas como "alfa", son características del estado consciente de estar despierto, mientras que las ondas "delta" de menor frecuencia son típicas del cerebro dormido.

La vigilancia continua durante el sueño muestra que las ondas que se miden pasan gradualmente de las ondas alfa a las delta, por razones que no nos son claras, y que esta fluctuación recibe la influencia de la salud física y emocional del individuo en ese momento.

Fue hace sólo cuarenta años que los investigadores de los sueños empezaron a prestar atención al movimiento ocular (en bebés, al principio) durante las diversas etapas del sueño. La observación, que en la actualidad no parece ser una herramienta obvia, reveló que los bebés, las personas en general y los animales pasan a través de varias series de movimientos oculares de este tipo al dormir. Cuando se vigilaron estos movimientos, resultó claro que semejaban el movimiento de los ojos cuando la persona está "rastreando" sucesos que tienen lugar frente a ella, ¡o sólo es el observar el teatro de la vida! El descubrimiento de esos movimientos oculares, que en la actualidad se conocen como REM (del inglés para "movimientos rápidos de los ojos"), representaba un verdadero avance en el estudio de los sueños. Los sueños dejaron el reino de las historias, testimonios históricos e informes psicológicos y psiquiátricos, y entraron a los sofisticados laboratorios del sueño que investigaron los cambios físicos que una persona experimenta durante los estados de dormir y soñar.

Varias conclusiones muy importantes se han alcanzado como resultado de la investigación sistemática del REM:

- Todos soñamos, incluso las personas que juran que nunca lo hacen.

- Los sueños tienen lugar en varios segmentos diferentes al dormir. Nadie sueña desde el momento en que cae dormido hasta que vuelve a un estado de vigilia (¡incluso si alguien dice que él sí!).

- La conclusión es que durante el sueño se producen periodos de "dormir con sueños" y periodos en que se duerme sin soñar.

- Durante el sueño, podemos distinguir el REM.

- Cerca de 5 a 8 sueños tienen lugar durante una noche determinada, con intervalos de cerca de una hora entre ellos.

Empleando los periodos de REM para determinar cuando un sueño tiene lugar, también podemos discernir cambios fisiológicos que acompañan al estado de soñar: la respiración se vuelve más rápida y pierde el ritmo profundo y uniforme que tiene al dormir sin soñar; se eleva la presión sanguínea; el cuerpo como un todo no se mueve mientras se sueña; por lo general, los niños sonríen; cesan los ronquidos; se mueven la cara y las extremidades. Los bebés suelen hacer ruidos como si se estuvieran amantando mientras sueñan; los hombres experimentan una erección; y las mujeres frotan entre sí sus piernas.

Además, los investigadores han descubierto que cuando una persona se despierta poco después de un estado de REM, puede recordar claramente su sueño, ya que aún está fresco en su memoria.

Después de un segmento de sueño que se caracteriza por REM, tiene lugar un segmento en que no hay movimiento de los ojos (se conoce como NREM, del inglés para "sin movimiento rápido de los ojos"). Este segmento dura cerca de media hora, y en ese tiempo la persona se mueve, cambia de posición y, en realidad, trata de orientarse. El sueño REM es sueño ligero, mientras que el NREM es sueño pesado. Entre estos dos estados siempre existe un breve periodo de transición, que dura varios minutos. El sueño REM cambia con la edad. Los niños pasan cerca de la mitad de su tiempo de dormir en este estado, mientras que los adultos están en estado de REM por cerca de la tercera parte del tiempo en que duermen.

Es obvio que la investigación del periodo de dormir, los estados REM y NREM es sólo la primera etapa en el estudio de los sueños. Para nuestros fines, se necesita despertar a la persona durante un periodo de sueños y hacer que relate lo que vio en su sueño. Nos damos cuenta de que los recién nacidos, los fetos y los animales pasan por etapas REM, pero este conocimiento no nos ayuda en el estudio de los sueños, ya que no podemos saber lo que vieron en sus sueños.

La investigación fisiológica nos ha proporcionado la oportunidad de comprender mejor el periodo de dormir y a señalar el principio y el final de un estado de sueños; ahora debemos avanzar a la investigación psicológica e histórica, y quizá a la espiritual, con el fin de comprender los sueños y su interpretación.

El factor tiempo es uno de los misterios del estado de sueño. Vivimos en un mundo en que el tiempo es un factor fijo de gran importancia que afecta las vidas de todos nosotros. Sabemos que cuando deseamos calcular la velocidad de un rayo de luz, por ejemplo, podemos medir el tiempo que le lleva al rayo pasar entre dos puntos. Sabemos que hay nueve meses entre la concepción y el nacimiento, que una persona vive alrededor de 70 años y muchos otros hechos, todos relacionados con el tiempo, que dan forma a nuestras vidas y culturas.

En un sueño, el tiempo actúa en un plano diferente; podemos avanzar décadas en unos cuantos minutos. Los meses o los años de actividad real se pueden comprimir en unos cuantos "momentos de sueño". Los registros de los sueños muestran que muchos sucesos que la persona que sueña experimentó de principio a fin en su sueño, en realidad tuvieron lugar durante muchos años.

En otras palabras, el tiempo en un sueño es una medida "imaginaria" o "ilusoria". En el misticismo oriental, a esta forma de sueño se le conoce como maya; se define como un estado en que los dioses colocan una pantalla sobre los ojos de una persona, lo que hace que un marco temporal "imposible" le parezca realista. Expresado de otra manera, ¡todo sucede al mismo tiempo!

El tiempo en que vivimos es una realidad falsa, ¡sólo Brama conoce el tiempo verdadero!

Muchas religiones (además de libros que abordan el misticismo religioso en el islamismo, el cristianismo y el judaísmo) contienen leyendas de viajes realizados con la ayuda de un ángel. En estos viajes, la persona "pasa a través del tiempo"; aunque experimenta el paso de años y generaciones, cuando vuelve al mundo de la realidad, sólo ha pasado un instante desde el momento en que se embarcó en su viaje.

Esto nos lleva a la pregunta: ¿En qué medida tiene un sueño una base en la realidad?, o expresándolo de otra manera: ¿En qué medida tiene un sueño su propia realidad?

Sabemos que las tribus primitivas por un lado, y los individuos iluminados espiritualmente, por el otro, tratan a los sueños como si fueran realidad... una realidad más exaltada que su vida cotidiana. En algunos casos, no pueden distinguir entre la realidad del sueño y la realidad. En muchas tribus, una persona que sueña que comió una fruta envenenada exhibirá todos los síntomas de envenenamiento y recibirá tratamiento para él.

Una joven que sueña que un extraño la violó, puede ir con el anciano de la tribu, y se castigará al hombre como si en realidad hubiera cometido la acción. Un hombre que ha experimentado una eyaculación nocturna debe encontrar y compensar a la mujer en que estaba pensando. No se traza una distinción entre la realidad objetiva y la realidad de los sueños.

Los niños exhiben la misma característica, y a menudo son incapaces de distinguir, de acuerdo a la narración del niño, entre la realidad objetiva y la realidad (e ilusión) de su sueño. Pero no debemos referirnos a esto como "tontería" o travesura infantil. "En los sueños, todos ven su verdadera naturaleza", escribió el filósofo griego Heráclito. También existe la historia bien conocida del filósofo chino Tachao, el cual se preguntó al despertar: "¿Soy el filósofo chino Tachao que soñó que era una mariposa, o soy una mariposa que soñó que era el filósofo chino Tachao?"

Muchos filósofos europeos, entre ellos Descartes y Schopenhauer, se preguntaron si la realidad es un criterio que se puede emplear para distinguir entre sueños y realidad. Como resultado de sus teorías, surgió una filosofía mística (tipificada por Gordayev y sus seguidores) que sostenía que para la mayoría de las personas, la vida es en realidad el verdadero sueño y que eran incapaces de escapar de las garras de la realidad del sueño. La mayor parte de la humanidad se encuentra en un estado de "sueño viviente", reminiscencia de los muertos vivos, y el papel del filósofo es despertar al soñador viviente de su sueño y ¡revelarle la verdadera realidad!

Estos debates filosóficos son necesarios para poder acercarnos a la pregunta fundamental: ¿Cuál es el significado de los sueños?, ¿cuál es su interpretación?, ¿qué se supone que debemos aprender cada uno de nosotros de los sueños?

Las preguntas sobre el tema de los sueños son prácticamente interminables: ¿Es correcto lo que soñamos?, ¿los sueños revelan secretos del pasado?, ¿quizá nos revelan los secretos del futuro? Sabemos que existen los sueños proféticos. ¿Un sueño es un vistazo, a través de un telescopio del tiempo, del futuro oculto por neblina?

¿O quizá, un sueño es una "sintonización" con escenas que alguien está enviando al cerebro, el cual ha abandonado su papel consciente?

Sin importar cuáles sean las respuestas, el hombre siempre ha buscado el significado de sus sueños. En toda cultura encontramos el fenómeno de la interpretación de los sueños. "¡Un sueño que no se ha interpretado es como una carta sin leer!", fue escrito hace cerca de 2,000 años. Y ése es precisamente el enfoque actual: ¡un sueño es una carta que se debe leer si vamos a entender su contenido!

La interpretación de los sueños ha tenido dos aspectos a través de los siglos. Por un lado estaban los sueños explícitos: si soñabas que te rompías una pierna durante la expedición de caza del día siguiente, era una advertencia directa de tu espíritu guardián o de alguna otra fuente mística. Si soñabas que Dios te ordenaba erigir un templo, o una estatua, era mejor que lo hicieras, ya que era una orden directa de Dios. Si estabas enfermo y querías que Dios te curara, te dormías en la sombra de su templo y él transmitiría sus poderes curativos a ti mediante un sueño.

Pero el segundo aspecto, que se relaciona con sueños cuyo mensaje está oculto o que sólo se insinúa, es incluso más fascinante. Sólo la interpretación correcta (que a veces está más allá de la habilidad de la persona "sin conocimientos") evocará su verdadero significado.

Los libros sobre la interpretación de los sueños se encuentran en toda cultura y era. Una lista de libros sobre interpretación de los sueños que contengan cien o más explicaciones abarcaría cerca de 80,000 publicaciones. Sobresalientes entre los libros de sueños más antiguos que aún existen están los de China, el antiguo Egipto, Babilonia y otras culturas.

Una figura en un sueño, o el escenario general de un sueño, no siempre tiene el mismo significado en todas las culturas. Mientras que existe una tendencia a encontrar imágenes retóricas similares: un pilar indica el pene; un tazón, la vulva; las olas que chocan repetidamente en la playa simbolizan el acto sexual, desde el punto de vista de

Freud, Jung y sus discípulos, no necesariamente es cierto. Una culebra puede indicar peligro en una cultura y ser señal de buenas noticias en otra. Un águila puede pronosticar muerte o salvación inesperada.

Todo sueño se debe interpretar con un libro apropiado para la cultura de la persona que sueña, y toda interpretación de los sueños se debe adaptar al tiempo y lugar de la persona que sueña. Es bastante sencillo tomar un libro de interpretación de los sueños y traducirlo o adaptarlo; es mucho más difícil rastrear las corrientes culturales y espirituales y producir una interpretación de los sueños que sea relevante al lugar y tiempo en que vivimos.

Si despertamos a una persona cada vez que notamos el principio de un estado REM, en verdad le estaríamos impidiendo soñar. ¿Qué sucedería entonces? En la mayoría de los casos, la persona empezaría a tener ensueños, a ver sueños o ilusiones mientras se encuentra en un estado de vigilia. Soñar, como dormir, es una necesidad física o emocional. La interpretación de los sueños, incluso para la persona que no cree en el misticismo, es una necesidad universal y muy arraigada. Y de la misma manera en que una persona a la que se impide soñar funcionará pobremente el siguiente día, la persona que se abstiene de hacer que interpreten su sueño tendrá una visión menos completa de la realidad en que vive.

Índice